Quand **Chloe Neill** n'écrit pas, elle fait des gâteaux (beaucoup), regarde vraiment trop la télévision et supporte son équipe de football américain préférée. Elle passe également du temps avec son compagnon et ses amis, et joue avec Baxter et Scout, ses chiens. Elle vit dans le Midwest, aux États-Unis.

Du même auteur, chez Milady :

Les Vampires de Chicago :
1. *Certaines mettent les dents*
2. *Petites morsures entre amis*
3. *Mordre n'est pas jouer*
4. *Mordre vous va si bien*

www.milady.fr

Chloe Neill

Mordre vous va si bien

Les Vampires de Chicago – 4

Traduit de l'anglais (États-Unis) par Sophie Barthélémy

Milady

Milady est un label des éditions Bragelonne

Bragelonne – Milady
60-62, rue d'Hauteville – 75010 Paris

E-mail : info@milady.fr
Site Internet : www.milady.fr

À Jeremy, Baxter et Scout, mes trois chéris,
avec d'infinis remerciements à Sara,
la maîtresse de l'univers de Merit.

« Au picotement de mes pouces,
je sens qu'un maudit vient par ici. »
William Shakespeare

1

C'est en travaillant ses tours de passe-passe qu'on devient sorcière

Fin août
Chicago, Illinois

Une centaine de vampires travaillaient à la lumière des projecteurs qui perçaient l'obscurité de Hyde Park. Certains aéraient des tapis, d'autres ponçaient ou repeignaient des portes de placards.

Quelques hommes à la mine sévère en uniforme noir – des fées mercenaires – que nous avions engagés en renfort afin d'assurer la sécurité se tenaient à l'extérieur de la grille séparant l'immense terrain de Cadogan du reste de la ville.

Leur rôle consistait pour partie à nous protéger au cas où les métamorphes décideraient de repasser à l'attaque. Cette éventualité paraissait certes peu probable, mais personne ne s'était attendu au premier assaut, dirigé par Adam Keene, le plus jeune frère du Meneur de la Meute des Grandes Plaines.

Les fées devaient également contribuer à parer à une nouvelle menace : les humains.

Je détachai mon regard du bois orné d'élégantes moulures sur lequel j'étalais de la peinture. Alors qu'il était presque minuit, la lueur dorée des bougies des manifestants filtrait par l'interstice du portail, les flammes vacillant sous le souffle chaud de la brise d'été. Une trentaine ou une quarantaine d'humains protestaient en silence contre la présence des vampires au sein de leur cité.

La popularité est éphémère.

Des émeutes avaient tout d'abord éclaté lorsque nous avions fait notre coming out, presque un an auparavant. La peur avait ensuite cédé le pas à la fascination, véhiculée notamment par les paparazzis et les couvertures de papier glacé des magazines. Mais la violence de l'attaque menée contre la Maison – ainsi que le fait qu'en ripostant nous avions révélé au monde l'existence des métamorphes – avait de nouveau inversé la tendance. Les humains n'avaient pas été enchantés d'apprendre que des vampires vivaient dans leur ville. S'il y avait aussi des loups-garous, quelles horribles créatures se cachaient-elles encore dans l'ombre ? Au cours des deux derniers mois, nous n'avions cessé de subir les propos injurieux et empreints de préjugés d'hommes et de femmes qui ne souhaitaient pas notre présence dans leur quartier. Ils avaient même décidé de camper devant les grilles de la Maison pour mieux nous le faire comprendre.

Mon téléphone portable vibra. Je le sortis de ma poche et décrochai.

— La menuiserie Merit, bonjour.

Mallory Carmichael – ma meilleure amie, qui se trouvait être également une puissante sorcière – grogna à l'autre bout du fil.

—C'est plutôt dangereux, pour une vampire, de travailler avec ce qui est susceptible de servir de pieux de tremble, non ?

Je contemplai le bois finement ouvragé posé devant moi sur les tréteaux.

—Je ne sais pas si c'est du tremble, mais je vois ce que tu veux dire.

—Je suppose qu'étant donné ta petite introduction les travaux de menuiserie vont encore t'occuper toute la soirée…

—En effet. Puisque tu me poses la question, je suis en train de repeindre une très jolie moulure, et ensuite, j'y appliquerai sans doute du vernis…

—Oh, mon Dieu, je bâille déjà ! m'interrompit-elle. Pitié, épargne-moi tes histoires de bricolage. Je t'aurais volontiers proposé de venir te divertir un peu, mais je suis en route pour Schaumburg. Tu sais bien, c'est en travaillant ses tours de passe-passe qu'on devient sorcière.

Je comprenais mieux le ronronnement de moteur que j'entendais en fond sonore.

—De toute façon, tu n'aurais pas pu entrer, les humains n'ont plus le droit de pénétrer dans l'enceinte de la Maison, lui annonçai-je.

—Sans déconner. Quand est-ce que Dark Sullivan a sorti cette nouvelle loi ?

—Quand le maire le lui a demandé.

Mallory émit un petit sifflement, puis reprit d'un ton inquiet :

—Sans blague ? Catcher ne m'en a même pas parlé.

Catcher – le petit ami de Mallory, lui aussi sorcier – avait emménagé chez elle lorsque j'avais décidé de m'installer à la Maison Cadogan quelques mois auparavant.

11

Il travaillait dans le bureau du Médiateur de la ville – mon grand-père – et était censé ne rien ignorer des événements concernant les êtres surnaturels. L'Agence de médiation correspondait plus ou moins à un service d'assistance consacré au paranormal.

— Les Maîtres préfèrent rester discrets, expliquai-je. Si le bruit court que Tate a ordonné la fermeture des Maisons, ça va provoquer la panique.

— Parce que les humains penseront que les vampires représentent une menace sérieuse pour eux ?

— Exactement. En parlant de menace sérieuse, tu comptes travailler sur quoi, à Schaumburg, ce soir ?

— Ha, ha, bientôt, tu m'aimeras et me craindras en même temps, ma petite vampire.

— C'est déjà le cas. Tu prépares encore des potions ?

— Non. Nous sommes passés à un thème différent, cette semaine. Comment va le grand chef ?

Son empressement à changer de sujet me parut un peu étrange. D'habitude, Mallory se montrait intarissable dès que la conversation portait sur les phénomènes occultes ou son apprentissage de la magie. Peut-être que ce qu'elle apprenait à ce moment-là se révélait aussi ennuyeux que la menuiserie, bien que ce soit difficile à croire.

— Ethan Sullivan reste fidèle à lui-même, finis-je par répondre.

Elle exprima son accord par un nouveau grognement.

— Et je suppose que ça va durer, vu qu'il est immortel, répliqua-t-elle. Mais quelques trucs changent. D'ailleurs, tu veux un scoop ? Devine qui a maintenant une bonne vieille paire de lunettes perchées sur le bout de son parfait petit nez ?

— Sarah Michelle Gellar ?

Même s'il lui avait fallu du temps pour s'accoutumer à son statut de sorcière, Mallory avait toujours eu un faible pour le surnaturel. Les séries télévisées n'y échappaient pas, et Buffy et Spike étaient ses personnages préférés.

—Mais non ! Quoique, je pourrais proposer de lui corriger la vue grâce à la magie pour m'introduire dans un épisode. En fait, je parlais de Catcher.

J'esquissai un large sourire.

—Catcher porte des lunettes ? Monsieur Je-suis-tellement-cool-que-je-me-rase-la-tête-alors-que-je-ne-perds-même-pas-mes-cheveux porte des lunettes ? La soirée ne s'annonce peut-être pas si mauvaise que ça, finalement.

—Ouais, c'est dément, non ? Pour être franche, elles lui vont vraiment bien. Je lui ai proposé d'essayer un petit « abracadabra » pour qu'il ait dix à chaque œil, mais il a refusé.

—Parce que ?

—« Parce que ce serait utiliser la magie de manière égoïste », se moqua-t-elle d'une voix grave, imitant parfaitement Catcher. « Je ne veux pas détourner la volonté de l'univers dans l'unique but d'améliorer l'état de mes rétines. »

—Ça lui ressemble tout à fait.

—Ouais. Donc il a des lunettes. Et je t'assure qu'elles accomplissent des miracles. Maintenant, on met le feu à la chambre. On dirait que ça l'a transformé. Je te jure, son énergie sexuelle est tout simplement…

—Mallory, ça suffit. J'ai les oreilles qui saignent !

—Oh, quelle sainte-nitouche ! (Un hurlement de klaxon retentit dans l'écouteur.) Apprends à conduire, putain ! Allez ! Bon, un boulet du Wisconsin se traîne devant moi, je dois te laisser. Je te rappelle demain.

— Salut, Mallory. Bon courage pour le trajet et la magie.

— Bisous.

Elle raccrocha, et je glissai de nouveau le téléphone dans ma poche. Heureusement que les super copines existent.

Dix minutes plus tard, je pus tester ma théorie du « Maître resté fidèle à lui-même ». Je n'eus même pas besoin de regarder derrière moi pour savoir qu'il était là. Le frisson qui me parcourut l'échine constituait une indication suffisante : voilà Ethan Sullivan, le Maître de Cadogan, le vampire qui m'avait introduite dans ses rangs.

Après nous être tournés autour un moment, Ethan et moi avions passé une merveilleuse nuit ensemble. Malheureusement, le « ensemble » n'avait pas duré. Il avait rompu sous prétexte que sortir avec moi comportait un risque émotionnel qu'il ne pouvait se permettre de prendre. Il avait par la suite regretté cette décision et, au cours des deux derniers mois, avait tenté de réparer ses erreurs, du moins selon lui.

Grand, blond, Ethan était incroyablement séduisant avec son nez droit et fin, ses traits délicatement sculptés et ses yeux émeraude. Il était également doté d'une vive intelligence, se consacrait entièrement à ses vampires… et m'avait brisé le cœur. À présent, je comprenais sa crainte que notre relation mette sa Maison en danger. J'aurais menti en affirmant qu'il ne m'attirait pas, mais je n'avais aucune intention de renouer avec lui, et restais campée sur cette position.

— Sentinelle, m'appela-t-il, utilisant le titre qu'il m'avait donné en me nommant en quelque sorte garde de Cadogan. Ils sont étonnamment silencieux, ce soir.

—En effet, concédai-je.

Durant quelques jours, les manifestants avaient scandé des slogans à tue-tête en brandissant des pancartes, le tout à grand renfort de percussions, jusqu'à ce qu'ils se rendent compte que nous n'entendions rien des bruits qu'ils faisaient dans la journée. Par ailleurs, les habitants de Hyde Park ne montraient pas une grande tolérance pour le tapage nocturne.

Merci, Hyde Park.

—C'est appréciable. Comment avance le chantier ?

—Bien, répondis-je en essuyant une goutte de peinture indésirable. Mais je serai contente quand tout sera terminé. Je crois que le bricolage n'est pas mon truc.

—Je tâcherai de m'en souvenir.

La pointe d'humour qui avait percé dans sa voix ne m'avait pas échappé. Je pris une seconde pour m'armer de courage avant de poser le regard sur lui. Ethan portait un jean et un tee-shirt maculés de taches de peinture, et ses cheveux mi-longs étaient coiffés en queue-de-cheval basse. Malgré sa tenue décontractée, ce prince des vampires conservait toute son aura de puissance et d'implacable autorité.

Les mains sur les hanches, il contemplait les travailleurs affairés devant les tables et les tréteaux disséminés dans la cour, ses yeux émeraude passant de l'un à l'autre tandis qu'il évaluait leurs progrès. Il gardait malgré tout les épaules tendues, comme s'il redoutait encore une menace tapie dans l'ombre, juste derrière la grille.

Alors qu'il inspectait ses troupes, vêtu d'un simple jean et de baskets, Ethan restait d'une beauté à couper le souffle.

—Comment ça va, à l'intérieur ? demandai-je.

— Les travaux avancent doucement. Ça irait plus vite si nous avions le droit d'engager des ouvriers humains.

— Au moins, en leur interdisant l'accès à la Maison, on s'épargne le risque d'un éventuel sabotage, fis-je remarquer.

— Et le risque qu'un maçon se transforme en petit en-cas, ironisa-t-il.

Toutefois, lorsqu'il me regarda de nouveau, une ride lui barrait le front, indiquant son inquiétude.

— Qu'est-ce qui se passe? l'encourageai-je. (Ethan me répondit en arquant un sourcil, sa mimique préférée.) Enfin, à part les manifestations et la menace latente d'une attaque.

— Tate a appelé. Il veut nous voir, tous les deux.

Cette fois, ce fut mon tour de hausser les sourcils. Seth Tate, qui exécutait son deuxième mandat en tant que maire de Chicago, avait jusque-là préféré éviter les trois Maîtres vampires de la ville.

— À quel sujet?

— Celui-ci, je suppose, avança-t-il en désignant d'un geste les humains contestataires.

— Tu penses qu'il souhaite ma présence parce qu'il est ami avec mon père, ou parce que mon grand-père travaille pour lui?

— L'un ou l'autre. Ou alors, Tate est fou de toi.

Je levai les yeux au ciel, mais ne pus m'empêcher de rougir.

— Il n'est pas du tout fou de moi, il a simplement envie d'être réélu.

— Il en pince pour toi, ce que je peux comprendre. Et dire qu'il ne t'a même pas encore vue te battre.

Ethan parlait d'une voix douce. Emplie d'espoir.

Difficile de faire comme si de rien n'était.

Ces deux derniers mois, il s'était comporté ainsi à mon égard, se montrant attentionné et flatteur.

Bien entendu, il avait toujours ses mauvais moments. Après tout, il restait Ethan, Maître d'une Maison dont les Novices ne se conduisaient pas forcément selon ses désirs et, pour ne rien arranger, les travaux de restauration de la propriété duraient depuis des semaines. En général, les chantiers de construction avançaient assez lentement à Chicago, et c'était encore pire lorsqu'il s'agissait de remettre sur pied un manoir de deux étages peuplé de vampires. Un chef-d'œuvre architectural, certes, mais un chef-d'œuvre qui grouillait de suceurs de sang, et patati, et patata. Nos fournisseurs humains se montraient souvent réticents à collaborer, ce qui ne rendait pas Ethan particulièrement fou de joie.

En dépit de ces problèmes, il faisait les bons choix et prenait les décisions appropriées. Le seul souci, c'était qu'il avait ébranlé ma confiance. Même si j'espérais encore vivre un jour un conte de fées, je doutais que ce prince charmant se sente prêt à m'emmener sur son cheval blanc. Deux mois après notre rupture, la peine et l'humiliation qu'il m'avait causées n'avaient pas disparu. La blessure ne s'était pas refermée.

Je n'étais pas naïve au point de nier l'attirance magnétique qui existait entre nous. Peut-être le destin finirait-il par nous réunir. Après tout, Gabriel Keene, l'alpha de la Meute des Grandes Plaines, avait en quelque sorte partagé avec moi une vision au cours de laquelle lui étaient apparus deux yeux verts semblables à ceux d'Ethan… mais appartenant vraisemblablement à quelqu'un d'autre.

Je sais. Moi aussi, sur le moment, je me suis dit : « C'est quoi ce cirque ? »

Pourtant, j'avais envie de le croire. Comme toutes les jeunes Américaines, j'avais lu des livres et regardé des films dans lesquels le garçon finit par se rendre compte qu'il a commis une terrible erreur... et revient vers son véritable amour. J'avais envie de croire qu'Ethan regrettait d'avoir renoncé à moi, que ses remords étaient sincères et ses promesses sérieuses. Mais il ne s'agissait pas d'un jeu. Et comme Mallory me l'avait fait remarquer : n'aurait-il pas mieux valu qu'il soit dès le début persuadé que j'étais la vampire de sa vie ?

Mais toutes ces questions qui fusaient sous mon crâne ne m'empêchaient pas de remplir consciencieusement mon rôle de Sentinelle. En entretenant avec lui des relations strictement professionnelles, je bénéficiais de l'espace et des limites dont j'avais besoin... et irritais Ethan, ce qui ne gâtait rien. Puéril ? Sans doute. Mais il est dommage de ne pas taquiner le patron quand l'occasion se présente, non ?

Par ailleurs, la plupart des vampires étant affiliés à une Maison, refuser de travailler avec Ethan m'aurait condamnée à une éternité d'errance. Ce qui signifiait que je devais m'accommoder de cette situation.

Faisant mine de ne pas comprendre ses sous-entendus, je souris poliment à mon Maître.

— Espérons qu'il n'aura pas l'occasion de me voir combattre. Ce serait le signe que les choses ont nettement empiré si je suis obligée de me bagarrer devant le maire. Quand est-ce qu'on part ?

Ethan garda le silence si longtemps que je finis par l'observer. Je remarquai alors la gravité avec laquelle il me regardait. Cela réussit à faire vibrer une corde sensible en moi, mais peu importait ce que nous réservait le destin, je n'avais pas l'intention de franchir le pas ce jour-là.

— Sentinelle.

Il avait prononcé mon titre d'un ton gentiment réprobateur, mais je restai fidèle à ma ligne de conduite.

— Oui, Sire?

— Fais ta tête de mule si tu veux ou si tu en as besoin, mais nous savons tous les deux comment ça va se terminer.

Je demeurai imperturbable.

— Ça va se terminer comme d'habitude: toi dans le rôle du Maître, et moi dans celui de la Sentinelle.

Le rappel de nos statuts hiérarchiques sembla efficace, car Ethan arrêta son numéro de charme aussi brusquement qu'il l'avait commencé.

— Je te retrouve en bas dans vingt minutes. Mets ton uniforme.

Aussitôt après, il s'éloigna d'une démarche assurée puis gravit l'escalier avant de pénétrer dans la Maison Cadogan.

J'étouffai un juron. Cet homme allait finir par avoir ma peau.

2

Pour une poignée de vampires

D'habitude, quitter la Maison Cadogan nécessitait de faire preuve d'astuce, car nous devions éviter les paparazzis qui nous guettaient au coin de la rue pour nous prendre en photo. À présent, il fallait faire preuve de courage. Sortir était devenu risqué.

Vêtus de l'uniforme noir officiel de Cadogan, nous avions pris place dans l'élégante Mercedes décapotable noire d'Ethan qui restait garée dans le sous-sol de la Maison. Après avoir gravi la rampe qui menait à la sortie, Ethan attendit que l'une des fées en faction devant le garage lui ouvre le portail. Une de ses collègues se trouvait dans la rue, surveillant d'un regard méfiant les manifestants qui commençaient à se rassembler vers nous.

Ethan s'engagea sur la route. Le garde referma derrière nous puis, imitant son partenaire, vint se placer au flanc du véhicule qui roulait au pas tandis que les humains s'amassaient autour de nous, bougie à la main. Ils avançaient sans bruit, visages fermés, comme des zombies fanatiques. Leur silence était déroutant. Je crois que j'aurais préféré les entendre crier des slogans anti-crocs, ou même n'importe quelle obscénité.

—Apparemment, ils nous ont vus, marmonna Ethan, la main gauche sur le volant, la droite sur le levier de vitesses.

—On dirait. Tu veux que je descende?

—Merci pour cette proposition, mais laissons les fées gérer la situation.

Comme obéissant à un signal, les gardes se postèrent chacun à une portière.

—Ils sont payés, non? Pour assurer la sécurité, je veux dire?

—Oui, répondit Ethan. Mais étant donné qu'ils détestent les humains encore plus qu'ils ne nous détestent nous, ils auraient sans doute accepté de s'en occuper bénévolement.

Ainsi, les fées haïssaient les vampires, mais les humains encore davantage. Certains humains détestaient les vampires, et s'ils avaient su quel genre de créatures étaient réellement les fées, ils les auraient certainement haïes aussi.

Et les vampires? Eh bien, nous nous comportions en politiciens. Nous désirions être amis avec tout le monde, appréciés de tous. Nous voulions assurer nos intérêts politiques, entretenir des relations susceptibles de nous apporter des bénéfices plus tard. Malgré nos talents de stratèges et notre aisance en société, nous restions des vampires et, de ce fait, étions différents.

En tout cas, la plupart d'entre nous. Ethan m'avait souvent fait remarquer que je me montrais plus humaine que les autres, probablement parce que je n'avais été transformée que quelques mois auparavant. Toutefois, en regardant les manifestants ce soir-là, je me sentais plus vampire que d'habitude.

Les humains nous observaient par les vitres en tendant leurs bougies, comme s'ils espéraient que la flamme suffirait à nous faire disparaître. Heureusement, le feu ne représentait pas un plus grand danger pour nous que pour eux.

Ethan reporta ses deux mains sur le volant, et manœuvra la Mercedes avec précaution au milieu de la foule, progressant très doucement. Les manifestants formaient un groupe si compact que nous ne distinguions plus la route. Les fées nous escortaient, la paume à plat sur le toit du cabriolet, comme des agents de la sécurité lors d'une parade présidentielle. Nous avancions lentement mais sûrement.

J'aperçus deux adolescents qui se tenaient par la main à ma droite – un garçon et une fille. Ils paraissaient très jeunes et portaient des shorts et des débardeurs, comme s'ils avaient passé la journée à la plage. Mais l'expression qu'ils affichaient détonnait. Je lus de la haine dans leurs yeux, une haine bien trop féroce pour des jeunes gens de seize ans. Les traces de mascara sous les yeux de la fille semblaient indiquer qu'elle avait pleuré. Le garçon avait le regard rivé sur elle. L'adoration qu'il lui vouait animait sans doute son sentiment d'hostilité à mon égard.

Soudain, ils rompirent le silence en se mettant à scander :

— Vampires, décampez ! Vampires, décampez ! Vampires, décampez !

Ils serinèrent leur mantra avec ferveur, comme des anges exterminateurs.

— Ils sont bien trop jeunes pour ressentir une telle colère, soufflai-je.

— La colère n'est pas l'apanage des adultes, fit remarquer Ethan. Les plus jeunes ne sont pas épargnés par la misère ou les tragédies, et certains transforment leur tristesse en ressentiment.

S'inspirant de l'attitude des deux adolescents, les manifestants entonnèrent leur refrain, l'un après l'autre, jusqu'à ce que toute la foule répète en chœur le même slogan haineux.

— Allez-vous-en ! cria une femme mince d'une cinquantaine d'années avec de longs cheveux blancs qui se tenait à proximité de la voiture, vêtue d'un tee-shirt et d'un treillis. Repartez là d'où vous venez !

Je détournai le regard.

— Je viens de Chicago, murmurai-je. C'est là que je suis née et que j'ai grandi.

— À mon avis, ils pensent à un lieu plus cauchemardesque, répliqua Ethan. L'enfer, peut-être, ou une dimension parallèle uniquement peuplée de vampires et de loups-garous. En tout cas, un endroit lointain.

— Ou alors, ils préféraient que nous vivions en Transylvanie plutôt qu'à Chicago.

— Possible, concéda-t-il.

Je me forçai à regarder droit devant moi en essayant de ne pas tenir compte de leurs visages pressés contre la vitre. À cet instant, j'aurais aimé me rendre invisible, ou me fondre dans le revêtement de cuir du siège afin de ne plus entendre ces humains hurler à quel point ils me détestaient. Je me sentis plus blessée que je ne l'aurais cru par ces gens qui, sans me connaître, considéraient que je polluais leur quartier et seraient ravis de me voir partir.

— Cela devient plus facile à supporter avec le temps, annonça Ethan.

— Je n'ai pas envie d'avoir à supporter ce genre de choses. Je veux que l'on m'accepte telle que je suis.

— Malheureusement, tout le monde ne t'apprécie pas à ta juste valeur. Contrairement à la plupart d'entre nous.

La voiture dépassa une famille – le père, la mère et leurs deux petits garçons – brandissant une pancarte sur laquelle on pouvait lire « Hyde Park contre les vampires ».

— Par contre, ce genre d'attitude m'énerve au plus haut point, marmonna Ethan. Les enfants ne devraient pas être impliqués dans ces histoires avant d'être en âge de tirer leurs propres conclusions. Ils n'ont pas à porter le fardeau des préjugés de leurs parents.

J'acquiesçai et me recroquevillai, les bras croisés.

Une centaine de mètres plus loin, la foule commença à se clairsemer. Les protestations devenaient apparemment moins véhémentes au fur et à mesure que l'on s'éloignait de la Maison Cadogan, mais les manifestants m'avaient totalement démoralisée. Ethan accéléra en direction de Creeley Creek, la résidence du maire, qui se trouvait dans le quartier de la célèbre Prairie Avenue à Chicago.

— Est-ce que nous avons pensé à une campagne de communication, ou à une forme de réponse à ces propos haineux ? lui demandai-je. Nous pourrions par exemple diffuser des messages dans les médias, ou créer un forum sur Internet où les gens pourraient poser des questions afin de mieux nous connaître. Je ne sais pas, quelque chose susceptible de les aider à se rendre compte que nous ne sommes pas leurs ennemis ?

Il esquissa un sourire en coin.

— L'organisatrice d'événements s'est remise au travail ?

Pour me punir de l'avoir défié au combat – même si, à ce moment-là, je souffrais d'un dédoublement de la personnalité –, Ethan m'avait nommée présidente du comité des fêtes de la Maison. Il avait pensé qu'il s'agissait d'un châtiment approprié à quelqu'un qui passait plus de temps dans sa chambre qu'en compagnie de ses camarades vampires. Je reconnaissais avoir été un vrai rat de bibliothèque – avant ma transformation, j'étudiais la littérature anglaise –, mais je m'étais améliorée. Bien entendu, l'attaque des métamorphes avait mis à mal mon projet festif de barbecue.

— Je ne suis qu'une Novice à la recherche de solutions destinées à apaiser l'ambiance. Sérieusement, nous devrions considérer ces possibilités.

— Julia y travaille déjà.

— Julia ?

— La chargée de communication et de relations publiques de la Maison.

Ça alors. Je n'étais même pas au courant de son existence.

— Nous pourrions organiser une tombola dont le prix principal serait une place d'Initié, pour donner envie aux humains de faire partie des vampires Cadogan.

— Et celui qui découvrirait le billet doré serait le gagnant, comme dans *Charlie et la Chocolaterie* ? s'esclaffa Ethan.

— Pourquoi pas ? Bien sûr, en offrant une place au public, on augmente sans doute le risque de faire entrer un saboteur dans la Maison.

— Je crois que, question sabotage, nous avons eu notre compte ces derniers temps.

Je hochai la tête en pensant aux deux traîtres qui avaient été chassés de Cadogan depuis que je faisais partie de la communauté vampire.

—Tout à fait d'accord avec toi.

J'aurais dû toucher du bois pour conjurer le mauvais sort que j'avais attiré sur nous en évoquant le sabotage… car il semblait que les manifestants avaient appelé des renforts.

Les phares de la Mercedes se reflétèrent sur deux 4×4 garés en diagonale au milieu de la route devant lesquels étaient postés six hommes imposants, tous vêtus de tee-shirts noirs et de treillis.

—Accroche-toi, cria Ethan en donnant un brusque coup de volant.

Dans un crissement de pneus, le cabriolet vira à droite puis tournoya avant de s'arrêter, perpendiculaire aux véhicules de notre comité d'accueil.

Je levai la tête. Trois hommes accoururent dans notre direction, armes à feu à la ceinture, et encerclèrent la voiture avant qu'Ethan ait eu le temps de redémarrer.

—Cette situation ne me dit rien qui vaille, murmurai-je.

—À moi non plus, ajouta Ethan avant de sortir son téléphone de sa poche et de composer un numéro.

Je supposai qu'il appelait de l'aide, ce qui me convenait tout à fait.

—Tu penses que ce sont des militaires ? interrogeai-je, le cœur battant à tout rompre.

—Les membres de l'armée ne nous aborderaient sans doute pas de cette manière. Ils adopteraient d'autres méthodes entraînant moins de dommages collatéraux potentiels.

—En tout cas, j'imagine qu'il s'agit d'anti-crocs.

Deux des hommes qui entouraient la voiture dégainèrent leur arme, s'approchèrent et ouvrirent les portières.

—Sortez, ordonnèrent-ils en chœur.

Je procédai mentalement à l'inventaire de mon équipement : j'avais emporté mon poignard, mais pas mon sabre. J'espérai que je ne le regretterais pas.

—Des anti-crocs, en effet, marmonna Ethan avant de lever les mains en l'air d'un geste lent.

Je l'imitai.

—*Du calme, Sentinelle*, m'intima-t-il par télépathie. *Ne parle pas tant que ce n'est pas absolument nécessaire.*

—*C'est toi le chef*, répondis-je.

—*Contrairement aux apparences*, rétorqua-t-il avec une hargne évidente.

Dès que je posai le pied sur le bitume de cette sombre ruelle de Chicago, je perçus une intense vibration autour de nous : le bourdonnement de l'acier. Depuis que j'avais offert mon sang à la lame de mon katana, j'étais capable de détecter la présence de ce métal. Qui que soient ces hommes, ils étaient armés jusqu'aux dents. Ils nous escortèrent jusqu'au capot de la Mercedes en pointant leurs fusils sur nous, nous forçant à garder les mains en l'air. Étant donné nos capacités de guérison, les balles nous étaient rarement fatales, contrairement à un pieu planté en plein cœur.

En y regardant de plus près, je me rendis compte que leurs fusils avaient un aspect peu conventionnel. Le canon semblait plus large que celui des armes de l'arsenal de Cadogan, comme si le diamètre avait été adapté.

—*Est-ce qu'il est possible de transformer un fusil de manière à tirer des pieux de tremble ?* demandai-je à Ethan.

— *Je préfère ne pas connaître la réponse*, répliqua-t-il.

Mon estomac se noua aussitôt. Je m'étais habituée à la violence qu'impliquait mon travail, en général perpétrée par des êtres surnaturels remontés contre moi et les miens. Mais, dans le cas présent, nos adversaires n'appartenaient pas à l'univers paranormal. C'étaient des humains adeptes des armes à feu qui semblaient convaincus d'être au-dessus des lois et se croyaient autorisés à nous barrer la route et pointer des armes sur nos têtes dans notre propre ville.

Un troisième homme, un grand type corpulent au visage criblé de cicatrices d'acné et à la coupe militaire, s'avança.

— *Attention*, résonna la voix d'Ethan dans mon esprit.

— *J'ai vu. Difficile de manquer une armoire à glace pareille.*

— Vous pensez que nous ignorons ce que vous faites subir à notre ville ? persifla Armoire à glace. Vous assassinez les nôtres, vous rôdez la nuit, nous tirez du sommeil et nous hypnotisez pour nous saigner à blanc.

Mon cœur se serra en entendant ces propos. Je n'avais jamais rien fait de tel et ne connaissais aucun vampire capable de telles atrocités – à part Célina Desaulniers, mais cette garce avait disparu de la circulation. Pourtant, Armoire à glace paraissait très sûr de lui.

— Je ne vous ai rien fait, affirmai-je. Je ne vous ai jamais rencontré, et vous ne savez rien de moi, hormis le fait que je suis une vampire.

— Salope, grogna-t-il.

Il tourna brusquement la tête lorsque la portière arrière de l'un des 4 × 4 s'ouvrit. Une paire de bottes apparut, suivie par un homme vêtu du même uniforme noir que les autres. Contrairement à ses congénères, il dégageait un charme certain avec ses grands yeux, ses hautes pommettes rondes et ses cheveux noirs soigneusement coiffés. Les mains dans le dos, il se dirigea vers nous tandis qu'Armoire à glace refermait la portière derrière lui.

Je présumai que Mystérieux Inconnu était le chef de la troupe.

— Monsieur Sullivan, salua-t-il. Mademoiselle Merit.

— Et vous êtes… ? s'enquit Ethan.

Le visage de Mystérieux Inconnu se fendit d'un large sourire.

— Appelez-moi McKetrick. (Pas de prénom.) Et ces hommes font partie de mes amis. Des confrères partageant mes convictions, si vous préférez.

— Vos méthodes laissent quelque peu à désirer.

La magie qui crépitait furieusement dans l'air démentait le ton désinvolte d'Ethan.

McKetrick croisa les bras.

— Je trouve cette insulte plutôt comique de la part d'un intrus tel que vous, monsieur Sullivan.

— Un intrus ?

— Nous sommes des humains. Vous êtes des vampires. Vous seriez comme nous si vous n'aviez pas subi de mutation génétique, ce qui fait de vous des aberrations, des indésirables dans notre ville. Des importuns qui devraient se tenir à carreau et se préparer à partir.

Devant la nonchalance qu'il affichait, il était difficile de croire qu'il venait de nous traiter de monstres et nous avait suggéré de débarrasser le plancher.

— Excusez-moi, mais…, tenta de répliquer Ethan.

McKetrick l'interrompit aussitôt en levant la main.

— Ne faites pas semblant de ne pas avoir compris, reprit-il. Vous avez l'air intelligent, et votre collègue ne doit pas être stupide non plus. Du moins, d'après ce que l'on sait de ses parents.

Mes parents – les Merit – faisaient partie des nouveaux riches de Chicago. Mon père, agent immobilier, figurait dans les journaux presque tous les jours. Quelqu'un de rusé, mais sans états d'âme. Nous n'étions pas vraiment proches, et être jugée d'après ce personnage narcissique ne me réjouissait pas du tout.

— *Ne le laisse pas te déstabiliser*, me conseilla Ethan. *Tu sais qui tu es.*

Puis il s'adressa à McKetrick :

— Vos préjugés ne nous concernent pas. Je vous suggère de baisser vos armes et de passer votre chemin.

— Passer notre chemin ? C'est comique. Comme si nous pouvions faire comme si de rien n'était. Nous savons pertinemment que si nous n'agissons pas, ceux de votre espèce vont entraîner cette ville dans une guerre surnaturelle sans merci. (Il secoua la tête.) Ça ne se passera pas comme ça, monsieur Sullivan. Vous et vos semblables devez faire vos valises et déguerpir.

— Je viens de Chicago, intervins-je, attirant l'attention sur moi. Je suis née dans cette ville, et c'est là que j'ai grandi.

Il leva un doigt.

— En tant qu'humaine, peut-être, mais ensuite, vous avez changé de camp.

Je faillis le corriger en rétorquant qu'Ethan m'avait sauvé la vie alors que j'avais été attaquée par un tueur à la solde de Célina. J'aurais pu ajouter que, quels que soient les défis que j'aie dû relever en tant que vampire, c'était grâce à Ethan que je respirais encore. Toutefois, je me retins, pensant que McKetrick ne serait pas enchanté d'apprendre qu'un vampire avait tenté de m'assassiner et qu'un autre m'avait transformée sans mon consentement.

— Rien à répondre à cela ? poursuivit McKetrick. Ce n'est pas étonnant. Compte tenu du chaos que votre Maison a déjà provoqué à Chicago, je ne suis pas sûr que j'oserais émettre des objections, si j'étais à votre place.

— Nous ne sommes pas responsables de ce qui s'est passé, protestai-je. Notre Maison a été attaquée.

McKetrick inclina la tête dans notre direction, un vague sourire aux lèvres.

— Vous devez cependant reconnaître que vous avez causé ces événements. Si vous n'aviez pas été là, il n'y aurait pas eu de violence.

— Tout ce que nous voulons, c'est vivre notre vie.

McKetrick sourit avec condescendance. Il avait beau être séduisant, son calme et son assurance traduisaient une confiance qui me terrifiait.

— Ça me convient très bien. Contentez-vous de vivre votre vie ailleurs. Comme vous avez pu vous en rendre compte, Chicago ne veut pas de vous.

Les traits d'Ethan se crispèrent.

— Vous n'avez pas été élu. Personne ne vous a nommé. Vous n'avez pas le droit de parler au nom de la ville.

— Une ville qui est tombée en votre pouvoir ? Une ville qui se rend enfin compte de votre comportement déviant ? Parfois, monsieur Sullivan, le monde a besoin d'un prophète, d'un homme capable de voir au-delà du présent, de se projeter dans l'avenir et de comprendre ce qu'il faut à ses semblables.

— Qu'est-ce que vous voulez ?

Il gloussa.

— Nous voulons vous reprendre notre ville, bien sûr. Nous voulons que tous les vampires quittent Chicago. Peu importe où vous allez, tant que vous ne restez pas ici. J'espère que vous m'avez bien entendu.

— Allez vous faire foutre, vous et vos préjugés, cracha Ethan.

McKetrick parut déçu, comme s'il s'attendait vraiment à voir Ethan reconnaître ses erreurs.

Il ouvrit la bouche pour répliquer, mais, avant qu'il ait pu prononcer un mot, un rugissement de moteur s'éleva, perçant le calme de la nuit à la manière d'un coup de tonnerre. En jetant un coup d'œil derrière moi, j'aperçus des phares de véhicules – une bonne dizaine – qui se dirigeaient vers nous à toute allure.

Des motos.

J'esquissai un sourire en prenant conscience des renforts qu'Ethan avait appelés. Ces bolides appartenaient à des métamorphes. La cavalerie venait d'arriver.

Nos opposants lancèrent un regard interrogateur à leur chef, incertains de l'attitude à adopter.

Douze énormes motos rutilantes fendirent l'obscurité tels des requins de chrome, chaque engin chevauché d'un métamorphe musclé vêtu de cuir, prêt à en découdre. Pour les avoir déjà vus à l'œuvre, je savais de quoi ils étaient capables, et l'électricité qui me hérissait les cheveux sur la tête indiquait qu'ils étaient armés jusqu'aux dents.

Correction : il y avait onze métamorphes musclés vêtus de cuir. Sur le douzième bolide se tenait une petite brune dont les longs cheveux bouclés et blondis par le soleil étaient cachés sous une casquette à l'effigie des Cardinals, l'équipe de base-ball de Saint-Louis, dans le Missouri. Il s'agissait de Fallon, la seule fille de la fratrie Keene, qui comptait six garçons nommés dans l'ordre alphabétique décroissant, de Gabriel à Adam. Ce dernier avait été exclu de la Meute des Grandes Plaines et envoyé dans les bras chaleureux d'une Meute rivale qu'il avait privée de chef. Personne n'avait entendu parler d'Adam depuis cet échange. Étant donné la gravité du crime qu'il avait commis, ce n'était pas bon signe.

J'adressai un hochement de tête à Fallon, et lorsqu'elle me rendit mon salut, je décidai de lui pardonner son manque de goût en matière de base-ball.

Gabriel Keene, le Meneur, montait la première moto de la troupe. Il avait noué ses cheveux en queue-de-cheval et étudiait la scène, une lueur malveillante dans ses yeux couleur d'ambre. Je n'étais toutefois pas dupe. Gabriel n'avait recours à la violence qu'en cas de force majeure. Il n'avait pas peur de se battre, mais ne cherchait pas l'affrontement.

Lorsque Gabriel fit rugir son moteur d'un mouvement du poignet, comme par magie, les hommes de McKetrick reculèrent en direction de leurs 4 × 4.

Gabriel posa le regard sur moi.

— Tu as des problèmes, chaton ?

Je me tournai vers McKetrick, qui observait la bande de motards avec nervosité. Il ne fanfaronnait sans doute pas tant devant les métamorphes que devant les vampires. Quelques instants plus tard, il sembla recouvrer son calme et porta de nouveau les yeux sur moi.

— J'espère poursuivre cette conversation à un moment plus approprié, déclara-t-il. Je vous recontacterai. En attendant, tenez-vous tranquilles.

Sur ces mots, il se glissa dans sa voiture, aussitôt suivi par ses acolytes.

Je masquai ma déception. J'aurais presque préféré qu'ils se montrent assez naïfs pour provoquer nos alliés, juste pour avoir le plaisir de regarder les Keene leur faire passer leur haine à coups de poing.

Dans un crissement de pneus et un vrombissement de moteur atténué par les silencieux dont nos mystérieux agresseurs avaient muni les pots d'échappement, les 4×4 s'élancèrent dans la nuit et s'éloignèrent. J'essayai de relever les numéros d'immatriculation, mais les véhicules n'en portaient aucun. Soit ces individus conduisaient sans plaques, soit ils les avaient enlevées pour l'occasion.

Gabriel se tourna vers Ethan.

— Qui est ce GI Joe ?

— Il a dit s'appeler McKetrick. Il s'est autoproclamé chef d'une brigade anti-crocs qui a pour but de débarrasser la ville de tous les vampires.

Gabriel fit claquer sa langue.

— Il n'est certainement pas le seul à vouloir chasser les vampires, déclara-t-il avant de diriger le regard sur moi. On dirait vraiment que tu attires les ennuis, chaton.

— Ethan peut confirmer que je n'ai rien à voir avec cette histoire. Nous étions en route pour Creeley Creek quand nous sommes tombés sur le barrage. Ils ont aussitôt brandi leurs armes.

Gabriel leva les yeux au ciel.

— Il n'y a que les vampires pour considérer des fusils comme une menace au lieu d'un défi. Vous êtes immortels, après tout.

— Et nous aimerions le rester, répliqua Ethan. Leurs armes semblaient avoir été trafiquées.

— Pour lancer des munitions spéciales anti-vampires ?

—Ça ne m'étonnerait pas. Ce serait bien le genre de ce McKetrick.

—J'ai laissé mon sabre à la Maison, fis-je remarquer. Donnez-moi quatre-vingts centimètres d'acier dans les mains, et je ne crains plus personne.

Il roula des yeux, fit rugir une nouvelle fois sa moto puis regarda Ethan.

—Vous allez à Creeley Creek ?

—Oui.

—Alors, nous vous escortons. Montez dans la voiture, nous vous accompagnons.

—Nous vous devons une fière chandelle.

Gabriel secoua la tête.

—Considérez que ça fait partie de la dette que nous avons envers Merit.

Il avait déjà mentionné cette histoire de dette. Je n'avais toujours pas la moindre idée de ce qu'il me devait, mais j'acquiesçai et courus à petites foulées vers la Mercedes.

Je m'engouffrai dans l'habitacle.

—Tu m'as dit que les fées détestaient les humains. J'ai l'impression que « détester » n'est pas un terme assez fort. Et apparemment, nous pouvons ajouter un problème à la liste.

—On dirait, en effet, confirma-t-il en démarrant le moteur.

—Au moins, les métamorphes sont encore nos amis, soupirai-je alors que nous dépassions la ligne « stop » marquée au sol, escortés par les motos qui formaient un « V » autour de la voiture.

—Et les humains sont officiellement nos ennemis. En tout cas, certains d'entre eux.

Après que le véhicule eut gagné de la vitesse, suivi de près par la bande de Gabriel, je me tournai de nouveau vers la route et poussai un soupir.

— Que la fête continue !

3

SCIENCE FRICTION

Creeley Creek était un bâtiment de style Prairie, bas et allongé, avec des rangées de grandes fenêtres, des corniches et du bois brut de teinte claire. Il avait été conçu au début du XXᵉ siècle par un architecte connu pour son ego démesuré, et sa taille dépassait celle des constructions typiques du genre. À la mort du propriétaire d'origine, la maison était revenue à la ville de Chicago, qui avait décidé d'en faire la résidence officielle du maire. Creeley Creek était à Chicago ce que la Maison Blanche était aux États-Unis.

Y vivait actuellement l'homme politique dont la ville avait toujours rêvé. Un orateur de talent séduisant et populaire, qui entretenait des amitiés au sein des partis de tous bords. Même si l'on n'adhérait pas à ses opinions, il fallait admettre qu'il était extrêmement doué.

Le portail s'ouvrit devant nous, et le vigile posté dans la cabine vitrée au coin de la rue nous fit signe d'avancer. Ethan s'engagea dans l'allée et se gara sur un petit parking situé à côté du bâtiment.

— Nous avons quitté une Maison de vampires pour celle d'un politicien, marmonna Ethan tandis que nous marchions en direction de la porte d'entrée.

— Et c'est le plus politicien des vampires qui dit ça, ironisai-je.

Je récoltai un grognement en guise de réponse. Pourtant, j'avais raison. C'était lui qui avait décidé de rompre avec moi pour des considérations stratégiques.

— Je suis impatient de te voir à l'œuvre, répliqua Ethan alors que nous traversions l'élégante allée pavée.

Je supposai qu'il faisait référence au jour où je deviendrais une Maîtresse vampire. Je ne trépignais pas vraiment d'impatience, mais au moins, cela me permettrait de m'échapper de la Maison Cadogan.

— Parce que tu penses qu'alors nous serons sur un pied d'égalité ? Politiquement, je veux dire.

Il me décocha un regard glacial.

— Parce que je prendrai un malin plaisir à t'observer sous pression.

— Charmant, grommelai-je.

Une femme en élégant tailleur bleu marine nous attendait devant la porte d'entrée à deux battants que surmontait une basse avancée de toit en pierre. Les cheveux coiffés en un chignon impeccable, elle portait des lunettes à épaisse monture d'écaille qui contrastaient avec ses chaussures à plates-formes.

Elle jouait peut-être à l'intello sexy.

— Monsieur Sullivan. Merit. Je suis Tabitha Bentley, l'assistante du maire. M. Tate est prêt à vous recevoir, mais il me semble que nous devons respecter une certaine procédure, si je ne m'abuse.

Elle dirigea son regard vers le seuil.

Selon la légende, les vampires ne pouvaient pas entrer dans une demeure sans invitation. Comme de nombreux autres mythes relatifs aux créatures à crocs, il s'agissait moins de magie que de respect des règles. Les vampires adoraient les règles. Tout était codifié : ce qu'on était autorisé à boire, la manière de se tenir, l'attitude à adopter face aux vampires de rang supérieur, etc.

— En effet, nous aimerions être officiellement invités par le maire à pénétrer dans sa résidence, répondit Ethan sans détailler les raisons qui motivaient sa requête.

Elle hocha la tête d'un air guindé.

— J'ai reçu l'autorisation de vous inviter, vous et Merit, à entrer à Creeley Creek.

Ethan esquissa un sourire poli.

— Nous vous remercions de votre hospitalité et acceptons votre invitation.

Une fois ces formalités accomplies, Mme Bentley ouvrit la double porte et nous laissa avancer dans le hall.

Ce n'était pas ma première visite. Tate – qui disposait de nombreux contacts – et mon père – qui disposait de beaucoup d'argent – se connaissaient, et ce dernier m'avait déjà traînée à Creeley Creek pour rencontrer un collecteur de fonds ou je ne sais qui. En examinant les alentours, je conclus que rien n'avait changé depuis la dernière fois. Je reconnus le sol dallé de pierres reluisantes et les lambris de bois foncé sur les murs. Le hall de la demeure froide et sombre était éclairé par des appliques murales qui projetaient une lumière dorée.

Une odeur de cookies à la vanille flottait dans l'air. Ce parfum sucré aux arômes de citron m'évoqua aussitôt Tate. J'avais senti ces effluves lors de notre dernière rencontre. Peut-être avait-il un faible pour une pâtisserie particulière que les cuisiniers de Creeley Creek s'évertuaient à satisfaire.

L'homme que je rencontrai alors dans le couloir n'était pas celui auquel je m'attendais. Mon père, vêtu d'un costume noir à l'élégance irréprochable, se dirigeait vers nous. Fidèle à lui-même, il ne prit pas la peine de nous serrer la main.

— Ethan. Merit.

— Joshua, salua Ethan avec un hochement de tête. Vous avez rendez-vous avec le maire, ce soir ?

— Je sors de son bureau à l'instant, déclara mon père. Comment allez-vous, tous les deux ?

C'est triste à dire, mais je fus surprise de l'attention qu'il nous témoignait.

— Bien, lui répondis-je. Qu'est-ce qui t'amène ici ?

— Des histoires de Comité.

Mon père faisait partie du Comité de croissance de Chicago, un groupe chargé d'attirer de nouvelles entreprises en ville.

— J'ai également parlé en faveur de votre Maison, au sujet des démarches que vous avez entreprises pour les surnaturels de Chicago, ajouta-t-il. Ton grand-père me tient informé.

— C'est très… généreux de votre part, avança Ethan, aussi confus que moi.

Mon père nous adressa un sourire poli, puis posa les yeux sur Tabitha.

— Je vois que vous êtes pressés. Je ne vous retiens pas plus longtemps. J'ai été content de vous croiser.

Tabitha nous précéda en faisant claquer ses talons.

— Suivez-moi, lança-t-elle par-dessus son épaule tandis qu'elle nous conduisait à l'intérieur du manoir.

J'échangeai un regard avec Ethan.

— Qu'est-ce qui vient de se passer, là ? m'étonnai-je.

— On dirait que, pour une raison inconnue, ton père a brusquement décidé de se montrer amical.

Son étrange comportement avait sans doute un lien avec ses affaires. Nous le découvririons tôt ou tard. En attendant, je suivis docilement Ethan et Tabitha dans le couloir.

Avec ses cheveux de jais en bataille et ses yeux bleus que faisaient ressortir d'épais sourcils foncés, Seth Tate avait le physique d'un play-boy impénitent. Toutes les femmes se pâmaient devant son beau visage et, alors qu'il avait entamé son deuxième mandat, il bénéficiait désormais d'un charisme politique à la hauteur de son charme, ce qui expliquait qu'il soit considéré comme l'un des célibataires les plus convoités de Chicago et l'un des politiciens les plus sexy du pays.

Il nous reçut dans son cabinet, une pièce allongée et basse de plafond entièrement lambrissée. Un fauteuil de cuir rouge capitonné aux allures de trône était installé derrière l'énorme bureau qui siégeait à l'extrémité de la salle, surplombé par un imposant tableau de plus d'un mètre cinquante de long.

Les teintes sombres de la toile laissaient entrevoir une scène étrange. Un groupe encerclait un homme au centre de la peinture. En position recroquevillée, celui-ci levait les bras au-dessus de sa tête tandis que les autres le désignaient du doigt, comme s'ils le condamnaient. Ce tableau avait de quoi donner la chair de poule.

Tate, debout au milieu de la pièce, tendit la main vers Ethan sans montrer la moindre hésitation.

—Ethan.

—Monsieur le Maire.

Ils échangèrent une poignée de main virile.

—Comment ça se passe, à la Maison Cadogan ?

—Je dirais que l'ambiance est… tendue. Avec les manifestants qui campent devant la grille, on peut s'attendre à tout.

Après avoir adressé un regard entendu à Ethan, Tate se tourna vers moi, un charmant sourire s'épanouissant à présent sur ses lèvres.

—Merit, salua-t-il d'une voix plus douce.

Il prit mes mains dans les siennes et se pencha vers moi pour me poser un léger baiser sur la joue. Je ne pus manquer de remarquer les suaves effluves de citron qui flottaient dans son sillage.

—Je viens de voir votre père, reprit-il.

—Nous l'avons rencontré en arrivant.

Il me relâcha, mais son sourire s'estompa lorsqu'il m'eut examinée plus attentivement.

—Est-ce que tout va bien ?

J'avais sans doute l'air bouleversée. Après tout, j'avais eu le canon d'une arme pointé sur moi. Avant que j'aie pu répondre, Ethan me lança un avertissement :

—*Ne lui parle pas de McKetrick avant qu'on en sache davantage sur ses alliés.*

—Nous avons croisé une manifestation devant la Maison, expliquai-je, obéissante. J'ai été troublée, on nous a accusés sans raison.

Tate afficha un air contrit.

—Malheureusement, en raison de la liberté d'expression inscrite dans le premier amendement de la Constitution, nous ne pouvons pas interdire ces mouvements de protestation. Mais si jamais il y avait des débordements, nous pourrions intervenir.

— Nous avons réussi à maîtriser la situation, affirmai-je.

— L'annonce de Gabriel Keene au sujet de l'existence des métamorphes n'a pas fait de bien à votre popularité.

— Non, en effet, mais il est venu nous apporter son aide à la Maison quand nous étions dos au mur, répliqua Ethan. Au moins, en se montrant aux yeux du public, il a pu livrer sa version des faits. Compte tenu des circonstances, il a choisi la meilleure option possible pour protéger les siens.

— Je suis d'accord, convint Tate. S'il n'avait pas pris cette décision, nous aurions été contraints d'arrêter tous les métamorphes qui se trouvaient sur place pour agression et trouble à l'ordre public. Il aurait été impossible de les laisser partir sans justification valable. L'annonce de Keene nous a permis de le faire en contribuant à expliquer aux citoyens pour quelle raison ils avaient pris part à la bataille et pourquoi nous ne les mettions pas tout de suite en état d'arrestation.

— Je suis certain qu'ils apprécient votre compréhension.

— Je doute qu'ils s'intéressent à ce genre de choses, répliqua Tate d'un ton sardonique. Les métamorphes ne me semblent pas passionnés par la politique.

— C'est vrai, concéda Ethan, mais Gabriel est assez futé pour comprendre quand on lui fait une faveur, et quand il doit rendre la pareille. Il n'a pas dévoilé leur existence de gaieté de cœur, et il n'a aucun intérêt à ce que les siens se retrouvent impliqués dans la paranoïa qui se forme autour des vampires. Pour le moment, il s'efforce de garder profil bas.

—En fait, c'est la raison pour laquelle je vous ai conviés à cette réunion, confia Tate. Je me rends bien compte que ma requête était plutôt inhabituelle, et je vous remercie d'être venus aussi rapidement.

Il s'installa sur le trône derrière son bureau, sous les index menaçants des figurants du tableau. D'un geste, il nous invita à prendre place sur deux sièges plus modestes en face de lui.

—Je vous en prie, asseyez-vous.

Ethan obtempéra. En qualité de Sentinelle, je restai debout derrière lui.

Tate écarquilla les yeux en me voyant faire, mais reprit aussitôt un air impassible. Après avoir ouvert un dossier, il ôta le capuchon d'un stylo-plume sans doute hors de prix.

Ethan croisa les jambes, signe précurseur d'une discussion politique.

—Que pouvons-nous faire pour vous? demanda-t-il d'un ton qui se voulait décontracté.

—Vous m'avez dit que l'ambiance à la Maison était tendue. Plus généralement, je suis inquiet pour la ville. L'attaque de Cadogan a réveillé la peur du surnaturel, de l'autre. La première fois, nous avons eu quatre jours d'émeutes, Ethan. Je suis sûr que vous comprenez à quel point ma position est délicate. Je dois à la fois ramener nos concitoyens au calme et me montrer compréhensif envers vous au vu des problèmes que vous rencontrez, y compris l'offensive menée par Adam Keene.

—Bien entendu, concéda Ethan avec courtoisie.

—Cependant, les humains sont de plus en plus nerveux, et cette agitation provoque un accroissement du taux de criminalité. Ces deux dernières semaines, les constats d'agressions, de coups et blessures, d'incendies criminels et d'usage d'armes à feu, ont augmenté. Depuis que j'ai été élu, j'ai pris de nombreuses mesures visant à réduire l'insécurité, mesures qui se sont avérées efficaces. Je n'ai aucune envie d'assister à un recul dans ce domaine.

—Je crois que nous sommes d'accord sur ce point, avança Ethan avant d'activer notre lien télépathique. *Où veut-il en venir ?*

—*Aucune idée*, répondis-je.

Tate fronça les sourcils et baissa les yeux vers le dossier ouvert devant lui. Il parcourut les documents qui s'y trouvaient puis en extirpa un, qu'il tendit à Ethan.

—Apparemment, les humains ne sont pas les seuls à commettre des actes de violence dans notre ville.

Ethan s'empara de la feuille et lut en silence ce qui y était écrit. Il raidit les épaules.

—*Ethan ? De quoi s'agit-il ?*

Sans prendre la peine de répondre, il me fit passer le papier. Je parcourus ce qui ressemblait à la transcription d'un interrogatoire de police.

Q : Racontez-moi ce que vous avez vu, monsieur Jackson.

A : Il y en avait des dizaines. Des vampires, vous savez ? Ces créatures qui ont des crocs et entrent dans votre esprit. Ils avaient soif de sang. Tous. Partout où on regardait, il n'y avait que ça. Des vampires. Des tas. Ils nous encerclaient. On ne pouvait pas leur échapper.

Q : Qui ça, « on » ?

A : Les humains. Quand les vampires ont choisi leur proie, c'est fini. Tout ce qu'ils voulaient, c'était nous sauter dessus pour nous vider de notre sang.

Ils étaient sur nous. La musique était trop forte, j'avais l'impression qu'on me tapait à l'intérieur de la poitrine avec un marteau. Ça les rendait fous. Complètement dingues.

Q : Qu'est-ce qui les rendait fous ?

A : Le sang. L'envie. La faim. On le voyait dans leurs yeux de cinglés. Ils étaient argentés, comme ceux du diable. On n'a le temps de regarder qu'une seule fois des yeux comme ceux-là avant que Satan en personne nous entraîne au fond du gouffre.

Q : Et ensuite, que s'est-il passé, monsieur Jackson ?

A : (Il secoue la tête.) La faim, l'envie, ça les a eus. Ils sont passés à l'acte. Ils ont tué trois filles. Ils s'y sont mis à trois. Ils les ont saignées à blanc.

Le texte s'arrêtait là. Tenant le papier d'une main tremblante, je passai outre à la hiérarchie et m'adressai directement à Tate :

—Où vous êtes-vous procuré ce document ?

Il me regarda droit dans les yeux.

—À la prison de Cook County. C'est l'extrait de l'interrogatoire d'un homme interpellé pour détention de stupéfiants. L'inspectrice ignorait si le détenu était ivre ou dérangé… ou s'il avait vraiment vu quelque chose qui méritait toute notre attention. Heureusement, elle a transmis la transcription à son supérieur, qui l'a donnée à mon chef de cabinet. Malgré des recherches actives, nous n'avons pas encore découvert quelles sont les victimes dont parle M. Jackson – aucune personne déclarée disparue ne correspond à ses descriptions.

— Où ces faits se sont-ils déroulés ? demanda Ethan sans se départir de son calme.

Tate braqua le regard sur lui puis étrécit les yeux.

— Dans West Town. Il n'a pas fourni plus de détails. Étant donné que nous n'avons pas identifié le lieu du crime ni les victimes, il est possible qu'il ait exagéré la violence de l'événement. D'un autre côté, comme vous avez pu le lire, il est convaincu que certains vampires de notre belle ville, assoiffés de sang, ont agressé trois humaines innocentes. Et les ont tuées. (Après un instant de silence, Tate se carra dans son fauteuil, croisa les mains derrière la tête et s'appuya contre le dossier.) Je n'aime pas particulièrement ce qui se passe dans ma ville. L'attaque de votre Maison et l'animosité qui règne entre vous et certains métamorphes ne me plaisent pas plus que de voir mes concitoyens vous redouter au point de manifester leur mécontentement au seuil de votre porte. (Tate se pencha de nouveau en avant, l'air furieux.) Mais vous savez ce qui me met hors de moi ? Le fait que vous ne sembliez pas surpris par le témoignage de M. Jackson. J'ai appris que vous connaissiez l'existence de soirées que vous appelez « raves » au cours desquelles des vampires boivent du sang.

Mon estomac se contracta sous l'effet de la nervosité. D'habitude, Tate restait posé, courtois, choisissait ses mots avec soin et se montrait invariablement optimiste dès qu'il s'agissait de sa ville. Cette scène aurait tout aussi bien pu se dérouler dans une arrière-salle enfumée ou une alcôve de restaurant plongée dans la pénombre dans le Chicago d'Al Capone.

Nous nous trouvions à présent face au Seth Tate qui détruisait ses ennemis, et il nous avait pris pour cibles.

— Nous avons entendu des rumeurs, finit par répondre Ethan, le maître de l'euphémisme.

— Des rumeurs d'orgies sanglantes ?

— De raves, confia Ethan. Des soirées au cours desquelles se regroupent quelques individus et où les vampires boivent collectivement aux humains.

Ces rassemblements étaient d'ordinaire organisés par des Solitaires, des vampires non affiliés qui ne respectaient généralement pas les règles de notre communauté. La plupart des Maisons interdisaient de se servir des humains comme en-cas, qu'ils soient consentants ou non. Cadogan autorisait à boire à la veine, mais imposait d'obtenir l'accord de la victime. À ma connaissance, aucune Maison ne tolérait le meurtre.

Quelques mois auparavant, l'existence des raves avait failli être rendue publique mais, après avoir mené notre enquête, nous étions parvenus à étouffer l'affaire. Je supposai que cette époque de bienheureuse ignorance était révolue.

— Nous sommes restés vigilants afin d'identifier les organisateurs de ces soirées, leurs méthodes et la stratégie qu'ils utilisent pour attirer les humains, poursuivit Ethan.

Il avait chargé Malik, son Second — c'est-à-dire l'héritier de la couronne —, de cette mission. Après que Cadogan eut subi une tentative de chantage, il avait été décidé d'enquêter sur les raves.

— Et qu'avez-vous découvert ? demanda Tate.

Ethan se racla la gorge. *Tiens, le signe de l'embarras.*

— Nous savons que trois raves ont eu lieu ces deux derniers mois, impliquant cinq ou six vampires, au plus, répondit-il. Il s'agissait de rassemblements intimes. Même s'il leur est arrivé de verser du sang, à notre connaissance, ils n'ont jamais fait preuve d'une… violence frénétique telle que celle décrite par M. Jackson. Nous ne tolérerions certainement pas ce genre d'incident. Rien ne nous permet de supposer que l'un des participants ait pu être… saigné à blanc, et si nous avions entendu parler d'un pareil cas, nous aurions contacté le Médiateur ou aurions pris nous-mêmes les mesures nécessaires.

Le maire croisa les mains sur son bureau.

— Ethan, j'ai l'intime conviction que c'est en assurant l'intégration des vampires à la population humaine que nous garantirons la sécurité de cette ville. La division ne fait qu'encourager les tensions. D'un autre côté, selon M. Jackson, des membres de votre communauté commettent des actes brutaux, graves et répréhensibles. C'est inacceptable.

— Je suis d'accord avec vous, déclara Ethan.

— D'après les rumeurs, certains demanderaient ma démission. Je n'ai pas l'intention de me laisser descendre en flammes à cause d'une hystérie anti-surnaturels. Pour le bien de la ville, mieux vaudrait éviter un référendum sur les vampires ou les métamorphes. Plus important encore (il regarda Ethan droit dans les yeux), vous pourriez bien voir apparaître un jour à votre porte un groupe d'élus exigeant la fermeture de votre Maison. Je suppose que vous n'apprécieriez pas vraiment que le conseil municipal légifère contre vous.

Je ressentis les vibrations magiques qui émanaient d'Ethan, indiquant que son angoisse ainsi que sa colère s'intensifiaient. Heureusement, en tant qu'humain, Tate ne percevait pas ces ondes électriques menaçantes.

— Ne me forcez pas à devenir votre ennemi, conclut Tate. Ne m'obligez pas à vous traduire en justice, vous et les vôtres, pour ces crimes. (Il feuilleta les documents contenus dans le dossier ouvert devant lui et en tira une feuille qu'il montra à Ethan.) Ceci est un mandat d'arrêt contre vous, délivré pour motif de complicité de meurtre, prêt à être exécuté.

— Je ne suis pas coupable de ce dont vous m'accusez, répliqua Ethan.

Contrastant avec sa voix calme et glaciale, la magie ondoyait autour de lui avec une puissance phénoménale.

—Ah bon ? s'exclama Tate en reposant le papier sur son bureau. J'ai appris de source sûre que vous avez transformé une humaine en vampire sans son consentement. (Lorsqu'il leva les yeux vers moi, je sentis le rouge me monter aux joues.) Je sais également que, en dépit de la promesse que vous et votre conseil des vampires m'aviez faite, Célina Desaulniers est revenue à Chicago, alors qu'elle était censée rester en détention en Europe. De ces actes au meurtre, il n'y a qu'un pas, non ?

—Qui a suggéré que Célina se trouvait à Chicago ? demanda Ethan.

Il se montrait prudent. Nous étions parfaitement au courant que Célina, l'ancienne Maîtresse de Navarre qui avait tenté de m'assassiner, avait été libérée par le Présidium de Greenwich, l'organisation régissant les vampires d'Europe et d'Amérique du Nord. Nous savions également qu'après avoir été relâchée elle était venue à Chicago. Nous pensions toutefois qu'elle ne s'y trouvait plus. Les derniers mois avaient été bien trop calmes. Du moins, à ce qu'il semblait.

Tate arqua les sourcils.

— Je vois que vous ne niez pas. En ce qui concerne cette information, j'ai mes sources. Je suis sûr que vous disposez des vôtres.

— Quoi qu'il en soit, je n'apprécie pas le chantage.

Avec une rapidité déconcertante, Tate repassa d'Al Capone à l'orateur de talent.

— « Chantage » est un terme un peu fort, Ethan, dit-il en esquissant un sourire mielleux.

— Que voulez-vous exactement ?

— Je veux que vous preniez les décisions qui s'imposent pour la ville de Chicago. Je veux que vous remettiez de l'ordre au sein de votre communauté. (Tate croisa les mains sur son bureau et braqua son regard sur nous.) Je veux que vous résolviez ce problème, que vous mettiez fin à ces raves et me garantissiez maîtriser la situation. Si vous ne le faites pas, le mandat d'arrêt contre vous sera exécuté. Suis-je bien clair ?

Après un silence, Ethan lança d'un ton sec :

— Oui, monsieur le Maire.

En homme politique aguerri, Tate s'adoucit aussitôt.

— Très bien. Si vous avez des informations à transmettre, ou si vous avez besoin de l'aide de la municipalité, contactez-moi.

— D'accord.

Après un dernier hochement de tête, Tate se plongea de nouveau dans ses documents, exactement comme Ethan l'aurait fait avec moi pour mettre un terme à une conversation amicale.

Cette fois, les rôles étaient inversés, et c'était Ethan qui se faisait congédier. Il se leva puis se dirigea vers la sortie. Accomplissant mon devoir de Sentinelle, je le suivis.

Ethan ne montra rien de la peur, de l'inquiétude, de la rage ou des autres émotions qui bouillonnaient en lui jusqu'à ce que nous montions dans la Mercedes.

Quand je dis « bouillonner », je n'exagère pas. Une fois au volant, il laissa échapper la pression, se servant de la puissance du bolide allemand à 80 000 dollars et de son moteur de trois cents chevaux pour exprimer sa frustration. Il réussit à franchir la grille sans arracher le portail, mais considéra les panneaux « stop » placés entre Creeley Creek et Lake Shore Drive comme des éléments superflus du décor. Il fit filer la Mercedes sur la route, dépassant les autres voitures comme si le diable aux yeux argentés était à nos trousses.

Sauf que les diables aux yeux argentés, c'étaient nous.

Certes, nous étions immortels, et Ethan avait probablement un siècle d'expérience de conduite, mais les virages ne m'en paraissaient pas moins terrorisants. Ethan franchit à la vitesse de l'éclair un feu orange avant de s'engager sur Lake Shore Drive et de se diriger vers le sud, pleins gaz. Il continua sa route jusqu'à ce que les lumières de la ville brillent derrière nous.

J'hésitais à prendre le risque de lui demander où nous allions – est-ce que je désirais vraiment savoir où les vampires soumis à une trop forte pression politique choisissaient d'évacuer leur frustration ? –, mais il m'épargna cette peine. Lorsqu'il eut atteint Washington Park, il quitta Lake Shore Drive et, après quelques virages et crissements de pneus, il poursuivit sur Promontory Point, une pointe qui formait une saillie sur le lac. Il contourna un bâtiment orné d'une tour et coupa le moteur devant l'alignement de rochers qui séparait la pelouse de l'étendue d'eau.

Sans prononcer un mot, il sortit de la voiture et claqua la portière. Lorsqu'il sauta par-dessus les pierres qui bordaient le promontoire et disparut, je défis ma ceinture. Il était temps de se mettre au travail.

4

LA BÊTE SAUVAGE

L'air lourd et humide était chargé d'une électricité qui annonçait la pluie. Le lac semblait déjà subir la tempête. La surface de l'eau moutonnait, déchiquetée par des vagues écumantes qui venaient se briser contre la jetée rocheuse.

Je levai la tête vers le ciel. De gros nuages orageux s'amoncelaient vers le sud, déchirés de temps à autre par un éclair.

Soudain, un craquement fracassant retentit.

Je sursautai et regardai l'édifice qui se trouvait derrière moi, certaine qu'il avait dû être frappé par la foudre. Tout paraissait cependant normal, et quand un deuxième « crac » brisa le silence, je me rendis compte que le son provenait d'un bosquet d'arbres situé de l'autre côté du bâtiment.

Intriguée, je m'approchai et découvris Ethan au pied d'un pin, poings levés, muscles bandés. Il me fit penser à un guerrier s'attaquant à un géant de douze mètres.

— C'est toujours pareil ! hurla-t-il. Chaque fois que je réussis à contrôler la situation, on se retrouve face à de nouvelles emmerdes !

Il pivota et frappa le tronc de toutes ses forces.

«Crac»!

L'arbre oscilla comme si un camion l'avait percuté, les aiguilles sifflant tandis que les branches fouettaient l'air. Une odeur de résine – et de sang – me parvint, portée par le vent. Je perçus également la magie qui se dégageait d'Ethan en ondes puissantes, nous entourant d'un crépitement révélateur.

Voilà qui expliquait pourquoi il avait préféré venir là plutôt que rentrer à la Maison. Ethan n'aurait jamais pu retourner à Cadogan dans cet état. Les vampires, même ceux qui n'étaient pas aussi sensibles que moi à la magie, auraient aussitôt su que quelque chose ne tournait pas rond, ce qui aurait contribué à accroître la tension ambiante. Ne pas pouvoir épancher sa colère n'importe où faisait donc partie des inconvénients du statut de Maître.

— Est-ce que tu imagines combien de temps et d'efforts j'ai consacrés à la prospérité de cette Maison? Et cet humain insignifiant dans le cours de l'univers menace de tout réduire à néant!

Ethan prit son élan afin d'assener un nouveau coup. Il s'était déjà blessé aux articulations, et ce pauvre arbre ne se portait sans doute pas mieux. Je comprenais son besoin de se défouler après avoir été accusé à tort, mais se mutiler n'allait pas résoudre le problème. Il était temps d'intervenir.

Je me tenais sur la pelouse entre le bâtiment et le lac, un endroit qui me parut parfait pour détendre l'atmosphère.

— Pourquoi ne pas t'attaquer à quelqu'un de ta taille? lui criai-je.

Il se tourna vers moi en haussant un sourcil d'un air de défi.

— Ne me tente pas, Sentinelle.

J'enlevai ma veste et la laissai tomber au sol puis, les mains sur les hanches, je provoquai celui que j'espérais être mon dernier adversaire de la soirée.

— Tu as peur de ne pas être à la hauteur ?

Je me délectai de son expression mi-intéressée mi-irritée indiquant le conflit à l'œuvre entre l'homme pétri d'orgueil et le Maître qui brûlait d'envie de rétablir son autorité.

— Fais attention à ce que tu dis.

— Ce n'étaient pas des paroles en l'air, insistai-je.

Ethan s'approchait déjà, renforçant le parfum de sang qui parvenait à mes narines.

Inutile de le nier, ma faim s'éveilla. J'avais mordu Ethan à deux reprises, et je me rappelais parfaitement ces expériences inoubliables, si sensuelles que j'osais à peine l'admettre. Ces effluves réveillèrent mes souvenirs, et je sus que mes yeux étaient devenus argentés, même si l'attirance que je ressentais ne m'enthousiasmait pas.

— C'était une question puérile, grogna-t-il avant de faire un autre pas en avant.

— Je ne suis pas d'accord. Si tu veux te battre, attaque-toi à un vampire.

— Tu prends des risques à me provoquer ainsi, Sentinelle.

Il se trouvait à présent à distance de combat, sa main droite ruisselant de sang, les articulations ouvertes presque jusqu'à l'os. Il guérirait vite, mais sa plaie devait le faire souffrir.

— Et pourtant, te voilà, répliquai-je en serrant les poings.

Ses yeux virèrent à l'argenté.

—Rappelle-toi ton rang.

—Ça te soulage, de me remettre à ma place?

—Je suis ton Maître.

—C'est vrai. À Hyde Park, Creeley Creek et partout où il y a des vampires, tu es mon Maître, mais ici, il n'y a que toi, moi et l'amertume que Tate a provoquée en toi. Tu ne peux pas retourner à la Maison dans cet état. La magie que tu dégages va inquiéter tout le monde alors que l'ambiance est déjà tendue.

Son sourcil tressaillit, mais Ethan s'abstint de répliquer.

—Ici, nous sommes seuls, dis-je d'une voix calme.

—Ne viens pas te plaindre ensuite que je ne t'avais pas prévenue.

Soudain, il effectua son mouvement préféré, un coup de pied circulaire qu'il dirigea vers ma tête. Je parai son attaque à l'aide de mon bras et de mon épaule, après quoi Ethan recula.

—Ne te réjouis pas trop vite, Sentinelle, tu ne m'as battu qu'une seule fois.

Je tentai à mon tour un geste similaire à celui qu'il venait d'exécuter, mais il esquiva en se baissant et tournoyant avant de se relever.

—Peut-être, mais combien de Novices t'avaient vaincu avant moi? le narguai-je.

Il se renfrogna et décocha une série de directs que je bloquai sans difficulté. Compte tenu de la puissance que nous étions capables de déployer grâce à nos pouvoirs de vampires, nous ne nous battions pas vraiment. Il s'agissait davantage d'une simulation destinée à évacuer la tension.

—Ne t'en fais pas pour moi, riposta-t-il. Tu m'as mis à terre une fois, mais j'ai déjà été au-dessus de toi, et je suis sûr de pouvoir réussir de nouveau.

Il recommençait à me faire des avances et à se montrer arrogant. Au moins, j'étais parvenue à transformer sa colère en ardeur romantique, ce qui avait le mérite d'adoucir ses attaques.

—N'espère pas trop, ce n'est pas le genre de faim que je ressens pour le moment, rétorquai-je après avoir écarté du bras un coup de poing qu'il avait lancé sans grand enthousiasme.

—Je ne peux pas m'empêcher d'espérer quand tu es dans les parages.

—Alors, j'essaierai de me tenir à l'écart, répondis-je avec douceur.

—Ça ne faciliterait pas ta mission de Sentinelle.

—Ton arrestation non plus, dis-je, lui rappelant le problème auquel nous étions confrontés.

Ethan passa la main dans ses mèches blondes puis croisa les doigts au-dessus de sa tête.

—Alors que je m'efforce de garantir la paix dans cette ville, la situation ne fait qu'empirer. Et ce soir, en l'espace de quelques heures, nous avons expérimenté le mauvais côté de la liberté d'expression, nous avons appris qu'une milice opérait à Chicago et que Tate voulait couper des têtes. La mienne, en l'occurrence.

Je résistai à l'envie de le serrer contre moi pour lui signifier ma compassion. Je me rappelai que nous n'étions que des collègues, rien de plus.

—Je comprends ta frustration, et je sais que Tate a exagéré avec cette histoire de mandat, mais que pouvons-nous faire d'autre que tenter de résoudre le problème ?

Sourcils froncés, Ethan pivota puis se dirigea vers le lac. De grosses pierres avaient été disposées en arc de cercle sur plusieurs étages au bord du promontoire, formant un escalier aux marches géantes qui s'enfonçait dans l'eau. Ethan enleva sa veste, qu'il déposa avec précaution sur le rocher avant de s'asseoir.

Pourquoi étais-je déçue qu'il n'ait pas également ôté sa chemise ?

Lorsque je le rejoignis, il ramassa un galet et le lança. En dépit du peu de conviction dont Ethan avait fait preuve en jetant le caillou, celui-ci ricocha sur la surface du lac à la vitesse de l'éclair.

— Ce que M. Jackson a décrit ne ressemble pas à une rave, déclarai-je. En tout cas, ça ne correspond pas à ce que tu m'as expliqué. Ce qu'il a raconté ne suggère ni séduction ni charme. C'est différent d'une simple soirée clandestine.

Alors que j'attendais une réponse de sa part, je repoussai les cheveux qui me retombaient dans les yeux. Le vent forcissait.

Ethan exprima son irritation en lançant un autre galet qui rasa le lac en sifflant.

— Continue, dit-il.

Je me détendis peu à peu. Nous en revenions à la politique et à la stratégie, ce qui était bon signe.

— J'ai vécu la Première Faim, j'ai même eu droit à deux épisodes. D'accord, c'était une expérience sensuelle, mais je me souviens surtout de l'envie de sang, de la soif. Rien à voir avec le désir d'assujettir ou tuer des humains.

— Nous sommes des vampires, fit-il sèchement remarquer.

— Oui, parce que nous buvons du sang, pas parce que nous nous comportons comme des psychopathes. Il existe sans doute des vampires sadiques, et certains seraient peut-être prêts à commettre un meurtre pour assouvir leur faim, mais ça ne me semble pas correspondre à ce qui s'est passé. M. Jackson a assisté à des actes de violence pure.

Ethan garda le silence quelques instants.

— La soif de sang n'entraîne normalement aucune violence. Il s'agit de séduire l'humain, de l'attirer. C'est la quintessence du charme déployé par les vampires.

Ethan faisait allusion à une capacité chère à la vieille école vampirique, consistant à envoûter sa victime, soit en l'hypnotisant, soit en modifiant sa propre apparence afin de se rendre irrésistible. J'étais nulle en la matière, mais apparemment, je résistais au charme qu'on utilisait contre moi.

— C'est déjà la deuxième fois que nous avons des ennuis à cause des raves, soulignai-je. Jusqu'à présent, nous avons fermé les yeux, mais il est temps d'y mettre un terme. Nous ne pouvons pas nous contenter de supposer que ce n'était qu'une soirée banale qui a dégénéré. Ça a l'air… différent. Voyons le bon côté : au moins, Tate te donne une chance de résoudre le problème.

— Une chance ? C'est un peu exagéré. Il s'y prend exactement comme Nick Breckenridge : il nous fait chanter pour nous pousser à agir.

— Ou bien il nous offre une occasion qui ne se présentait pas auparavant.

— Qu'est-ce que tu veux dire ?

— Il nous force la main, expliquai-je. Ce qui signifie que, au lieu de ménager les susceptibilités du Présidium ou des Maisons et de nous soucier de ce qu'on va penser de nous, nous devons faire quelque chose. Nous allons enfin pouvoir mettre à profit les alliances dont tu nous chantes sans arrêt les louanges.

Ethan arqua un sourcil d'un air impérieux.

— Chanter les louanges, tu y vas fort. J'en parle en termes rationnels et mesurés.

— Écoute-moi, poursuivis-je. La dernière fois que nous avons travaillé sur les raves, tu m'as poussée à me concentrer sur les éventuelles répercussions médiatiques. Ce soir, nous avons eu la démonstration que se préoccuper de dissimuler le problème ne contribue pas à le résoudre. Regardons la réalité en face : il faut arrêter ces soirées.

— Tu veux annoncer aux vampires qu'ils n'ont plus le droit de prendre part à des orgies sanglantes ?

— Sauf que je n'avais pas l'intention d'employer ces termes, et que je prévoyais d'utiliser mon sabre.

Il esquissa un mince sourire.

— Tu es redoutable, quand tu as de l'acier entre les mains.

— C'est vrai, admis-je avant de reporter mon attention sur mon estomac. Maintenant que notre moral est un peu remonté, allons manger un morceau. Je meurs de faim.

— Est-ce qu'il y a des moments où ce n'est pas le cas ?

— Très drôle, répliquai-je en lui donnant un coup de coude. En route pour un italien au bœuf.

Il me jeta un regard en coin.

— Je suppose que ça a une signification importante dans le cercle gastronomique de Chicago ?

Je restai interdite, à la fois triste qu'il n'ait jamais connu la jouissance de mordre dans un sandwich au bœuf à l'italienne et agacée qu'il ait vécu si longtemps dans cette ville en se tenant totalement à l'écart de ce qui faisait tout son charme.

— C'est aussi capital que les hot-dogs et les pizzas. Allons-y, Sire. À ton tour de t'instruire.

Il grogna, mais finit par céder.

Ethan conduisit jusqu'à la cité universitaire, gara la Mercedes au bord du trottoir, puis je le menai dans la file d'attente composée de travailleurs de nuit en pause déjeuner et d'étudiants en quête d'en-cas tardifs. Après avoir passé commande, je m'installai à un comptoir et entrepris d'enseigner à mon Maître l'attitude que Dieu avait imaginée tout spécialement pour les habitants de Chicago : pieds écartés, coudes sur la table, sandwich à la main.

Ethan n'avait pas prononcé un mot depuis qu'il avait pris possession de son italien au bœuf de vingt centimètres de long imbibé de jus. Lorsqu'il mordit dedans, un peu de sauce coula et atterrit juste devant ses pieds – et non sur ses chaussures italiennes hors de prix. Son visage se fendit d'un large sourire.

— Bien vu, Sentinelle.

Savourant le pain fourré à la viande et aux piments, je hochai la tête, heureuse de voir Ethan de meilleure humeur. Moquez-vous de mon obsession pour la nourriture si ça vous chante, mais ne sous-estimez jamais le pouvoir d'un sandwich garni de fines tranches de bœuf rôti sur un homme – vampire ou humain.

D'ailleurs, je me demandais à côté de quelles autres merveilles Ethan était passé.

— Est-ce que tu as déjà assisté à un match des Cubs ?

Quand Ethan s'essuya la bouche à l'aide d'une serviette en papier, je me rendis compte que ses articulations ne portaient plus aucune trace de blessure.

— Non. Tu sais bien que je ne suis pas fan de base-ball.

Il avait beau ne pas particulièrement aimer ce sport, il avait réussi à dénicher une balle signée par les joueurs de mon équipe préférée pour remplacer celle que j'avais perdue. Ce souvenir me déstabilisa, mais je parvins à dissimuler mon trouble.

—Enfonce-moi un pieu dans le cœur, tant que tu y es! m'écriai-je. Sans blague, depuis le temps que tu vis à Chicago, tu n'as jamais été à Wrigley? C'est une honte. Il faut absolument que tu y ailles. Quand il y aura un match nocturne, bien sûr.

—Bien sûr.

Deux moustachus imposants portant des tee-shirts des Bears, l'équipe de football de Chicago, avancèrent dans notre direction, sandwich à la main. Ils prirent place à côté d'Ethan, adoptant la position que je lui avais apprise, puis déballèrent leurs italiens au bœuf avant d'y mordre à pleines dents.

Ils ne remarquèrent qu'à la deuxième bouchée qu'ils s'étaient installés à côté de deux vampires.

Le voisin d'Ethan essuya sa moustache dégoulinante de sauce en nous regardant tour à tour.

—J'ai l'impression de vous connaître, déclara-t-il. On s'est déjà vus?

Étant donné que ma photo s'était étalée à la une des journaux deux mois auparavant et qu'Ethan était apparu à plusieurs reprises aux informations télévisées locales depuis l'attaque de Cadogan, nous ne passions plus vraiment inaperçus.

—Je suis un vampire de la Maison Cadogan, annonça Ethan.

Le silence s'abattit brusquement sur la partie du restaurant où nous nous trouvions. Sans être bondée, la salle accueillait encore quelques clients tardifs.

L'homme posa un regard suspicieux sur son sandwich.

—Vous aimez ce genre de chose?

—C'est délicieux, avoua Ethan avant de me désigner d'un geste. Je vous présente Merit. Elle a grandi à Chicago et a insisté pour m'amener ici.

Notre interlocuteur et son compagnon se penchèrent pour m'observer.

—C'est vrai?

—Oui.

Il resta quelques instants silencieux.

—Vous avez déjà goûté les pizzas géantes et les hot-dogs de Chicago?

Mon cœur se réchauffa. Peut-être étions-nous des vampires, mais au moins, ces individus nous considéraient en premier lieu comme des habitants de cette ville. Comme eux, nous connaissions Wrigley Field et Navy Pier, l'ancien maire Daley ou les bouchons aux heures de pointe. Nous avions vu les gradins de Soldier Field en décembre et la plage d'Oak Street en juillet. Nous n'ignorions rien des impressionnantes tempêtes de neige et des vagues de canicule tout aussi spectaculaires.

Surtout, nous savions apprécier les spécialités locales : les tacos des petits restaurants mexicains, les hot-dogs pur bœuf, les pizzas à croûte généreuse, ou encore la bonne bière. Nous aimions la viande rôtie, frite, sautée, grillée, composant des plats que nous partagions en profitant de la chaleur et des rayons du soleil, lorsque c'était possible.

—Les deux, répondis-je. Je lui ai fait goûter les pizzas du *Saul's*.

Notre interlocuteur haussa ses sourcils fournis.

—Vous connaissez *Saul's*?

Je lui adressai un sourire entendu.

—J'adore leur pizza fromage et bacon.

— Oh! s'exclama l'homme, un sourire jusqu'aux oreilles. (Il jeta sa serviette sur la table et leva les mains en l'air.) Fromage et bacon. Notre amie à crocs apprécie la « *Saul's best* »! (Il souleva son gobelet rempli de soda afin de porter un toast.) À votre santé, collègue. À la bonne bouffe et au reste.

— Et à votre santé, ajouta Ethan en faisant mine de trinquer avec son sandwich avant d'en prendre une bouchée.

Du bœuf en symbole de paix. Ça me plaisait.

— J'ai été surprise quand tu lui as dit que nous étions des vampires, confiai-je à Ethan tandis que nous retournions vers la voiture. Je ne m'attendais pas à ce que tu l'admettes après ce que nous avons vu ce soir.

— Parfois, le meilleur moyen de contrer les préjugés consiste à rappeler aux humains nos points communs, à questionner leur perception des vampires… et d'eux-mêmes. De plus, il n'aurait pas demandé qui nous étions s'il n'avait pas déjà eu quelques soupçons et, en lui mentant, nous n'aurions probablement fait que l'agacer.

— C'est possible.

Il me sourit d'un air entendu.

— Tu les as littéralement séduits avec tes histoires de pizza au fromage et au bacon.

— Qui resterait indifférent à une pizza au fromage et au bacon? Enfin, à part les végétariens, mais comme tu l'as sans doute remarqué, j'aime la viande.

Ethan m'ouvrit la portière.

— C'est le moins qu'on puisse dire.

Je m'installai dans l'habitacle et il fit de même, sans toutefois démarrer le moteur.

— Il y a un problème ? m'étonnai-je.

Il fronça les sourcils.

— Je ne suis pas certain d'être prêt à rentrer à la Maison. Je ne dis pas que je préférerais me trouver à Creeley Creek, bien entendu, mais tant que je ne serai pas à Hyde Park, cette situation ne me paraîtra pas tout à fait réelle. (Il se tourna vers moi.) Est-ce que tu vois ce que je veux dire ?

Seul un Maître vampire de quatre cents ans pouvait se demander si une ancienne étudiante était capable de comprendre le concept de procrastination.

— Bien sûr. Les humains ont toujours tendance à tout remettre à plus tard.

— Je ne crois pas que ce soit spécifique aux humains. Et d'ailleurs, je ne remets pas vraiment à plus tard. (Il me regarda de nouveau en tournant la clé de contact.) Contrairement à toi.

— Comment ça ?

Il esquissa un petit sourire taquin.

— Tu repousses notre destin inéluctable.

— À ton avis, que signifie « inéluctable » quand on est immortel ?

— Je suppose que nous allons le découvrir, répondit-il d'un air malicieux en engageant le véhicule sur la route.

Une autre nuit d'été à Chicago venait de s'écouler, et nous avions désormais deux combats à mener.

Les manifestants n'avaient pas bougé en notre absence, affichant des expressions toujours aussi haineuses. D'un autre côté, leur énergie semblait avoir quelque peu faibli. Ils s'étaient assis sur l'étroite bande de gazon située entre le trottoir et la rue. Certains avaient apporté des chaises pliantes, d'autres avaient étalé au sol des couvertures qu'ils occupaient à deux, la tête de l'un sur l'épaule de l'autre. Apparemment, les protestations nocturnes s'avéraient épuisantes.

Malik nous attendait à la porte, un dossier à la main. Ethan l'avait informé des derniers événements par téléphone durant le trajet.

Grand, la peau couleur caramel, les yeux vert pâle, les cheveux ras, Malik avait le port altier d'un prince. Les épaules droites, la mâchoire crispée, le regard vif et acéré, il semblait épier d'éventuels maraudeurs prêts à s'introduire dans l'enceinte du château.

—Une milice et un mandat d'arrêt, rien que ça, déclara Malik. Je crois que vous ne devriez plus partir ensemble.

Ethan grogna son approbation.

—Vu ce qui nous est arrivé, j'ai tendance à me ranger à ton avis.

—D'après Tate, l'incident en question impliquait une certaine violence ?

—Une violence exceptionnelle, selon le témoin principal, répondit Ethan.

Une fois dans son bureau, porte close, il exposa l'essentiel du problème.

—Apparemment, les vampires ont perdu toute maîtrise d'eux-mêmes et tué trois humaines, mais la description de M. Jackson se rapprochait plus d'une irrépressible soif de sang que d'une simple rave.

—M. Jackson ? répéta Malik.

Ethan se dirigea vers son bureau.

—Le témoin oculaire. Il était peut-être sous l'empire de la drogue, mais néanmoins assez sobre pour que Tate soit convaincu par sa version des faits. En tout cas, convaincu au point de menacer de m'arrêter si nous ne résolvions pas ce problème, quel qu'il soit.

Malik, les yeux écarquillés, nous regarda tour à tour.

—Il est sérieux, alors.

Ethan hocha la tête.

—Un mandat a déjà été délivré, ce qui rend cette affaire urgente. D'après Tate, cet incident s'est déroulé dans West Town. Cherche encore dans les informations que tu as collectées au sujet des raves. Ce quartier est-il déjà apparu? A-t-il été fait mention de violence? Peut-on trouver une indication corroborant l'ampleur des événements auxquels le témoin aurait assisté? (Après avoir donné ces instructions, Ethan se tourna vers moi.) Va voir ton grand-père dès la tombée de la nuit. Demande-lui de nous fournir le plus d'éléments possible au sujet de cette affaire: les vampires impliqués, les Maisons, ainsi que les dernières informations dont l'Agence de médiation dispose sur les raves. Peut-être cet événement était-il indépendant, mais pour le moment, c'est la meilleure piste que nous ayons. Quoi qu'il en soit, mettons un terme à tout cela, d'accord?

—Sire, acquiesçai-je.

J'irais rendre visite à mon grand-père, mais mon cercle de connaissances s'était un peu élargi au cours des mois précédents. On m'avait récemment proposé d'intégrer la Garde Rouge, sorte d'organisation de surveillance vampire qui gardait un œil sur les Maîtres et le Présidium de Greenwich. Même si j'avais décliné leur offre, je les avais appelés en renfort lors de l'attaque de la Maison. C'était peut-être le moment de solliciter de nouveau ce contact…

—Et au sujet de ce McKetrick? s'enquit Malik.

71

—Ne nous occupons pas de lui pour l'instant, décréta Ethan. Il peut toujours attendre, car nous ne partirons pas de Chicago.

Je rendrais visite à mon grand-père au coucher du soleil, mais il me restait encore quelques heures d'obscurité et de nombreuses heures de jour.

Les chambres de la Maison, où vivaient environ quatre-vingt-dix des trois cent et quelques vampires Cadogan, ressemblaient à de petits dortoirs sommairement meublés d'un lit, d'un bureau, d'une table de chevet, d'une modeste penderie et d'une salle de bains exiguë. Elles n'avaient rien d'exceptionnel, mais nous permettaient de nous isoler de temps à autre des mélodrames vampires. Et, étant donné que nous avions tendance à attirer les ennuis, ces instants de répit étaient les bienvenus.

La pièce que j'occupais au premier étage sentait le neuf, comme le reste de la Maison. Les effluves de peinture fraîche mêlés à ceux du vernis, du plâtre et du plastique formaient un mélange agréable symbolisant une renaissance. Un nouveau départ.

L'orage éclata au moment même où je fermais la porte. J'entendis la pluie s'abattre avec fracas contre les volets. Je me déshabillai, me débarrassai de mes escarpins et me lavai le visage dans la salle de bains. Je parvins sans peine à faire partir le maquillage, mais les souvenirs, eux, ne s'en iraient jamais.

Difficile d'oublier la voix, les expressions, le corps d'Ethan et les sensations qu'il m'avait procurées. En dépit de mes efforts pour ne plus y penser et libérer mon esprit afin d'accomplir mon travail, ces instants restaient gravés dans ma mémoire. Même si la douleur s'était à présent atténuée, je ne pourrais jamais revenir en arrière. Que cela me plaise ou non, je me le rappellerais probablement toujours.

Après avoir mis un débardeur et un short, je consultai mon réveil. J'avais deux heures à tuer avant l'aube, ce qui signifiait que je disposais encore d'une heure avant mon rendez-vous hebdomadaire avec mon autre vampire blond préféré.

La priorité : satisfaire mes besoins de base. Je traversai donc le couloir en direction de la cuisine, croisant en chemin un couple de vampires au visage vaguement familier, à qui j'adressai un sourire. Chaque étage de la Maison était équipé d'une kitchenette, ce qui était une bonne chose étant donné que les urgences vampiriques ne se calaient pas forcément sur les horaires de la cafétéria. J'ouvris le réfrigérateur, en sortis deux briques de sang de groupe A – livrées par notre fournisseur, une entreprise au nom très original de *Sang pour sang* – puis regagnai ma chambre. La plupart des vampires – dont moi – avaient la chance de parvenir à maîtriser leur soif, mais même si je n'étais pas en manque au point de déchirer l'emballage avec les dents, j'avais besoin du précieux liquide. L'envie de sang des vampires s'apparentait à la sensation de soif des humains : si on attendait d'avoir la gorge desséchée pour boire, il était probablement déjà trop tard.

Pour patienter jusqu'à l'arrivée de Son Altesse, j'enfonçai une paille dans l'une des briques et examinai les livres qui commençaient à envahir un pan du mur. Il s'agissait de ma « PAL » – ou pile à lire –, composée des genres habituels : *bit-lit*, action, un prix Pulitzer, un roman d'amour narrant l'histoire d'un pirate et d'une demoiselle en corsage au décolleté plongeant. Eh bien oui, quoi, même une vampire apprécie de temps à autre une romance historique un tantinet coquine.

J'avais beau avoir passé de nombreuses fins de soirées dans ma chambre, ma PAL n'avait pas diminué. Chaque fois que je finissais un livre, j'en trouvais un autre à la bibliothèque. Parfois, à mon réveil, je retrouvais derrière ma porte une pile d'ouvrages, laissée là par le bibliothécaire de la Maison, un autre Novice. Ses sélections tournaient souvent autour de la politique : récits d'anciens conflits opposant vampires et métamorphes, biographies des cent hommes politiques occidentaux les plus favorables aux vampires, chronologie des événements de l'histoire vampirique, etc. Malheureusement, quel que soit le sérieux du thème abordé, les titres étaient généralement ridicules : *Pieux et poutres : contribution des vampires à l'architecture occidentale* ; *Des crocs dans la balance : les plus grands vampires politiques de l'histoire* ; *Boire ou ne pas boire : une dialectique vampire* ; *Canard au sang, salade à la vinaigrette de sang, orange sanguine : des plats pour toutes les saisons.* Sans oublier l'ouvrage hideusement intitulé *Plasmatlas*, contenant les cartes des zones occupées par les vampires.

Peut-être que l'éditeur de ces livres était également l'auteur des titres introduisant les différents chapitres du *Canon des Maisons d'Amérique du Nord*, mon guide pratique. Il y avait une certaine similarité dans la fréquence des jeux de mots – et leur ridicule.

Hormis ces problèmes de noms, il fallait bien se montrer honnête : avec Ethan qui courait dans tous les sens dans la Maison, lire dans ma chambre comportait certains avantages. S'agissait-il d'une stratégie destinée à éviter mon Maître ? Eh bien oui. Plutôt que subir la tentation d'une chose inaccessible, pourquoi ne pas se consacrer à une activité productive ?

Pour être plus explicite : commande-t-on un dessert si on n'a pas le droit de le manger ?

Je me retrouvai donc assise en tailleur sur mon lit, en short et débardeur, *Boire ou ne pas boire* à la main, tandis que la pluie tambourinait sur le toit. Je soupirai, m'adossai aux oreillers et me plongeai dans la lecture, espérant me divertir de manière instructive. Ou m'instruire de manière divertissante. Bref.

Une heure plus tard, on frappa à la porte. Je cornai la page de mon livre – une très mauvaise habitude, d'accord, mais je n'ai jamais de marque-page sous la main.

L'ouvrage s'était révélé intéressant, rapportant les plus anciens cas répertoriés d'une affection baptisée «hémoanhédonie» : l'incapacité à ressentir du plaisir en buvant du sang. Les vampires atteints avaient tendance à diaboliser ceux qui aimaient l'hémoglobine. En ajoutant le fait qu'être «pratiquant» comportait en soi de grands risques – les humains n'appréciaient pas particulièrement qu'on les considère comme de vulgaires boissons –, les vampires avaient commencé à se réunir clandestinement pour se délecter du précieux liquide à l'abri des regards critiques. Abracadabra, les raves étaient nées.

Gardant à l'esprit cette leçon d'histoire, je posai le livre sur ma table de nuit et ouvris la porte.

Je découvris dans le couloir les cheveux blonds noués en queue-de-cheval, la silhouette à couper le souffle et le sourire espiègle de Lindsey, une collègue de la Garde et également ma meilleure amie au sein de la Maison – en supposant qu'Ethan n'entrait pas en ligne de compte, ce qui me semblait correct. Elle portait un jean et un tee-shirt noir avec l'inscription « CADOGAN » en lettres de couleur blanche. Elle était pieds nus, exposant ses ongles ornés d'un vernis doré étincelant.

— Salut, Boucle d'Or.

— Merit, j'adore tes fringues ! déclara-t-elle après avoir jaugé du regard mon débardeur sur lequel était écrit « L'ILLINOIS, UN ENDROIT IDÉAL POUR LES AMOUREUX ! » et mon short couvert de trèfles, porte-bonheur des Cubs.

— La Sentinelle de Cadogan au repos, pour vous servir. Entre.

Elle s'installa sur le lit tandis que je refermais la porte.

Nous avions passé la soirée qui avait marqué le début de notre amitié dans sa chambre avec une pizza, devant une émission de télé-réalité. Une activité certes peu intellectuelle, mais qui nous permettait de laisser notre cerveau se reposer quelques instants. Pendant que nous nous préoccupions de savoir quelle future célébrité sortait avec quelle star du rock, ou qui allait gagner l'incroyable défi de la semaine, nous ne pensions plus à tous ceux qui voulaient nous tuer. Nous avions bien besoin de nous changer les idées de temps en temps.

J'allumai ma minuscule télévision – placement d'une partie de mon salaire de Sentinelle – et la branchai sur la chaîne diffusant le programme de télé-réalité dans lequel concouraient des hommes qui devaient résoudre des énigmes afin de s'échapper d'une île peuplée d'ex-petites amies.

Une émission de très haute qualité. La grande classe.

Je rejoignis Lindsey sur le lit puis plaçai un oreiller derrière ma tête.

— Comment s'est passée la réunion avec Tate ? demanda-t-elle.

— Pire qu'au cinéma. Luc te racontera tout. En résumé, Ethan est susceptible de se retrouver derrière les barreaux de Cook County la semaine prochaine.

— Sullivan a beau avoir un cœur de pierre, je suis sûre qu'il serait canon en orange. Avec des rayures. Grrrr.

Elle illustra ses propos en repliant ses doigts à la manière d'un félin.

Lindsey n'était pas plus convaincue que moi de la sincérité des sentiments d'Ethan à mon égard. Ce qui ne rendait pas notre Maître moins séduisant pour autant.

— Je suis certaine que ce compliment lui fera très plaisir quand il enfilera la combinaison, ironisai-je. Sauf que Luc serait jaloux.

En tant que Capitaine de la Garde, Luc était le chef de Lindsey. Grand, les cheveux en bataille, les boucles blond foncé parsemées de mèches dorées que j'imaginais avoir été éclaircies par des années passées au grand air, Luc avait auparavant été cow-boy. Je me le représentais parfaitement dans un ranch perdu au milieu d'une plaine sauvage comptant plus de vaches et de chevaux que d'humains ou de vampires. Il avait conservé ses bottes après sa transformation. Pour résumer la situation, il en pinçait sérieusement pour Lindsey, mais il ne s'était rien passé entre eux jusqu'à l'attaque de la Maison. Depuis lors, on les voyait plus souvent ensemble.

À mon avis, il n'y avait rien d'hyper-sérieux entre eux – plutôt du genre un cinéma par-ci, un pique-nique au crépuscule par-là. Néanmoins, il avait apparemment réussi à abaisser les barrières émotionnelles que Lindsey avait érigées pour le tenir à distance. Je me réjouissais de cette évolution. Luc attendait depuis des années ; il était temps que sa patience soit récompensée.

— Luc peut très bien prendre soin de lui tout seul, décréta Lindsey d'un ton sec.

— Il préférerait que ce soit toi qui t'occupes de lui.

Elle leva la main.

— Assez parlé de mecs. Si tu continues avec Luc, je ne vais pas arrêter de te bassiner avec Ethan. Attends-toi à subir un interrogatoire sans merci sur son corps de rêve et sa froideur glaciale.

— Rabat-joie, pestai-je.

Mais je n'insistai pas. Je savais qu'en dépit du temps qu'elle passait avec Luc, Lindsey n'était pas encore vraiment convaincue, et je n'avais pas envie de la forcer si elle ne se sentait pas prête. Après tout, ce n'était pas parce que je pensais qu'ils iraient bien ensemble qu'elle devait absolument sortir avec lui. Elle vivait sa propre vie, et je respectais ses décisions.

J'abandonnai donc le sujet, m'installai confortablement et laissai mon esprit se ramollir devant une émission de télé poubelle préenregistrée. Ça ne détendait pas tout à fait autant qu'un massage aux pierres chaudes et un bain de boue, mais une vampire doit se contenter de ce qu'elle a.

5

DOWN BY THE RIVER[1]

Lorsque je me levai, j'enfilai mon uniforme personnel – un jean, un débardeur, des bottes à talons aiguilles, mon médaillon Cadogan, mon sabre et mon bipeur – avant de sortir. Je m'arrêtai au portail afin d'avoir un aperçu des obstacles à franchir pour arriver à ma voiture. L'une des deux fées postées à l'entrée repéra mon manège.

— Ils sont plutôt calmes, ce soir, déclara-t-il. Ethan a pris ses précautions.

Intriguée, je me tournai vers lui.

— Comment ça ?

Le garde pointa un doigt en direction de la chaussée. Je jetai un coup d'œil de l'autre côté de la grille et souris en découvrant la stratégie d'Ethan.

Un camion vendant des italiens au bœuf était garé au coin de la rue. Une dizaine de manifestants se tenaient à côté, sandwich à la main, leurs pancartes calées contre la carrosserie.

---

1. Paroles d'une chanson intitulée « Big River » interprétée par Johnny Cash, compositeur de musique country, en 1958. On pourrait traduire « *down by the river* » par « près de la rivière ». (*NdT*)

Ethan avait dû passer un coup de fil.

— Du bœuf rôti en symbole de paix, murmurai-je avant de traverser la route à grandes enjambées en direction de ma Volvo orange.

Ma voiture était vieille et avait connu des jours meilleurs, mais elle me menait encore là où je voulais aller.

En l'occurrence, au sud.

On aurait pu penser qu'en accédant à la tête d'une organisation au nom aussi pompeux qu'« Agence de médiation » mon grand-père aurait eu droit à un élégant bureau d'un immeuble luxueux du Loop, le quartier d'affaires de Chicago.

Il se trouvait que Chuck Merit, ancien policier devenu administrateur du surnaturel, était proche du peuple, humain ou non. Ainsi, au lieu d'une pièce extravagante avec vue sur la rivière, il occupait un modeste bâtiment de brique dans le South Side, au milieu d'une zone résidentielle aux propriétés ceinturées de grillage.

Habituellement, le calme régnait dans ce secteur, mais ce soir-là, la cour de l'immeuble était bondée de voitures, ainsi que toute la rue sur plusieurs centaines de mètres. J'avais déjà eu l'occasion de voir mon grand-père cerné par la foule – dans sa maison, lors d'une rixe entre nymphes aquatiques déchaînées. Je me rappelais leurs décapotables munies de plaques fantaisie reconnaissables entre mille. Or, les visiteurs du jour avaient de vieux véhicules rouillés à la peinture écaillée.

Je me garai et me dirigeai vers l'entrée. La porte n'était pas verrouillée, ce qui paraissait étrange, et une musique assourdissante – la voix profonde de Johnny Cash – résonnait à l'intérieur.

Contrairement à ce que laissait penser la décoration des lieux, typique des années 1970, l'Agence de médiation gérait des problèmes tout à fait modernes et actuels en lien avec les surnaturels. Les hommes et les femmes trapus qui discutaient dans les couloirs, des verres en plastique remplis d'un liquide orange à la main, en faisaient certainement partie. Ils me dévisagèrent tandis que je me frayais un chemin parmi eux, me suivant de leurs petits yeux enfoncés. Ils se ressemblaient tous – visage porcin, nez retroussé et pommettes rondes –, comme s'ils étaient cousins.

Alors que je me dirigeais vers le bureau que Catcher partageait avec Jeff Christopher – petit génie de l'informatique et métamorphe adorable qui avait eu un faible pour moi –, je passai devant une grande table couverte de fruits : des morceaux d'ananas et de papaye rouge orangé plantés sur des cure-dents et présentés dans une demi-pastèque, des tranches d'orange sanguine saupoudrées de grains de grenade, ainsi qu'une écorce d'ananas garnie de myrtilles et de raisin. Un buffet destiné aux invités, sans doute.

— Merit !

La tête de Jeff apparut dans l'encadrement de la porte, et il me fit signe de le rejoindre. Je zigzaguai encore quelques instants entre les visiteurs avant de pénétrer dans le bureau. Catcher semblait absent.

— Nous t'avons vue sur l'écran de contrôle, expliqua Jeff en s'installant sur la chaise placée derrière sa collection d'ordinateurs.

Ses cheveux bruns et raides avaient poussé et lui arrivaient à présent presque aux épaules. Il avait ramené quelques mèches derrière les oreilles. Comme d'habitude,

Jeff portait un pantalon kaki et une chemise dont il avait relevé les manches jusqu'aux coudes, sans doute dans le but de manœuvrer plus aisément au-dessus de son gigantesque clavier. Grand et maigre, Jeff compensait largement son faible poids par ses talents au combat. C'était un métamorphe puissant qu'il ne fallait pas sous-estimer.

—Merci d'être venu me chercher, dis-je. Qu'est-ce qui se passe, ici ?

—C'est la soirée des trolls des rivières.

Bien sûr.

—Je croyais que les rivières étaient contrôlées par les nymphes ?

—C'est le cas. Elles prennent les décisions, les trolls les font respecter.

—Et les fruits ?

Jeff esquissa un sourire.

—Bien vu. Les trolls des rivières sont végétariens. Frugivores, en fait. En leur offrant des fruits, on est sûrs de les faire sortir de sous les ponts.

—Et ils adorent les ponts.

Je jetai un coup d'œil derrière moi. Catcher se tenait dans l'embrasure de la porte, un plateau garni de fruits à la main et, conformément à ce que Mallory m'avait appris, des lunettes rectangulaires perchées sur le nez. Elles contrastaient avec son crâne rasé et ses yeux vert pâle, mais lui allaient parfaitement, le faisant passer de l'expert en arts martiaux à l'intello bien foutu. La Sentinelle approuvait totalement ce nouveau look, de même que le tee-shirt sarcastique du jour, qui portait l'inscription « Et je suis sorti de mon lit pour ça ? ».

—Monsieur Bell, dis-je à mon ancien entraîneur de katana. J'aime beaucoup tes lunettes.

— Merci.

Il s'assit derrière son bureau puis planta un cure-dent dans un morceau de fruit.

L'équipe du Médiateur comptait donc un métamorphe et un sorcier. Les vampires étaient également représentés, du moins en partie. Étant donné que les Maîtres de Chicago se montraient peu enclins à parler des affaires concernant leurs Maisons, mon grand-père avait recruté un informateur secret au sein de notre communauté. Je soupçonnais fortement Malik de jouer à l'agent de renseignements, sans toutefois disposer d'aucune preuve.

— Ils vivent sous les ponts ? m'étonnai-je, m'intéressant de nouveau aux trolls.

— Qu'il pleuve ou qu'il vente, hiver comme été, confirma Catcher.

— Et pourquoi organiser une soirée ? C'est juste pour maintenir de bonnes relations avec les surnaturels ?

— Avec tout ce qui s'est passé récemment, nous entretenons nos contacts, répondit Catcher, fronçant les sourcils tandis qu'il tentait d'épépiner un morceau de pastèque à l'aide du cure-dent. Chaque population a droit à une visite de notre part, ainsi qu'à une soirée avec le Médiateur.

— Les temps changent, affirma Jeff.

— L'ambiance change.

Je me retournai au même moment que Jeff et Catcher, pour découvrir sur le seuil un troll aux épaules carrées et aux courts cheveux roux. Il nous regardait en plissant ses petits yeux écartés. Comme son cou était plus ou moins inexistant, tout son torse pivotait dès qu'il bougeait la tête.

L'atmosphère vibrait à présent d'une légère touche de magie.

—Salut, George, lança Catcher.

Le visiteur hocha la tête et salua de la main.

—Ça s'échauffe. Les voix, les conversations. Le vent tourne. Il y a de l'électricité dans l'air, je pense. (Il marqua une pause.) Nous n'aimons pas ça.

Il posa sur moi un regard interrogateur. Je devinais ses pensées : le problème venait-il en partie de moi ? Est-ce que je contribuais à dégrader l'ambiance ? à attiser les conflits ?

—Je te présente Merit, expliqua Catcher, imperturbable. La petite-fille de Chuck.

Le visage de George s'éclaira aussitôt.

—Chuck est un ami. Il est… plus discret que les autres.

Je n'étais pas tout à fait sûre de comprendre ce qu'il voulait dire par « discret » – j'avais l'impression que cela ne signifiait pas simplement que mon grand-père ne faisait pas beaucoup de bruit –, mais de toute évidence, il s'agissait d'un compliment.

—Merci, répondis-je en instillant autant de sincérité que possible dans ce mot.

George m'observa quelques instants, semblant réfléchir, ou peut-être me jauger. Il finit par hocher la tête.

En m'adressant ce signe, il paraissait sous-entendre autre chose qu'une simple acceptation de mes remerciements – comme s'il me donnait son approbation. J'inclinai à mon tour la tête, un acte tout aussi symbolique. Lui et moi, en tant que créatures paranormales – membres de tribus différentes, certes, mais néanmoins liés par les incidents qui avaient frappé la ville et par le Médiateur, qui s'efforçait d'endiguer les crises avec zèle –, venions de nous accepter mutuellement.

Après avoir établi ce contact, George disparut.

—Pas très bavard, commentai-je une fois qu'il fut parti.

—C'est leur caractère, intervint Jeff. Les trolls restent entre eux, sauf quand les nymphes les demandent. Et même dans ce cas, ils font une brève apparition, ils accomplissent leur travail puis se dépêchent de retourner sous leur pont.

—Ils s'occupent de quoi, au juste ?

Jeff haussa les épaules.

—En général, tout ce qui nécessite de la force. Ils jouent des muscles pour les nymphes dans les secteurs de la rivière où il y a désaccord sur les limites, ils rétablissent la paix si besoin, ou parfois entretiennent le lit si l'eau coule trop vite.

Ayant apparemment terminé son explication, Jeff s'étira pour redresser un cadre photo argenté qu'il avait ajouté sur un coin de son bureau. J'avais déjà vu auparavant la peluche à tentacules qui trônait sur l'un de ses ordinateurs, mais je n'avais jamais remarqué ce cadre.

Je m'approchai et contournai la table afin de jeter un coup d'œil à la photo. Il s'agissait d'un cliché de Jeff et Fallon Keene. Le courant était bien passé entre eux lorsque la famille Keene et des représentants des autres Meutes s'étaient rassemblés à Chicago dans le but de décider s'ils devaient rester dans leurs villes respectives ou rejoindre leur territoire ancestral à Aurora, en Alaska. À la suite d'un vote, les métamorphes avaient choisi de rester, et les Keene n'avaient pas encore regagné leur QG à Memphis. Jeff et Fallon avaient sans doute profité de ce laps de temps pour apprendre à mieux se connaître.

Sur la photo, ils se tenaient côte à côte devant un mur de briques, doigts entrelacés, les yeux dans les yeux.

Sur leurs visages se lisait un sentiment profond et sérieux. De l'amour, déjà?

—Vous avez l'air heureux, dis-je à Jeff.

Le rouge lui monta aux joues.

—Catcher n'arrête pas de me faire chier en me répétant que je vais trop vite, protesta-t-il en gardant le regard rivé sur l'écran. Il peut bien parler.

—C'est vrai qu'il vit avec mon ancienne colocataire, concédai-je.

—Eh, je suis encore là, lança Catcher. D'ailleurs, qu'est-ce qui t'amène?

—Les emmerdes habituelles. Premier problème à gérer: une organisation à la GI Joe dirigée par un homme du nom de McKetrick. Lui et ses acolytes nous ont barré la route un peu après la Maison. Ils avaient un équipement militaire complet: bottes de combat, uniforme noir, et 4 × 4 noirs sans plaque d'immatriculation.

—Quoi, même pas d'hélicoptère noir? ironisa Jeff.

—Je sais, c'est fou, non? McKetrick se prend pour le héros qui va sauver l'humanité de l'invasion vampire. Il pense que les crocs font de nous des erreurs de la nature.

—Des erreurs qu'il souhaiterait éliminer? demanda Catcher.

J'acquiesçai.

—Exactement. Il nous a affirmé que son objectif était de débarrasser Chicago des vampires, sans doute pour laisser la place à sa personnalité hors du commun.

—On va creuser un peu pour voir ce qu'on peut trouver sur lui, proposa Catcher avant d'incliner la tête d'un air inquisiteur. Comment vous vous êtes sortis de ce mauvais pas?

— Ethan a appelé nos métamorphes préférés. Keene a rameuté la famille et quelques collègues.

— Sympa, lança Jeff. Euh, est-ce que Fallon était là ?

— Oui, mais avec une casquette des Cardinals. Tu ne peux rien faire pour arranger ça ?

Il haussa les épaules, penaud.

— Je sais quand une bataille est perdue d'avance, donc la réponse est « non ». Au fait, tu es au courant ? Tonya a accouché d'un petit garçon de quatre kilos. Connor Devereaux Keene.

Je lui rendis son sourire. Tonya était la femme de Gabriel. Sa grossesse était bien avancée la dernière fois que je l'avais rencontrée, et ils avaient alors déjà décidé du prénom de l'enfant.

— Quatre kilos ? C'est un beau bébé.

Jeff sourit.

— N'est-ce pas ?

Catcher se racla la gorge.

— Et le deuxième problème, qu'est-ce que c'est ?

— Les raves.

Ils braquèrent tous les deux le regard sur moi.

— Qu'est-ce qui se passe ? demanda Catcher.

— C'est ce que je dois découvrir. Au mieux, les raves vont être révélées au public. Pour de vrai, cette fois.

— Et au pire ? interrogea Catcher.

— On se retrouve confrontés à quelque chose qui s'apparente à une rave, mais avec des vampires psychopathes qui commettent des actes atroces sur des humains. Il y a trois morts présumées jusqu'à présent, mais aucune preuve physique.

Le silence s'abattit sur la pièce.

— C'est sérieux ? demanda Catcher d'un ton grave.

—Aussi sérieux qu'un pieu de tremble.

Je leur fournis les détails concernant M. Jackson, la description de la scène à laquelle il avait assisté, l'enquête du maire et notre visite à sa résidence. Je m'inquiétai de constater qu'ils ne disposaient pas de ces informations. Après tout, en tant que Médiateur de cette ville, mon grand-père était la première personne que Tate aurait dû appeler.

—Est-ce que c'est à cause de moi ? demandai-je. Tate lui cache peut-être des choses parce que je suis sa petite-fille… ou parce que j'appartiens à Cadogan.

Catcher repoussa son assiette de fruits, s'accouda à son bureau et se massa les tempes.

—Je ne sais pas, et je n'aime vraiment pas ça. Ce dont je suis sûr, en revanche, c'est que Chuck ne va pas apprécier l'idée que l'Agence n'est qu'une organisation fantoche créée par Tate dans l'unique but de faire croire aux surnats qu'il ne se fout pas totalement de leur sort…

—… alors qu'il nous dissimule des informations, conclut Jeff.

—D'un autre côté, reprit Catcher, ce ne serait pas à nous de mener l'enquête, mais aux inspecteurs de la police de Chicago. Normalement, il aurait tout de même dû nous mettre au courant pour que nous entrions en contact avec les Maisons ou les Solitaires. (Il secoua la tête.) Nous nous sommes toujours un peu méfiés de Tate. Je suppose que ça prouve qu'on ne doit jamais cesser de tendre l'oreille, même quand on est censé faire partie du circuit.

—En parlant de tendre l'oreille, quoi de neuf sur les raves ? Vous avez appris quelque chose ?

Il fronça les sourcils.

—J'imagine que Malik et Ethan t'ont mise au courant des trois que nous avons repérées ?

—Vaguement, grommelai-je.

Après avoir hoché la tête, Catcher se leva puis se dirigea vers un tableau blanc qui avait été récemment accroché à l'un des murs du bureau, déboucha un marqueur vert et commença à écrire. Dans un grincement de feutre, il entreprit de dessiner ce qui évoquait un poisson anguleux et difforme.

—Qu'est-ce que c'est ?

—Chicago, décréta-t-il sans se retourner.

—Sans blague ? C'est comme ça que tu représentes la ville pour laquelle tu travailles ? sous les traits d'un poisson ?

—Ça ressemble vraiment à un poisson, confirma Jeff avec enthousiasme. Oh, peut-être une carpe asiatique. Tu comptes faire une comparaison entre les raves et les espèces invasives ?

—Pas bête, fis-je remarquer avec un sourire à l'intention de Jeff.

Il se carra dans sa chaise, l'air fier de lui.

—C'est ce que disent les filles.

Je levai les yeux au ciel et me tournai de nouveau vers Catcher, qui nous fusillait du regard par-dessus ses épaisses lunettes d'intellectuel. Je dus me mordre la lèvre pour ne pas éclater de rire.

—Bon, bref, poursuivit-il en dessinant des croix à différents endroits de la carte, nous savons que trois raves ont eu lieu au cours des deux derniers mois.

—C'est votre source vampire qui vous a refilé les tuyaux ? demandai-je.

— Pour deux des raves, oui, avoua Catcher. C'est Malik qui nous a renseignés sur la troisième. Dans tous les cas, l'information provenait d'une tierce personne.

D'accord, ces révélations mettaient à plat ma théorie sur Malik et ses activités d'agent secret.

— Il y a aussi la rave qui s'est déroulée au bord du lac, sur le site que nous avons visité, ajouta Catcher en traçant une nouvelle croix.

Nous n'avions eu vent de celle-ci qu'une fois la fête terminée. Les vampires avaient déjà quitté les lieux. Nous avions déduit de notre enquête le nombre approximatif de participants, et quelques indices nous avaient permis de déterminer l'identité de ceux qui s'étaient également rendus sur place pour mener leurs propres recherches – la Garde Rouge ainsi qu'un métamorphe qui s'était avéré plus tard être notre maître chanteur.

— Avant ça, nous avions eu connaissance de plusieurs autres raves. Plus celle identifiée par Tate, qui a eu lieu dans West Town.

Catcher acquiesça, s'empara d'un marqueur bleu et dessina les croix correspondantes.

Je plissai les yeux, concentrée sur le schéma de Catcher, mais je n'y comprenais toujours rien. À part que ça ressemblait à un poisson.

— Tu ne pourrais pas au moins nous montrer où se situe Navy Pier ? lui demandai-je. Je ne m'y retrouve pas du tout sur ton dessin.

Catcher obtempéra en marmonnant. Il représenta la jetée de plus d'un kilomètre de long qui s'avançait dans le lac Michigan par une petite excroissance rectangulaire sur l'un des flancs du poisson.

Jeff gloussa.

— C'est Navy Pier, ça, ou Chicago est juste content de me voir ?

Je ris si fort que je grognai un peu, jusqu'à ce que Catcher frappe du poing sur la table la plus proche.

— Eh ! protestai-je en le menaçant du doigt. Mon Maître est susceptible de se retrouver emprisonné à Cook County avant la fin de la semaine, ce qui ne me ferait pas vraiment plaisir. Le sarcasme est ma façon de gérer le stress. Tu le sais très bien, tu m'as déjà vue faire avec Mallory.

Ironie : le simple fait de mentionner l'éventualité de la prison à voix haute avait suffi à me nouer l'estomac. L'expression de Catcher s'adoucit. Il se tourna vers le tableau, un sourire au coin des lèvres.

— Je crois que vous avez raison, ce dessin est ridicule.

— Maintenant que tu l'as reconnu, tu peux continuer, proposai-je, magnanime.

— Les sites de raves sont donc disséminés aux quatre coins de la ville, reprit-il aussitôt. Aucune logique évidente, et pas de centre apparent.

— On peut tout de même en déduire quelque chose, intervins-je. Il n'y a pas de quartier général, en tout cas aucun lieu précis qui accueillerait les raves, et les vampires impliqués se montrent assez intelligents pour changer d'endroit.

— Ils n'éveillent ainsi les soupçons ni des humains ni des Maîtres, s'il s'agit de vampires affiliés, ajouta Jeff.

— Exactement, confirma Catcher.

— Et au sujet de l'ampleur de ces soirées ? de leur échelle ? M. Jackson a affirmé qu'il avait vu des dizaines de vampires, tous aussi violents que dans *American Psycho*.

— D'après notre informateur, les raves sont des rassemblements de quelques personnes, vampires et humains, comme c'était le cas sur le site que nous avons visité. Une petite soirée, intime, centrée sur le don et l'acceptation de sang. Pour poursuivre l'analogie avec le cinéma, ce n'est pas du style *Fight Club*.

— Plutôt genre *Dracula, mort et heureux de l'être*, avança Jeff.

Catcher leva de nouveau les yeux au ciel.

— Ce nouvel incident n'a donc aucun précédent en termes de taille et de violence, mais personne n'a été déclaré disparu et on n'a retrouvé aucune trace de crime. (Il haussa les épaules.) Ce qui suggère que M. Jackson n'a pas été tout à fait honnête. Le problème, c'est que nous n'avons parlé à aucun des vampires qui ont assisté à cette soirée. Si on arrivait à introduire une taupe sur le terrain, ce serait un coup de maître. On pourrait savoir qui sont les participants, comment l'info circule, et si les humains agissent de leur plein gré.

— Est-ce que vous avez accès aux données de la police ? demandai-je. Ça nous permettrait de consulter leurs fichiers.

— C'est comme si c'était fait, lança Jeff, qui se pencha sur son ordinateur et commença à pianoter sur son clavier. J'aurai peut-être besoin d'un peu de temps pour chercher – l'architecture de leur site est merdique –, mais je te tiens au courant.

Bien entendu, ce n'était pas parce que l'Agence de médiation ne disposait pas de toutes les informations qu'il n'y avait plus rien à apprendre. Le moment était sans doute venu de contacter mon autre source…

— Merci, conclus-je. Vous m'appelez si vous avez du nouveau ?

— Bien sûr. Je suppose que Sullivan va t'envoyer à la chasse aux vampires psychopathes ?

— C'est fort probable.

— N'hésite pas à me joindre si tu as besoin d'aide, affirma Catcher.

— D'accord, répondis-je.

En fait, j'avais déjà une idée en tête sur le sujet. Après tout, on m'avait proposé de faire équipe avec Jonah.

— Si tu vas au charbon, ajouta Catcher, essaie d'obtenir des noms et de découvrir comment ils contactent les vampires et les humains.

— OK.

— Tu veux que j'aille chercher Chuck avant que tu partes ? demanda Jeff.

— Non, ne t'embête pas. Il est occupé par sa soirée, ce n'est la peine de le déranger.

— Je pense être capable de gérer mon travail et ma famille en même temps, énonça une voix rocailleuse à la porte.

Je me retournai, et souris en voyant mon grand-père pénétrer dans la pièce. Il avait échangé son habituelle chemise à carreaux pour une veste très élégante, mais portait encore son éternel pantalon en velours côtelé et ses chaussures démodées à semelle épaisse.

Il se dirigea vers le bureau sur lequel j'étais assise pour me poser un baiser sur le front.

— Comment va ma vampire préférée ?

Je lui passai un bras autour de la taille et l'étreignis délicatement.

— Tu veux dire que j'ai de la compétition ? m'exclamai-je.

— En fait, non. Tes semblables ont tendance à être un peu trop compliqués.

— Tu m'étonnes, confirmèrent en chœur Jeff et Catcher.

Je leur décochai un regard noir.

— Qu'est-ce qui t'amène dans le secteur ?

— Je racontais à Jeff et Catcher les derniers drames en date. En résumé, une opération commando clandestine et la saison deux des raves.

Il esquissa une grimace.

— Même si je n'étais pas ton grand-père, je ne trouverais pas ces nouvelles très réjouissantes.

— Je comprends.

— Désolé d'en rajouter et de faire l'oiseau de mauvais augure, mais ton père m'a dit que vous ne vous étiez pas parlé depuis des semaines, reprit-il.

Mon père m'importait peu, mais le fait qu'il implique mon grand-père dans notre différend ne me plaisait vraiment pas.

— En fait, je l'ai vu sortir du bureau du maire hier soir, affirmai-je. Nous avons eu une discussion très cordiale.

— Très bien, dit-il avec un sourire.

Je sautai à terre. Il était temps de passer à la suite de l'enquête.

— Je dois filer, et il faut que tu retournes à ta soirée, alors je leur laisse le soin de te donner tous les détails.

— Comme si j'avais la moindre chance d'y échapper, soupira mon grand-père.

Il me serra dans ses bras, puis sortit.

Après avoir dit au revoir, je traversai de nouveau le couloir sous les hochements de tête des trolls qui semblaient me signifier que j'avais réussi l'examen et qu'ils m'acceptaient. Peut-être pas en tant que vampire, mais au moins en qualité de petite-fille d'un homme en qui ils avaient confiance.

Avoir des amis haut placés s'avère vraiment utile, tout particulièrement quand on a des ennemis encore plus haut placés.

Mon téléphone sonna juste au moment où je montais dans ma voiture. Après avoir fermé la portière, je décrochai. C'était Mallory.

— Coucou, cheveux bleus. Quoi de neuf? (Elle se mit à sangloter avant même d'avoir prononcé un mot.) Mallory, qu'est-ce qui se passe? Ça ne va pas?

— Catharsis, balbutia-t-elle. Je fais juste une crise de catharsis.

Je poussai un soupir de soulagement. Je m'étais préparée à partir sur les chapeaux de roue au cas où elle se serait trouvée en danger, mais toute jeune femme connaît l'importance d'une crise de catharsis – quand on ne pleure pas pour une raison précise, mais pour évacuer une tension globale.

— Tu veux en parler?

— Peut-être. Pas vraiment. Je ne sais pas. Tu peux venir?

— Bien sûr. Où es-tu?

Elle renifla.

— Je suis toujours à Schaumburg, au *Goodwin*, au bord de l'autoroute I-90. Je sais que ça fait loin, mais tu pourrais me retrouver là-bas? Tu as le temps?

Je connaissais ce restaurant ouvert vingt-quatre heures sur vingt-quatre, qui faisait partie d'une chaîne omniprésente dans les zones d'activité et les complexes hôteliers. Le genre d'établissement fréquenté par les personnes âgées au milieu de l'après-midi et par les adolescents à minuit. Je n'aurais peut-être pas appelé Mallory une gastronome, mais elle aimait la cuisine branchée. Si elle avait choisi le *Goodwin*, c'était soit qu'elle avait envie de nourriture insipide, soit qu'elle souhaitait profiter de l'anonymat qu'offrait ce type d'endroit.

Aucune de ces hypothèses ne me plaisait.

— Je viens de sortir de l'Agence de médiation. Je peux être là dans environ trois quarts d'heure. Ça ira ?

— Ouais. Je révise, je reste ici.

Voilà qui expliquait le choix de ce restaurant. Après avoir raccroché, je me retournai vers la porte du bureau et hésitai un moment à faire demi-tour pour avertir Catcher que sa dulcinée était actuellement une vraie boule de nerfs. Mais en qualité de super copine, je devais respecter un code d'honneur. Un protocole. Elle m'avait appelée moi, et non Catcher, alors qu'il travaillait à l'Agence et était donc facilement joignable. Ce qui signifiait qu'à cet instant elle avait besoin de se confier à moi et à personne d'autre.

— En route, murmurai-je en démarrant le moteur.

Tout en conduisant, j'élaborai une stratégie pour la suite de l'enquête. Cette partie s'annonçait plus ardue, notamment parce que j'avais l'impression que mon contact ne m'appréciait pas. Lors de notre première rencontre, Jonah s'était montré froid et distant. J'étais ensuite tombée sur lui dans une rue de Wrigleyville plongée dans le noir, où il m'avait suivie afin de se faire une idée sur moi. Pour tester mes nerfs, en quelque sorte.

La Garde Rouge avait été fondée deux siècles auparavant dans le but de protéger les Maîtres vampires, mais désormais, sa mission principale consistait à surveiller les dirigeants mêmes de notre communauté. Quand Noah Beck, le chef des Solitaires de Chicago, m'avait proposé de rejoindre leurs rangs, il m'avait informée que si j'acceptais, Jonah, Capitaine de la Garde de la Maison Grey, serait mon partenaire. Même si j'avais été flattée par cette offre, intégrer une organisation visant à garder les Maîtres à l'œil aurait déclenché la Troisième Guerre mondiale à Cadogan. Ethan aurait interprété mon geste comme une trahison.

Je trouvais mon existence de vampire déjà bien assez mouvementée ; je n'avais pas vraiment envie de m'attirer volontairement de nouveaux ennuis.

Étant donné que Jonah n'avait pas paru très convaincu par ma personne, mon refus ne l'avait sans doute pas déçu. Je n'espérais aucun miracle de cet appel téléphonique, mais la Garde Rouge possédait des informations sur les raves, notamment celle qui s'était déroulée sur le site qu'ils avaient nettoyé. Comme ma visite à l'Agence de médiation ne s'était pas révélée très productive du point de vue des renseignements collectés – alors que, du point de vue de la diplomatie troll, elle avait été très utile –, Jonah constituait une source potentielle à ne pas négliger.

En route pour Schaumburg, je composai donc le numéro que j'avais mis en mémoire lorsqu'il m'avait téléphoné. Il répondit après quelques sonneries.

—Jonah.

—Salut Jonah, c'est Merit.

S'ensuivit un silence gêné.

—C'est au sujet de la Maison ?

Je supposai qu'il me demandait si j'appelais en tant que vampire Cadogan ou en tant qu'éventuelle candidate à la Garde Rouge.

— Pas vraiment. Tu as le temps de discuter ?

Nouveau silence.

— Donne-moi cinq minutes. Je te rappelle.

Il raccrocha. Tout en me dirigeant vers l'I-90, je m'assurai que la sonnerie était bien activée, puis posai mon téléphone sur son socle.

Ponctuel, Jonah me recontacta lorsque l'aiguille du cadran de l'horloge eut avancé de cinq minutes très exactement.

— Il fallait que je sorte, expliqua-t-il. Je suis dans la rue. J'ai pensé que ça éviterait les histoires.

Les vampires de Scott Grey vivaient dans un entrepôt aménagé dans le quartier d'Andersonville, tout près de Wrigley Field. Les veinards.

— Qu'est-ce qui se passe ? demanda-t-il.

Je décidai de lui dire la vérité.

— Le maire nous a convoqués dans son bureau, hier. Il nous a appris qu'un homme avait affirmé avoir assisté au meurtre de trois humaines par des vampires.

— Merde, souffla-t-il d'un ton las. Quoi d'autre ?

— Tate pense que les actes de violence sont inhérents aux raves, mais d'après nos infos, ce dont il parle est différent. D'une plus grande ampleur, plus brutal. Si le témoin oculaire, M. Jackson, n'a pas menti, il y a eu une agression. Le fait que ça se soit passé au cours d'une rave n'est peut-être pas le point fondamental. En tout cas, il est temps d'agir, et pour ça, j'ai besoin de renseignements.

— Et donc, tu m'as appelé pour ça ?

Je levai les yeux au ciel. Sa question suggérait qu'il m'accordait une faveur et qu'il attendait un geste de ma part en retour. Typique des vampires.

— Tu représentes mon meilleur espoir d'obtenir des réponses, déclarai-je en m'efforçant de paraître désinvolte.

— Malheureusement, je n'ai pas grand-chose à te dire. Je suis au courant de la dernière rave, celle dont la GR a effacé les traces, mais seulement parce que Noah m'en a parlé. Je n'y étais pas.

— Tu crois que Noah pourrait m'apprendre quelque chose ?

— Peut-être. Pourquoi ne pas l'avoir appelé directement ?

— Parce qu'on m'a proposé de faire équipe avec toi.

Jonah marqua une pause.

— Est-ce que ça signifie que tu t'intéresses à la Garde Rouge ?

Ça signifie plutôt que j'essaie désespérément d'obtenir des informations.

— À mon avis, l'importance de cette affaire dépasse les Maisons ou la Garde, me contentai-je de répondre.

— D'accord. Je vais mener quelques recherches de mon côté. Je te tiens au courant si j'apprends quoi que ce soit. Je suppose que tu ne parleras à personne de cette conversation.

— Motus et bouche cousue, promis. Et merci.

— Tu me remercieras quand j'aurai découvert quelque chose. On se rappelle.

Une fois qu'il eut raccroché, je reposai le téléphone. Chaque jour apportait son lot d'ennuis et de complications. Parfois, je me disais que je ferais mieux de traîner en pyjama avec un bon livre.

La sonnerie retentit presque aussitôt. Je consultai l'écran : mon père.

J'hésitai un instant à déclencher le répondeur, mais j'avais adopté cette stratégie assez souvent, ces derniers temps – suffisamment en tout cas pour que mon grand-père en soit alerté. Comme je n'avais pas envie de voir mes problèmes rejaillir sur lui, je rassemblai mon courage, et décrochai.

—Oui ?

—Il faut que je te parle, décréta mon père en guise de salut.

Je n'en doutais pas. J'étais certaine que mon père avait sous le coude un certain nombre de sujets à aborder avec moi. La difficulté était de savoir lequel il avait en tête à présent.

—À propos de quoi ?

—Quelques affaires qui se présentent. J'ai eu vent de certains investissements susceptibles d'intéresser Ethan.

Ah, voilà qui expliquait son affabilité à Creeley Creek. Rien de tel que la perspective de faire fructifier son capital et de toucher une grosse commission pour le rendre heureux. J'appréciais toutefois qu'il envisage de travailler avec Ethan au lieu d'essayer de tous nous réduire en miettes.

—Nous sommes occupés, en ce moment, mais je transmettrai ta proposition à Ethan.

—Il peut me joindre à mon bureau, ajouta mon père.

Il parlait de son gratte-ciel de Michigan Avenue, en face de Millennium Park, un endroit huppé approprié au plus grand magnat de l'immobilier de Chicago.

Sur ces bonnes paroles, il raccrocha.

Si seulement on pouvait choisir sa famille…

6

L'APPRENTIE SORCIÈRE

J e m'engageai dans le parking quasi désert du *Goodwin*. Derrière les fenêtres illuminées n'apparaissaient que quelques rares clients.

Après avoir garé la Volvo, je pénétrai à l'intérieur du restaurant et balayai la salle du regard jusqu'à repérer Mallory. Je la trouvai assise à une table, un ordinateur portable et une impressionnante pile de livres devant elle, ses cheveux raides couleur bleu glacier ramenés derrière les oreilles. Elle se concentrait sur l'écran en plissant les yeux, un verre à demi rempli de jus d'orange à portée de main.

Lorsqu'elle leva la tête à mon approche, je me rendis compte qu'elle avait les yeux cernés.

— Salut, lança-t-elle, une expression soulagée sur le visage.

Je me glissai dans l'alcôve.

— Tu as l'air fatiguée.

Inutile de tergiverser quand sa super copine est au bout du rouleau.

— Je suis épuisée, avoua-t-elle en refermant son ordinateur. (Elle l'écarta puis croisa les mains sur la table.) Ce stage n'est pas vraiment aussi marrant que ce que je pensais.

Je m'assis en tailleur sur la banquette.

— C'est difficile ?

— Exténuant, autant d'un point de vue physique que mental, répondit-elle avant de froncer les sourcils devant la pile de livres. J'ai l'impression de me retrouver dans une prépa pour sorciers, à me bourrer le crâne avec des trucs que j'aurais dû étudier il y a dix ans, tout ça condensé sur quelques mois.

— Tu apprends des choses utiles ?

— Ouais. Enfin, mon tuteur m'a tellement fait travailler dessus que c'est devenu comme une seconde nature pour moi.

Je n'eus même pas le temps de cligner des yeux avant que les flacons de sel et de poivre commencent à glisser sur la table devant moi.

Je relevai la tête vers Mallory, qui demeurait totalement immobile, le visage impassible. Je l'avais déjà vue faire bouger des objets – la dernière fois, il s'agissait de meubles –, mais elle ne l'avait jamais fait avec une telle désinvolture.

— C'est… impressionnant.

Elle haussa les épaules, mais une ombre obscurcissait son regard.

— Je peux le faire presque sans y penser.

— Et quel effet ça te fait ?

Ce fut à ce moment qu'elle se mit à pleurer. Elle leva les yeux puis les détourna, comme si ce simple geste avait le pouvoir de réprimer ses larmes, qui roulèrent néanmoins sur ses joues. Lorsqu'elle s'essuya le visage, je remarquai qu'elle avait les doigts rouges et écorchés.

— Parle-moi, l'encourageai-je avant de scruter les alentours.

Le coin de la salle que nous occupions était désert. La seule serveuse en vue se trouvait assise à une table de l'autre côté du restaurant, où elle enveloppait des couverts avec une serviette en papier.

— Il n'y a quasiment que toi et moi, ici, insistai-je.

Mes paroles libérèrent un nouveau flot de larmes. Mon cœur se serra à l'idée que ce qu'elle avait fait ou vu au cours des dernières semaines l'avait mise dans un tel état – et que je n'aurais probablement pas été capable d'y faire quoi que soit.

Je me levai pour la rejoindre de l'autre côté de la table et attendis qu'elle se soit décalée pour m'asseoir.

— Raconte-moi, insistai-je.

— Je ne sais plus qui je suis.

Je ne pus m'empêcher de sourire. S'il existait un problème que j'étais à même de comprendre, en tant que jeune vampire, c'était bien celui-là. Je lui donnai un petit coup de tête sur l'épaule.

— Continue.

Elle ouvrit les vannes.

— J'étais moi, d'accord ? Je vivais ma vie, avec mes cheveux bleus, à travailler dans la pub. Tout d'un coup, tu deviens une vampire, Ethan Sullivan me renifle et me dit que j'ai la magie. Ensuite apparaît Catcher, du jour au lendemain je suis une sorcière, j'apprends à connaître les Clés et à lancer des saloperies de boules de flammes pour être prête à intervenir quand les vampires se retrouvent dans la merde, ce qui finit toujours par arriver. (Elle reprit sa respiration.) J'étais censée me marier avant mes trente ans, Merit. Être propriétaire d'un appartement au bord du lac, avoir le sac Birkin d'Hermès, et être satisfaite de ma situation confortable. Alors que maintenant, je fais… (elle épia les alentours) de la magie. Et pas de la magie classique.

Une autre larme coula sur sa joue.

— Qu'est-ce que tu veux dire ?

Elle baissa la voix d'une octave.

— Tu connais les quatre Clés, non ?

— Bien sûr. Le pouvoir, les êtres, les armes et les textes.

— C'est ça. Les quatre divisions majeures de la magie. Eh bien, il se trouve que ce n'est pas aussi simple que ça. Il existe d'autres divisions.

Je fronçai les sourcils.

— En quoi consistent les autres ?

Elle se pencha vers moi.

— C'est de la magie noire, Merit. Le côté obscur de la force, tout un système qui se superpose aux quatre Clés de base. (Elle s'empara d'une serviette puis enleva le capuchon de son stylo.) Tu as déjà vu le tatouage de Catcher ?

Je hochai la tête. Un cercle divisé en quatre ornait son abdomen.

Elle reproduisit ce dessin, puis désigna les quadrants.

— Ils représentent les Clés, d'accord ? Les divisions de la magie.

Elle saisit une autre serviette, qu'elle déplia avant d'y tracer un cercle similaire. Une fois qu'elle eut terminé, elle superposa les deux serviettes.

— Il y a quatre autres divisions, mais toutes appartiennent à la magie noire.

— Explique-moi, je ne comprends pas tout, l'encourageai-je avec douceur. De quel genre de magie noire s'agit-il ? Du style méchante sorcière de l'ouest du pays d'Oz, ou plutôt Serpentard ?

Elle secoua la tête.

— Je ne peux pas te le dire.

— Tu peux tout me dire.

Elle me dévisagea, les traits crispés par une évidente frustration.

— Ce n'est pas que je ne veux pas, c'est que je ne peux pas. À cause d'un sortilège de l'Ordre. Même si je sais certaines choses, je n'arrive pas à les extérioriser. Les phrases se forment dans mon esprit, mais impossible de prononcer les mots.

Je n'aimais pas ça. L'Ordre, une organisation déjà plutôt mystérieuse, utilisait la magie afin d'empêcher Mallory de parler de ce qui l'inquiétait. De cette sorcellerie lugubre. D'actes qu'elle regrettait.

— Est-ce que je peux faire quelque chose ?

Elle secoua la tête, les yeux rivés sur ses mains croisées sur la table.

— C'est pour cette raison que tu as les doigts si abîmés ?

Elle acquiesça.

— Je suis fatiguée, Merit. Je m'entraîne, et je travaille dur, mais ça… Je ne sais pas, c'est comme si ça me rongeait. (Elle serra les poings puis étendit de nouveau les mains.) C'est épuisant, mais d'une manière différente. Ce n'est pas seulement physique ou mental. Ça atteint l'âme, en quelque sorte.

Elle paraissait vraiment tourmentée.

— Est-ce que tu as parlé de tout ça à Catcher ?

Elle secoua la tête.

— Il n'est pas membre de l'Ordre. Je ne suis pas autorisée à lui en dire plus qu'à toi.

Je compris soudain pourquoi Catcher ne semblait pas particulièrement apprécier l'Ordre – et pourquoi cela importait qu'il en fasse partie ou non.

—Comment est-ce que je peux t'aider?

Elle déglutit.

—Tu pourrais juste rester un peu ici avec moi? demanda-t-elle avant de pousser un profond soupir. Je suis fatiguée. J'ai bientôt des examens, et j'ai une tonne de trucs à réviser, c'est tout. J'ai la pression, en ce moment. Je n'ai pas envie de rentrer à la maison, de retourner tout de suite à ma vie normale. J'ai besoin de rester dans ce boui-boui standardisé encore quelques heures.

Je lui glissai un bras autour des épaules.

—Aussi longtemps que tu voudras.

Une heure s'écoula. Elle parla très peu, se contentant de siroter son jus d'orange et de regarder par la fenêtre les rares voitures qui passaient devant le restaurant.

Une fois qu'elle eut terminé son verre, je lui tapotai le dos.

—Il t'aime, tu sais. Tu as peut-être l'impression que tu ne peux pas tout partager avec lui, mais détrompe-toi. Enfin, j'ai compris qu'il t'était impossible de fournir tous les détails, mais au moins, tu peux lui dire que tu ne te sens pas bien.

—Tu en es sûre?

Je profitai de la pointe d'espoir qui avait percé dans sa voix pour insister.

—Certaine. On parle de Catcher, Mallory. C'est une vraie tête de mule, et il est bourru au possible, mais il est fou de toi.

Elle renifla.

—Continue.

—Rappelle-toi ce que tu m'as dit à propos d'Ethan : je mérite quelqu'un qui soit convaincu depuis le début que je suis la femme de sa vie. Eh bien ce quelqu'un, pour toi, c'est Catcher Bell. Il couperait en deux le premier qui tenterait de s'approcher de toi, et c'est le cas depuis le premier jour où il t'a rencontrée. Je n'ai aucun doute sur le fait qu'il tient énormément à toi, tu peux tout lui dire. Enfin, à moins que tu te transformes en vampire. Là, je crois qu'il n'y aurait rien à faire. (Mallory émit un son situé à mi-chemin entre le rire et le sanglot, puis essuya de nouveau ses larmes.) Je suppose que tu n'envisages pas de devenir vampire dans un avenir proche…

—Pas vraiment, non.

—Très bien. Je pense qu'une seule créature à crocs parmi nous suffit.

—Je suis d'accord. C'est juste que…, dans ma vie, j'ai pris très peu de décisions sur lesquelles j'aimerais revenir. Je regrette de ne pas avoir acheté ce tailleur Chanel rétro qu'on avait repéré au magasin de fringues d'occasion de Division Street, ou de ne pas avoir regardé *Buffy* avant la troisième saison. Des trucs sans importance, tu vois ce que je veux dire. (Elle secoua la tête.) Mais ça… Découvrir que je suis une sorcière, accepter la situation et décider de continuer, d'apprendre… Je ne sais pas. Peut-être que j'aurais dû faire comme si de rien n'était. J'aurais gardé mon travail dans la pub sans faire attention aux vampires, aux sorciers, et à Ethan. Sans blague, on n'a jamais vu personne renifler les cheveux de quelqu'un, pour décréter ensuite avoir détecté la magie, non ?

—Il n'y a que Dark Sullivan pour faire ça.

—Ce fichu Dark Sullivan, pesta-t-elle avant de se mettre à rire et de poser la tête sur mon épaule. Est-ce qu'il t'est déjà arrivé de vouloir revenir en arrière ? de souhaiter être capable de rembobiner le film de ta vie pour retourner au jour qui a précédé ton entrée chez les surnaturels, et sauter dans un train pour t'enfuir loin de cette ville ?

J'esquissai un mince sourire en pensant aux propos d'Ethan.

—Ça m'a déjà traversé l'esprit.

—Très bien, lança-t-elle en posant les mains à plat sur la table avant d'expirer. C'est le moment de me sortir un laïus d'encouragement. Attention, prêt, partez !

C'était à moi qu'incombait la tâche de lui tirer la tête hors de l'eau sans ménagement et de lui botter les fesses avant de la remotiver avec un petit tour de magie de mon cru.

—Mallory Carmichael, tu es une sorcière, que ça te plaise ou non. Tu as un don, et tu ne vas pas rester assise au *Goodwin* à boire du jus de chaussettes à 95 cents pour la simple raison que ton travail te fait flipper. Mais tu n'es pas non plus un robot. Si tu as des soucis, parles-en à quelqu'un. Utilise ton flair. Si tu penses que ce qu'on te demande de faire sent mauvais, arrête. Rebelle-toi contre tes supérieurs, s'il le faut. Tu as une conscience, et tu sais comment t'en servir.

Elle garda le silence quelques instants, puis finit par hocher la tête.

—C'est ce que j'avais besoin d'entendre.

—C'est pour ça que tu m'adores.

—Pour ça, et aussi parce que tu chausses la même pointure que moi.

Elle pivota et leva le genou afin de poser son pied sur la banquette. Elle portait des Puma série limitée vert citron… L'une des paires de chaussures que j'avais laissées chez elle quand j'avais déménagé à Cadogan.

— Mais c'est…

— … super confortable ! termina Mallory.

— Mallory Delancey Carmichael.

— Hé, c'est le Street Fest, ce week-end, annonça-t-elle brusquement. On pourrait y aller et s'empiffrer de brochettes.

Elle faisait allusion au festival gastronomique qui avait lieu tous les ans en été à Chicago. À cette occasion, restaurants et traiteurs installaient des chapiteaux blancs à Grant Park, dans lesquels ils proposaient leurs plats afin de célébrer la fin de la chaleur caniculaire et de la moiteur étouffante du mois d'août. J'avais toujours adoré y aller.

Passer la soirée à déguster la meilleure bouffe de la ville tout en écoutant des groupes jouer de la bonne musique n'était pas vraiment désagréable.

D'un autre côté…

— Est-ce que tu essaies de me distraire, avec ta viande grillée ? (Elle battit des cils.) Sérieusement, Mallory. Il s'agit d'une série limitée. Tu te rappelles combien de temps j'ai mis à les dénicher ? J'ai passé au moins trois semaines sur Internet avant de les trouver.

— Je traverse une grave crise existentielle, Merit. Franchement, dans mon état, je ne peux pas me promener avec de vulgaires imitations aux pieds.

Je soupirai, acceptant ma défaite.

En fait, elle n'eut pas besoin de deux heures. Vingt minutes plus tard, elle se sentait prête à affronter de nouveau sa vie – les Clés, la magie et Catcher. Après avoir décidé de mettre un terme à ses révisions pour la soirée, elle appela ce dernier, qui se montra tellement doux et mielleux que je frôlai l'hyperglycémie.

En dépit de cette suavité écœurante, elle avait le sourire aux lèvres à la fin de leur conversation. Force m'était de reconnaître l'efficacité de Catcher. J'étreignis Mallory sur le parking puis la renvoyai à Wicker Park, dans les bras du sorcier aux yeux verts qui l'y attendait.

Du moment que ça marchait…

Plutôt ironique de penser que, de mon côté, je rentrais à la maison, celle d'un vampire aux yeux verts. Sauf que – à son grand regret – je n'avais pas l'intention de me jeter dans ses bras en arrivant. J'approchais de Cadogan lorsque la sonnerie de mon téléphone retentit de nouveau.

— Merit, répondis-je.

— Il y a une fête, ce soir, m'annonça Jonah.

— Une rave ?

— Il est possible que ça commence comme une rave, mais s'il y a des types aussi violents que ceux dont tu as entendu parler…

Malheureusement, il n'avait pas besoin de finir sa phrase. Le sous-entendu était clair – et peu rassurant.

— Comment est-ce que tu as obtenu l'information ?

— Par texto. Ils avertissent leurs contacts à la dernière minute, comme d'habitude.

— Et cette fois, on n'arrive pas trop tard ? m'étonnai-je.

— Cette fois, on a eu la chance de trouver un téléphone portable au *Benson's*.

— Le *Benson's* qui est juste en face de Wrigley Field ?

—Ouais. Le bar de la Maison Grey.

Le *Benson's*, l'un des nombreux bars à proximité du stade ayant fait installer des gradins sur le toit, constituait, à mon avis, le meilleur endroit de la ville d'où assister à un match à Wrigley Field sans billet.

—Veinards, dis-je. J'y ai passé quelques soirées mémorables.

—Alors, tu as fréquenté des vampires avant même d'être au courant de leur existence, répliqua-t-il. Plutôt ironique.

Je ne pus m'empêcher de rire. Il avait beau se montrer prétentieux, Jonah n'était pas totalement dépourvu d'humour, apparemment.

—Bref, j'ai rapporté le téléphone dans mon bureau, sans trop savoir ce que j'allais en faire, jusqu'à ce qu'arrive le texto. Même formulation, même style que les autres.

—Est-ce que tu as pu tirer d'autres infos du portable ? On peut retrouver le propriétaire, ou quelque chose comme ça ?

—C'est un jetable, et il n'a pas servi longtemps. Les appels sortants nous ont orientés vers des entreprises qui ne conservent aucune trace de leurs correspondants. Hormis le texto, il n'y a eu aucune communication entrante. Nous avons rappelé le numéro de l'expéditeur du message, mais la ligne a déjà été résiliée. Nous n'avons rien trouvé d'autre.

Ah, mais ils ne connaissaient pas Jeff Christopher.

—Tu peux me donner ce numéro ? J'ai un ami qui est doué en informatique. Ça ne coûte rien de lui demander d'y jeter un coup d'œil.

Je sortis une enveloppe et un stylo de la boîte à gants pour écrire les chiffres que Jonah me dictait. Je me promis de transmettre cette information à Jeff plus tard.

— Où a lieu la rave ?

— Dans un loft à Streeterville.

Streeterville s'étendait de Michigan Avenue au lac, en plein centre de Chicago. Un quartier où on trouvait beaucoup de gratte-ciel, de touristes et d'argent.

— Ça ne me dit rien qui vaille, ce regroupement de vampires à Streeterville, grommelai-je.

— Quoique ça ferait un bon titre de film d'horreur, *Les Vampires de Streeterville*.

La deuxième blague en l'espace de quelques minutes.

— Contente de constater que tu as le sens de l'humour.

— Je suis un vampire, pas un zombie.

— C'est bon à savoir.

— Si tu veux y aller, retrouve-moi au pied du château d'eau à 2 heures.

Je consultai l'horloge du tableau de bord. Il était à peine minuit, ce qui me laissait tout juste le temps de rentrer à la Maison, changer de vêtements et repartir.

— J'y serai, affirmai-je. Qu'est-ce que tu me conseilles comme arme ? un sabre, ou un poignard dissimulé ?

— Je suis surpris, Sentinelle. Les vampires ne cachent pas leur lame, d'habitude.

Il avait raison. C'était considéré comme une entorse au code de l'honneur du combat. Je devinais sa question tacite : « Es-tu un soldat digne d'estime ? »

J'avais conseillé à Mallory d'utiliser son flair, et je devais admettre que dissimuler un poignard ne sentait pas très bon, mais que pouvais-je faire d'autre ?

— Le tabou concernant les lames cachées date d'une époque révolue, avant que Célina décide subitement de révéler notre existence au monde. Je suis capable de me battre sans acier si c'est nécessaire, mais je préfère avoir une solution de secours.

Il me semblait en avoir fait la démonstration la nuit dernière. Et dire qu'à peine quelques mois plus tôt j'étudiais la littérature anglaise à la fac. Comme quoi…

— Bon argument.

Une pensée me traversa l'esprit.

— Je ne peux pas dire à Ethan que je me rends seule à une rave, et si tu veux garder ton appartenance à la Garde Rouge secrète, je ne peux pas non plus lui dire que j'y vais avec toi.

— Peut-être que tu devrais substituer mon nom par celui de Noah dans la version que tu présenteras à Ethan.

Étant donné que Noah était le chef des Solitaires, sa proposition ne semblait pas mauvaise. Bien entendu, la perspective de mentir à Ethan ne m'enchantait guère, mais il ne serait pas juste de ma part de compter sur le soutien de Jonah et lui faire courir le risque de dévoiler son lien avec la GR.

— C'est sans doute une bonne idée, conclus-je.

— Je vais passer un coup de fil à Noah pour lui expliquer. À plus tard. Appelle-moi si tu as besoin de quoi que ce soit.

Je raccrochai, espérant que je n'aurais pas à lui demander de l'aide avant notre rendez-vous.

Bien entendu, il me restait à obtenir l'autorisation d'un autre vampire.

Lorsque je rentrai à la Maison, le camion de sandwichs était parti et les humains avaient l'air épuisés. Ethan n'avait probablement pas anticipé cet effet secondaire – le coma digestif post-italien au bœuf.

Je souris et adressai un salut de la main aux manifestants quand je les dépassai, puis trottinai jusqu'à l'entrée et me dirigeai vers le bureau d'Ethan, au rez-de-chaussée. Je trouvai la porte ouverte.

La pièce bourdonnait d'activité. Helen, l'agent de liaison qui s'occupait des nouveaux vampires, se tenait au centre, un classeur rose à la main, et supervisait le flot de meubles raffinés qui était dirigé dans le bureau. L'endroit avait été presque entièrement vidé après l'attaque qui avait réduit le mobilier à un tas de bois de chauffage. Apparemment, les hommes et femmes – des vampires, étant donné que Tate avait interdit l'accès à la Maison aux humains – qui transportaient les pièces détachées d'une gigantesque table de réunion étaient en train d'y remédier.

Une autre vampire que je ne connaissais pas s'agitait en tous sens, offrant ses propositions aux déménageurs quant au placement des meubles. Vu qu'elle portait un tailleur rose à l'aspect rêche parfaitement assorti à celui d'Helen, je supposai qu'il s'agissait de l'assistante de cette dernière.

Assis derrière un bureau flambant neuf, Ethan avait repoussé sa chaise et, les jambes croisées, les regardait travailler en affichant une expression mi-irritée mi-amusée.

Lorsque je m'approchai, je remarquai la collection de brochures sur papier glacé étalée devant Ethan : catalogues d'aménagement et décoration intérieure, menus de traiteurs, plans d'éclairage.

— Qu'est-ce qui se passe ?

— On se prépare.

Les mains dans le dos, je baissai les yeux vers l'un des menus.

— Pour le bal de fin d'année? Laisse-moi deviner… Le thème sera : «Sous les étoiles».

Ethan posa le regard sur moi, une ride barrant son front.

— Pour l'arrivée imminente de Darius West.

Je restai sidérée. Darius West était le directeur du Présidium de Greenwich. Comme le siège du PG se trouvait dans les environs de Londres, je supposai que la venue de Darius à Chicago ne présageait rien de bon.

Cette nouvelle finit de me convaincre de ne pas demander à Ethan de nous accompagner à la rave. Darius me fournissait une excuse parfaite pour ne rien révéler au sujet de Jonah.

En revanche, je n'allais pas manquer l'occasion de taquiner Ethan.

— Encore une visite surprise à la Maison Cadogan?

— Comme je te l'ai déjà dit, la visite de Lacey était prévue, même si la date en a été légèrement avancée, répliqua Ethan sans élever la voix avant de braquer les yeux sur moi. Et comme je te l'ai également déjà dit, tu es la seule femme qui compte pour moi.

Déjà que je ne me sentais pas prête à engager cette conversation en tête à tête, je n'allais certainement pas le faire dans une pièce bondée de vampires. Je changeai donc de sujet.

— Quand doit arriver notre chef vénéré?

— Dans deux heures, à ce qu'il paraît.

Je clignai des yeux, étonnée qu'Ethan n'ait pas été prévenu plus tôt de la venue de l'homme que nous devions appeler «Monseigneur».

—Et tu ne l'apprends que maintenant?

Ethan s'humecta les lèvres, l'air agacé.

—Apparemment, Darius préférait visiter la Maison au naturel, pour ainsi dire. Il a choisi de ne pas nous avertir pour que nous n'ayons pas le temps d'arranger les lieux ou de modifier quoi que ce soit. Il veut nous rencontrer dans notre environnement familier.

—Il compte certainement se retrouver nez à nez avec une tribu de primates.

Il esquissa un mince sourire.

—Peut-être. Il est dans l'avion – il a décollé dans la journée – et doit arriver dans peu de temps. Helen s'est occupée d'organiser le dîner. Il y a certaines... traditions que l'on doit respecter.

—Le sacrifice d'une vierge?

—Le meilleur bœuf nourri au maïs du Midwest, à servir en généreuses quantités à Darius et son escorte.

À ce dernier mot, mon estomac se noua.

—Quand tu parles d'escorte...

—Je n'inclus pas Célina. Aucun autre membre du PG ne l'accompagne, il voyage juste avec son équipe habituelle. Un de ses hommes l'attend déjà à Chicago. Ils vont loger au *Ritz*.

—C'est étonnant qu'il ne reste pas ici, s'il veut vraiment garder un œil sur nous.

—La chambre la plus confortable que nous ayons à proposer est la suite de la consorte, mais elle ne correspond pas au goût de Darius, dit Ethan avec dédain. Il souhaite quelque chose de plus spacieux et plus raffiné.

Au cours des quelques mois de mon existence de vampire, je n'avais pas développé un grand respect pour le PG, et cette dernière information n'améliorait pas vraiment l'opinion que j'avais de Darius West.

À présent qu'il avait expliqué ce qui se tramait, le moment était venu de livrer à Ethan d'autres nouvelles tout aussi réjouissantes. J'esquissai un geste en direction d'Helen et de ses assistants.

—Est-ce que je peux te parler en privé?

—À quel sujet?

—Ça concerne la Maison.

Il leva la tête et garda le regard rivé au mien pendant qu'il jaugeait ma requête.

—Helen, appela-t-il sans détourner les yeux, est-ce que vous pourriez nous laisser quelques instants?

—Bien sûr.

Elle referma son classeur en souriant puis réunit ses aides d'un geste élégant de la main.

—Je t'écoute, déclara-t-il une fois qu'ils furent partis.

—Première chose, mon père souhaite te parler d'un certain investissement. À toi de décider si tu veux le rappeler ou pas, mais j'ai promis que je te transmettrais le message.

Ethan leva les yeux au ciel.

—Ce qui explique son amabilité à Creeley Creek.

—C'est exactement ce que j'ai pensé. Et concernant l'autre problème impliquant Creeley Creek, j'ai fait un saut à l'Agence de médiation. Ils n'ont entendu parler d'aucun acte de violence.

Je m'armai de courage et énonçai le mensonge que j'avais préparé:

—Étant donné que nous soupçonnons les Solitaires d'organiser les raves, j'ai téléphoné à Noah.

Ethan garda un moment le silence, hésitant sans doute à me sermonner pour avoir contacté le chef des Solitaires sans son autorisation, mais il finit par céder.

—Bonne initiative.

Mentir me mettait mal à l'aise, mais je n'avais pas le choix.

—Il a appelé il y a quelques minutes, ajoutai-je. On l'a averti par texto d'une sorte de fête qui doit se dérouler ce soir.

—Une rave?

Je haussai les épaules.

—Il ne sait pas. Il connaît simplement l'heure et le lieu de rendez-vous, un loft à Streeterville. Ça commence à 2 heures.

Ethan remonta sa manche afin de consulter sa montre.

—Ce qui ne nous laisse pas beaucoup de temps. Avec l'arrivée de Darius, je ne peux pas venir, et j'ai besoin de tous les gardes.

—Je sais. Noah a proposé de m'y accompagner.

Ethan me dévisagea pendant un moment. Nous avions presque toujours fini par faire équipe lors de ce genre d'escapade. Je n'avais encore jamais fait d'excursion avec un autre vampire.

—Cette idée ne m'enchante pas vraiment, dit-il.

—Si l'information de Tate est correcte, nous sommes confrontés à quelque chose de plus important et plus violent que les raves – ou peut-être que ce sont des raves qui dégénèrent. Nous devons découvrir ce qui se passe. Sinon, tu vas te retrouver en combinaison orange derrière les barreaux.

—Je sais.

Il s'empara d'un stylo noir avec lequel il tapota le bureau d'un geste distrait avant de poser sur moi ses yeux d'un vert presque translucide.

— Tu seras prudente?

— Je n'ai pas l'intention de finir empalée sur un pieu de tremble, promis-je. De plus, j'ai juré à deux reprises de servir ta Maison. Ce ne serait pas très réglo de ma part de me débiner juste parce que j'ai peur.

Ses traits s'adoucirent.

— Tu as peur?

— Je préfère éviter d'avoir recours à la violence.

— Je te comprends.

Des coups frappés à la porte nous interrompirent. Deux vampires qui avaient manifestement échappé à la supervision d'Helen apparurent sur le seuil, une colonne de marbre massif dans les bras.

Je lançai un regard intrigué à Ethan.

— Elle appartenait à Peter Cadogan, expliqua-t-il sèchement. Elle était entreposée au grenier, mais Helen a pensé qu'elle apporterait une touche artistique à la pièce.

— Loin de moi l'idée de la contredire.

— Est-ce qu'on peut poser ça à l'intérieur? demanda l'un des vampires.

Ethan leur fit signe d'entrer.

— Bien sûr. Merci. (Alors qu'ils se hâtaient de traverser le bureau, la sculpture dans les bras, Ethan se tourna de nouveau vers moi.) Bonne chance pour ce soir. Viens me faire un rapport à ton retour.

Sur ce, il se mit à examiner les documents étalés devant lui, m'indiquant que notre entretien était terminé.

Il me fallut un moment pour me résoudre à sortir. Je n'espérais pas vraiment des adieux larmoyants, mais nous étions devenus partenaires. Même si j'étais capable de comprendre sa réticence à aborder le sujet des raves devant les autres vampires, quelques conseils auraient été les bienvenus. J'avais beau être un soldat, j'étais encore jeune… et même les soldats vampires étaient effrayés de temps à autre.

J'aimais les vêtements confortables, et une chaleur étouffante avait régné tout le mois d'août, mais je savais qu'un jean et un débardeur ne constitueraient pas une tenue appropriée à cette soirée. Nous nous rendions à une rave. Au mieux, il s'agirait d'une fête, et je devais m'habiller de manière adéquate. Au pire, ça finirait en combat, et j'aurais besoin de protection.

Cette nuit, le cuir était de rigueur. Enfin, du moins le pantalon, car il faisait bien trop chaud pour supporter le haut.

Je sais, le vrai stéréotype du vampire. Cette pensée me traversait l'esprit chaque fois que je sortais cet ensemble de ma penderie, mais tout motard en Harley ayant déjà chuté est capable d'expliquer pourquoi il porte du cuir. Parce que c'est efficace. L'acier tranche, et les balles transpercent. Le cuir constitue un obstacle contre les coups, une barrière de protection.

Je choisis un long débardeur fluide de couleur grise pour compléter ma tenue, puis nouai mes cheveux en queue-de-cheval haute, laissant quelques mèches retomber librement sur mon front. Au lieu du médaillon Cadogan – après tout, j'étais censée passer incognito –, je mis un grand collier de perles anthracite. Avec mes bottes noires, j'avais un look mi-rebelle mi-branché. On ne me prendrait pas aussitôt pour un soldat vampire, ce qui ne pouvait qu'être utile. Pour l'effet de surprise, entre autres.

Je dissimulai dans ma botte le poignard gravé à mon nom puis glissai mon téléphone et mon bipeur dans une petite pochette. Je n'emporterais ni le bipeur ni la pochette à la fête, mais au moins, je n'aurais pas à porter une multitude d'objets à la main jusqu'à la voiture. Combinés, ces accessoires n'étaient pas vraiment ergonomiques.

Je venais d'appliquer du fard à joues et du brillant à lèvres lorsqu'on frappa à la porte. Je supposai qu'il s'agissait de Luc, envoyé par Ethan pour une séance de stratégie de dernière minute.

— Il était temps, lançai-je en ouvrant.

Je rencontrai une paire d'yeux verts. Ethan n'avait pas fait appel à Luc ; il s'était déplacé lui-même. Il examina ma tenue.

— Un rendez-vous galant ?

— Je dois assister à la fête sans me faire remarquer, lui rappelai-je.

— Je vois. Tu es armée ?

— J'ai un poignard dans ma botte, c'est tout. C'est ce qui est le moins susceptible d'éveiller les soupçons.

L'émotion se lisait dans son regard, mais je devais rester concentrée. Je conservai un ton neutre et choisis mes mots avec soin.

— Je serai prudente. Et Noah m'accompagne.

Ethan hocha la tête.

— J'ai mis Luc au courant. Les gardes se tiennent prêts à intervenir. Si tu les appelles, ils te rejoindront immédiatement. N'hésite pas à leur téléphoner en cas de besoin. S'il t'arrive quoi que ce soit…

— Je suis immortelle, l'interrompis-je, lui rappelant qu'il avait arrêté mon horloge biologique à jamais. Je n'ai aucune envie de mettre en péril l'éternité que j'ai devant moi.

Il acquiesça, une lueur de regret dans les yeux. Il semblait souhaiter une discussion entre amants, et non entre un patron et son employée. Peut-être avait-il des sentiments pour moi. Sincères, indépendants de ses devoirs ou de sa position. Mais même si j'avais été intéressée, ce n'était pas le moment. J'avais un travail à accomplir.

Avant que j'aie eu l'occasion de lui dire tout cela et de mettre un terme à cette conversation, il prit mon visage dans ses mains.

— Sois prudente.

Il s'agissait d'un ordre qui ne souffrait aucune réplique. Plutôt commode, car les mots me manquaient.

— Sois prudente, répéta-t-il, et reste en contact avec moi, Luc ou Catcher. Quand Darius sera là, Malik et moi ne serons sans doute plus disponibles, mais tu peux appeler les autres. Ne prends pas de risques inutiles.

— Je te promets que je n'en avais pas l'intention. Pas parce que tu me le demandes, m'empressai-je d'ajouter, mais parce que j'aime vivre.

Je ne l'avais apparemment pas tout à fait convaincu. Il me caressa la joue avec son pouce.

— Tu peux toujours essayer de t'enfuir. Même à l'autre bout de la terre, je te retrouverai.

— Ethan…

— Non. Je serai toujours près de toi. (Il me souleva le menton afin de m'obliger à le regarder dans les yeux.) Fais ce que tu as à faire. Apprends à être un vampire, le soldat que tu es capable de devenir, mais considère la possibilité que j'aie commis une erreur que je regrette. Sache que j'essaierai de te convaincre de me donner une autre chance jusqu'à ce que la Terre arrête de tourner.

Il se pencha et pressa ses lèvres sur mon front. Je ne pus empêcher mon cœur de fondre tandis que mon esprit, plus rationnel, demeurait suspicieux.

—Personne n'a jamais dit que l'amour était simple, Sentinelle.

La seconde d'après, il avait disparu. Interdite, je restai quelques instants immobile, le regard rivé sur la porte close.

Comment étais-je censée réagir à ça ?

7

More human than human[1]

Le château d'eau se dressait au milieu des immeubles imposants du Magnificent Mile à la manière d'une figurine de pièce montée. Il avait résisté au grand incendie qui avait dévasté Chicago à la fin du XIXe siècle et servait désormais d'emblème à la ville – et de décor aux photos des touristes.

Jonah était appuyé contre le muret de pierres bordant l'escalier qui menait à l'entrée de la tour, en jean moulant et chemise argentée, le regard rivé sur le téléphone qu'il tenait à la main. Ses cheveux retombaient librement autour de son visage, qui aurait pu être sculpté par Michel-Ange en personne – si Michel-Ange s'était inspiré d'une sorte de dieu irlandais. Ses boucles auburn encadraient une figure aux pommettes délicatement dessinées, au nez fin, à la mâchoire carrée et aux grands yeux bleus en amande.

Oui, Jonah était très séduisant malgré l'expression maussade qu'il affichait lorsqu'il leva la tête vers moi.

---

1. Chanson du groupe de metal White Zombie, dont le titre pourrait être traduit par « plus humain qu'un humain ». Les paroles font référence au film *Blade Runner*. (*NdT*)

Après avoir glissé son téléphone dans sa poche, il s'approcha et me jaugea du regard. Il examinait mon pantalon en cuir en se demandant sans doute si je constituais un atout ou un fardeau dans le cadre de cette escapade.

—Tu es en avance, déclara-t-il.

Je fis appel à mon sens de la repartie.

—Je n'aime pas être en retard. Je pensais que nous pourrions en profiter pour élaborer une stratégie.

Il fit un geste en direction de l'avenue et de la rivière.

—Discutons en marchant.

Je le suivis le long de Michigan Avenue. Tous deux grands et élégants, nous donnions certainement l'apparence de nous promener en amoureux et non d'être sur le point d'infiltrer une orgie sanglante. Nous devions avoir l'air normal, en tout cas, car personne ne sembla remarquer que nous n'étions pas humains. Ah, l'avantage du crépuscule.

—Il y aura combien de vampires, à ton avis? demandai-je.

—Je ne sais pas. Les raves sont normalement des fêtes plutôt intimes, donc si c'en est une, ils seront sans doute peu nombreux.

—Est-ce que tu penses que le téléphone que tu as trouvé au *Benson's*, celui sur lequel l'invitation a été envoyée, appartenait à un vampire de la Maison Grey?

Jonah se renfrogna.

—J'espère bien que non, pour l'honneur de la Maison Grey, mais, comme tu l'as déjà mentionné, le bar est ouvert à tous, et les clients ne dévoilent pas forcément leur affiliation, donc le portable aurait pu être laissé par n'importe qui.

J'acquiesçai.

—Tu as toujours fait partie de Grey?

— Non. Je suis né Solitaire. J'ai grandi dans un quartier difficile de Kansas City, pas vraiment le genre d'endroit adapté à un enfant. J'ai failli ne pas m'en sortir. Et puis Max est arrivé.

— C'est lui qui t'a transformé ?

— Oui. Il m'a sauvé d'une situation délicate. Enfin, si on peut se considérer sain et sauf au milieu des mélodrames et des intrigues politiques des vampires.

— Je vois ce que tu veux dire.

— Je m'en doute. Sans vouloir te vexer, Sullivan doit être le plus stratège de tous.

J'éclatai de rire.

— Je le reconnais. C'est un Maître efficace. Il se consacre entièrement à sa Maison.

Au détriment de tout le reste, ajoutai-je en mon for intérieur.

— Et vous deux… ?

Je ne lui laissai pas le temps de poser la question. La plupart des vampires Cadogan savaient que j'avais couché avec Ethan, je n'étais donc pas surprise outre mesure de constater que Jonah, membre d'un groupe d'espionnage, était au courant. Cependant, alors que j'appréciais le fait qu'il me fournisse l'occasion de clarifier la situation, j'étais agacée qu'il puisse me considérer comme un handicap à cause de mes sentiments ou quoi que ce soit d'autre. J'aurais préféré commencer notre partenariat sans avoir à dissiper ses préjugés.

— Nous ne sommes pas ensemble, affirmai-je.

— Je ne fais que vérifier. J'aime anticiper les complications susceptibles de se présenter sur mon chemin.

— Eh bien, tu n'as pas à t'en faire de ce côté-là, assurai-je.

Au grand désespoir d'Ethan. Je m'écartai de Jonah pour laisser passer un groupe de jeunes gens qui descendaient Michigan Avenue à toute allure. Il était 2 heures du matin, et les magasins étaient fermés depuis longtemps, mais l'école n'avait pas repris et les étudiants profitaient encore de leurs vacances d'été. Je supposai que se promener sur Michigan Avenue constituait une activité relativement anodine pour un adolescent désœuvré.

— Bref, Max était un vampire doté d'une puissance digne d'un Maître, mais il n'avait pas de Maison. Les membres du PG le jugeaient instable, c'est pourquoi ils ne voulaient pas lui donner de titre officiel. Ils ne se trompaient pas sur son caractère. À mon avis, Max était déjà déséquilibré en tant qu'humain, et devenir un vampire n'a pas arrangé les choses.

— C'était plutôt dangereux de le laisser rôder autour de Kansas City sans aucune surveillance.

— Et là était le problème. Le PG ne le croyait pas suffisamment sain d'esprit pour diriger une Maison, mais ça signifiait qu'un psychopathe égocentrique courait en liberté, créant un vampire après l'autre. Le PG a fondé la Maison Murphy afin de maîtriser les Solitaires et garder un œil sur Max. Ils en ont confié la direction à Rich et nous ont permis d'y entrer. Une ancienne clause du *Canon* nous en donnait le droit.

— Comment est-ce que tu es arrivé à Chicago ?

— J'ai été transféré à Grey quand Scott est passé Maître. Chaque Maison récemment formée a l'autorisation de prendre quelques Novices aux autres établissements afin de grossir les rangs. Bien entendu, le Maître peut également créer de nouvelles recrues, mais cette pratique lui facilite les débuts.

— Tu ne crains pas que quelqu'un te reconnaisse, à cette soirée ? Tu es dans le coin depuis un moment, et si certains participants appartiennent à la Maison Grey…

— Si on rencontre des vampires Grey, ils penseront que je suis venu les chercher, appliquer les règles de la Maison et les ramener à la raison. Et leur botter le cul, accessoirement. Grey n'est pas comme Navarre. Nous avons beau aimer le sport, nous respectons l'autorité. Nous formons une équipe. Nous sommes unis et nous conformons au système hiérarchique en place.

— Et Scott fait office d'entraîneur ?

— Et de capitaine.

Peut-être était-ce vrai en théorie, mais Jonah faisait néanmoins partie d'une organisation dont la mission consistait à surveiller les Maîtres en secret, ce qui ne collait pas vraiment avec la soumission qu'il venait d'évoquer.

— En tout cas, je ne me fais pas de souci pour ça, conclut Jonah.

Un groupe de touristes chargés de sacs divers et variés passa à côté de nous. Ils paraissaient épuisés, comme si l'heure à laquelle ils rentraient à leur hôtel était bien trop tardive pour eux.

— Je n'ai encore jamais assisté à une rave, avouai-je une fois qu'ils furent derrière nous. Et toi ?

— J'ai failli, mais je ne suis pas entré.

— Je suis nerveuse, confiai-je.

— Je trouve ça plutôt positif, en mission, répliqua Jonah. Le stress permet de rester attentif, sur le qui-vive. Tant que ça ne te fait pas perdre tous tes moyens, ça me va, et d'après ce que j'ai entendu au sujet de l'attaque de Cadogan, ce n'est pas ton genre.

— Jusqu'à présent, j'ai été à la hauteur.

—Alors, tout ira bien. (Il s'arrêta devant un passage piéton et indiqua la gauche.) On traverse ici, et ensuite, il faudra remonter la rue d'en face sur quelques centaines de mètres.

Lorsque le feu passa au vert, je le suivis de l'autre côté de la route puis en direction de l'est.

—Nous y sommes, finit par déclarer Jonah.

C'était... original. Le bâtiment ressemblait à une sorte de lance noire scintillante plantée sur les rives de la Chicago River – du moins les deux ou trois étages inférieurs. Ils étaient encore en construction, leur armature métallique entourée de plastique opaque.

Une pancarte en contreplaqué annonçait que l'édifice abriterait une société de financement.

Un autre repaire de vampires, pensai-je.

—Aujourd'hui, nous sommes des invités, déclara Jonah. Essaie de te comporter comme telle.

Il poussa la porte à tambour, et je lui emboîtai le pas. Jonah adressa aussitôt un sourire à l'homme qui se tenait derrière l'accueil et se dirigea vers lui d'une démarche assurée, comme s'il assistait tous les soirs à des raves organisées dans des appartements de luxe.

—Nous sommes ici pour, euh, la fête, annonça-t-il d'un ton désinvolte.

—Vous connaissez le code ? demanda le vigile.

Jonah esquissa un sourire.

—Tentatrice.

L'espace d'une seconde, je crus qu'il s'était trompé. L'homme en uniforme dévisagea Jonah avant de me toiser, puis sembla décider que nous avions le droit de nous trouver là et nous indiqua l'ascenseur.

— Dernier étage. N'approchez pas du bord, la chute serait mauvaise.

Jonah se dirigea vers l'ascenseur, puis appuya sur le bouton d'appel. Lorsque la cabine arriva, on se glissa à l'intérieur.

— Tu te sens prête ? demanda-t-il une fois que les portes se furent refermées.

— Je n'en suis pas tout à fait certaine.

— Ça ira. Souviens-toi simplement que s'il s'agit bien d'une rave, notre objectif n'est pas de mettre un terme à ces soirées aujourd'hui. On entre, on essaie de chercher ce que M. Jackson a pu voir. On identifie les participants, on repère les disputes, tout ce qu'on peut. On se contente d'en apprendre le plus possible.

— Ça me semble raisonnable.

— La Garde Rouge est une organisation très raisonnable.

— Non pas que ça ait une quelconque importance ce soir, lui rappelai-je.

— La GR importe toujours. Notre sécurité importe toujours.

Son ton convaincu m'incita à lui demander :

— Est-ce qu'il s'agit d'un test ? un moyen de juger si je suis à la hauteur pour intégrer la Garde Rouge ?

L'ascenseur s'immobilisa au dernier étage, et lorsqu'une voix féminine annonça «appartement-terrasse», les portes coulissèrent.

— Seulement par un concours de circonstances, répondit finalement Jonah en posant sa main à ma taille. Allons-y.

Je hochai la tête, et sortis en même temps que lui.

Appeler cela un « appartement-terrasse » me paraissait un peu exagéré. Un jour peut-être, l'endroit y ressemblerait, mais pour l'instant, il avait l'aspect d'un chantier de construction.

Nous nous trouvions dans un espace aux dimensions gigantesques, un énorme cube quasi vide au centre duquel se dressaient des piliers en acier marquant sans doute le futur emplacement des cloisons intérieures. La salle était assez sombre, uniquement éclairée par quelques projecteurs et la lueur tamisée des lampadaires que laissait filtrer le plastique entourant les murs extérieurs. Le sol de béton brut était jonché de débris de chantier, et des piles de boîtes d'outils étaient disséminées çà et là.

Dans l'ensemble, cet endroit donnait la chair de poule. Il aurait pu servir de décor à un film d'horreur. J'imaginais très bien s'y dérouler la scène au cours de laquelle deux amants s'isolent pour plus d'intimité – juste avant que le tueur surgisse des ténèbres, un couteau à la main.

Je n'aperçus aucun humain, mais une vingtaine de vampires étaient répartis en plusieurs groupes dans la pièce, arborant des tenues de tous styles, de la haute couture aux vêtements de sport. Tandis que certains portaient des Jimmy Choo, d'autres s'étaient contentés de mettre des pantalons de flanelle bon marché. Étant donné le nombre considérable de participants à crocs, il était peu probable qu'il s'agisse uniquement de Solitaires.

— Tu connais quelqu'un ? demandai-je à Jonah tout en scrutant la foule à la recherche d'indices susceptibles de me renseigner sur l'affiliation des invités – des médaillons dorés pour Navarre et Cadogan, des maillots de sport dans le cas de Grey.

Je ne repérai toutefois aucun vampire Cadogan, et ne vis aucun élément me permettant d'établir un lien avec une autre Maison.

— Personne, répondit Jonah d'un ton absent.

Ce mystérieux brassage de fêtards surnaturels ondulait au son plaintif de la guitare de Rob Zombie, dont la chanson *More human than human* faisait vibrer l'air déjà chargé d'énergie. Je percevais une sorte de brouillard, une électricité puissante qui me donna aussitôt des frissons.

— De la magie, murmurai-je.

La main de Jonah se resserra autour de ma taille.

— En grande quantité. Et une bonne dose de charme. Est-ce que tu penses être capable d'y résister ?

Je sentais les volutes envoûtantes du charme vampire qui m'encerclaient, me testaient et tentaient de s'insinuer en moi. J'avais déjà éprouvé cette sensation auparavant, la première fois que j'avais rencontré Célina, lorsqu'elle avait essayé sur moi son pouvoir afin d'évaluer mes capacités.

Même alors, je n'avais pas ressenti une telle force concentrée en un seul lieu. Je me focalisai sur ma respiration afin de me détendre et laisser le flot de charme poursuivre son cours. En général, lutter ne contribuait qu'à rendre la résistance au magnétisme plus difficile, comme si on attirait davantage la magie en lui lançant un défi.

Toutefois, je ne pensais pas qu'on tentait de me convaincre de quoi que ce soit. Je n'eus pas l'impression qu'on désirait me faire croire que certains vampires étaient plus intelligents, plus beaux ou plus puissants que ce qu'ils n'étaient en réalité, ni que l'on cherchait à lever mes inhibitions. Peut-être s'agissait-il tout simplement de l'accumulation des ondes magiques émanant des vampires présents dans la salle. Il suffisait d'y ajouter le battement sourd des basses et le grincement de la guitare pour obtenir un cocktail digne de provoquer une bonne migraine.

Je roulai les épaules et imaginai que la magie glissait sur moi à la manière d'une vague tiède. Lorsqu'elle déferla et se rendit compte que je ne céderais pas, elle poursuivit sa course. Même si un grésillement emplissait encore l'air, j'étais désormais capable de bouger et raisonner normalement.

—Ça ira, affirmai-je calmement à Jonah alors que j'éprouvais une sensation de picotement dans les bras et les jambes.

—C'est vrai que tu résistes plutôt bien, dit-il en m'adressant un regard approbateur.

—Je suis incapable de charmer, confiai-je. Par contre, j'ai une certaine capacité de résistance. Il n'empêche que cette ambiance ne me dit rien qui vaille. Il y a quelque chose qui cloche.

—Je sais.

Je formulai à haute voix le lien que j'avais déjà établi.

—Célina peut provoquer ce genre de magie. Peut-être pas une telle quantité, mais la manière dont le charme a essayé de s'immiscer en moi me fait penser à elle.

—C'est une idée. Espérons que nous n'allons pas tomber sur elle. (Il ôta la main qu'il avait posée à ma taille puis entrelaça ses doigts aux miens.) Tant que nous n'en savons pas plus, ne nous séparons pas.

—Je reste à tes côtés, assurai-je.

Il acquiesça avant de me guider dans la foule.

Quelques vampires nous observèrent, mais la majorité sembla ne pas nous remarquer. Ils discutaient entre eux, et même si leurs paroles étaient inaudibles, leurs gestes animés et la lueur qui brillait dans leurs yeux ne laissait aucun doute sur leur état d'esprit. Ils attendaient quelque chose avec impatience. L'ambiance était électrique.

Lorsqu'on passa à proximité de l'un des groupes, le vampire le plus proche tourna brusquement la tête pour braquer le regard sur nous. Ses crocs étaient descendus et, au centre de ses iris argentés, ses pupilles étaient réduites à deux points minuscules en dépit du faible éclairage.

Il retroussa la lèvre supérieure, mais l'un de ses voisins attira de nouveau son attention sur la quelconque dispute qui les accaparait.

— Je dois avouer que je ne m'attendais pas vraiment à ça, déclara Jonah.

Balayant les alentours du regard, je remarquai que le plastique avait été relevé au bout de la salle de manière à ménager une ouverture sur le balcon.

— Allons jeter un coup d'œil de ce côté, proposai-je. S'il y a des humains, ils auront envie de profiter de la vue.

Jonah acquiesça, et me suivit alors que je me frayais un chemin dans cette direction.

Le balcon était dépourvu de meubles, mais grouillait d'humains.

— Et je ne m'attendais pas à ça non plus, marmonna Jonah.

Ils étaient éparpillés çà et là, essentiellement des jeunes femmes qui semblaient avoir moins de vingt-cinq ans. À l'image des vampires, elles portaient des tenues allant des robes de soirée et talons aiguilles aux ensembles gothiques composés de mini-jupes et de bottes montantes. L'une des filles, un peu plus grande et plus ronde que les autres, était coiffée d'une tiare ornée de serpentins blancs, une écharpe rose en satin lui barrant la poitrine.

Lorsque ses voisines s'écartèrent, je pus déchiffrer les lettres scintillantes qui y étaient imprimées, formant les mots « LA MARIÉE ». Elle souriait, et l'amie qui lui tenait la main affichait la même expression euphorique.

Tentant de paraître aussi naturels que possible, on se rapprocha de la balustrade métallique ceinturant le balcon, qui offrait une vue sur le lac d'un côté et sur la ville de l'autre. Jonah glissa un bras autour de ma taille, jouant le rôle du jeune homme passant un agréable moment à discuter avec sa petite amie en prélude à l'épanchement de sang pour lequel ils étaient venus.

— Tu penses que la future mariée cherche à enterrer ici sa vie de jeune fille ? m'étonnai-je à voix basse.

— Possible. Elles ont sans doute parfaitement conscience de ce qu'elles font. Regarde leurs bracelets.

J'observai les humaines avec plus d'attention. Elles portaient aux poignets des bracelets de silicone rouges.

— Qu'est-ce qu'ils signifient ?

— Qu'elles font partie des sympathisants des vampires. Ceux qui croient encore que nous sommes des êtres ténébreux et délicieux.

Comme du chocolat fort en cacao.

— Malgré le fait que le reste de la ville commence à se retourner contre nous ?

— Apparemment. J'apprécie leur soutien, même si un bracelet en plastique ne symbolise pas vraiment une alliance politique durable. (Il haussa les épaules.) Mais elles ont choisi de venir ici, et Scott et Morgan ont beau le déplorer, boire à la veine n'est pas un péché.

— Ce sont des paroles courageuses pour un vampire non Cadogan.

—J'ai ma propre opinion, dit-il d'un ton sans réplique. Pour en revenir à nos affaires, attendons, et si on voit quelque chose d'étrange, on intervient.

Je lui adressai un sourire malicieux et tirai sur l'une de ses boucles auburn, adoptant le rôle que j'étais censée jouer.

—Ça me convient.

Il me rendit mon sourire, et son air charmant attendrit un peu mon cœur endurci.

—Moi qui pensais que tu ferais une partenaire têtue et impossible à vivre.

Cette fois, je lui pinçai le bras, espérant qu'il interpréterait ce geste comme de l'espièglerie et non de la rancœur.

—Au cas où tu l'aurais oublié, Ethan Sullivan s'est chargé de mon entraînement. Et c'est Catcher Bell qui m'a enseigné le combat au katana. J'ai tout appris de gens «impossibles à vivre», comme tu dis.

Il gloussa.

—Alors, je te pardonne.

—Très généreux de ta part.

Il porta la main à son cœur à la manière d'un homme sur le point de faire une déclaration d'amour.

—La Garde Rouge ne déçoit jamais.

Je lui tapotai la joue.

—Chéri, il ne me reste plus qu'à te croire sur parole.

On se promena sur le balcon pendant un moment, doigts entrelacés, murmurant de temps à autre quelques remarques stratégiques. S'il s'agissait d'une authentique rave, il y avait bien moins de musique techno et de colliers phosphorescents que ce que j'attendais. Néanmoins, pilules et poudres diverses circulaient dans la foule, et l'air était chargé d'une dose de charme qui me donnait la chair de poule. Je commençais presque à avoir un torticolis à force de secouer la tête pour me défaire de cette sensation désagréable.

Tout en gardant un œil sur les invités, depuis notre perchoir juché à plusieurs dizaines de mètres au-dessus de la ville, on assista à la mise en scène du spectacle. Les vampires rôdaient autour des groupes d'humains, les abreuvant de grandes quantités d'alcool et de charme. Ils se laissaient de toute évidence guider par leur instinct de prédateur. Une fois les verres de champagne vides, les humains furent séparés et escortés un par un à l'intérieur. Ils ne se rendaient sans doute pas compte qu'on les isolait du troupeau comme des têtes de bétail.

D'un autre côté, nous n'avions assisté à aucune scène de violence. Même si cette fête était d'une ampleur supérieure aux raves classiques, elle ne ressemblait pas vraiment à l'orgie brutale décrite par M. Jackson.

Quand un vampire élancé aux cheveux noirs prit l'une des goths par la main pour l'emmener dans la salle, Jonah me donna un coup de coude.

— Retournons à l'intérieur. Je vais les suivre pour m'assurer que la situation ne dégénère pas. Surveille les autres.

— D'accord, répondis-je, tâchant de rester indifférente à la vague de chaleur que je ressentis lorsqu'il m'embrassa la main avant de s'éloigner.

Je lui emboîtai le pas. Mes histoires de cœur mises à part, je devais admettre que je trouvais la compagnie de ce vampire Grey plutôt agréable.

Plongée dans mes pensées, je ne m'aperçus qu'au dernier moment que la foule m'entourait de toutes parts.

8

L'ART DE LA GUERRE

Alors que j'avais regagné la salle, une vampire de toute évidence complètement ivre me bouscula en titubant en arrière, m'envoyant percuter deux types qui se tenaient derrière moi.

— Désolée, me lança-t-elle d'un air dédaigneux.

— Ce n'est rien, dis-je en tâchant de sourire.

Quand je me retournai pour m'excuser auprès de ceux vers qui elle m'avait poussée, je me rendis compte qu'ils paraissaient fort mécontents.

Je me trouvais face à deux vampires d'âge moyen en chemise et en jean. Le plus grand avait les cheveux noirs, l'autre était blond. Ils s'approchèrent assez pour que je sente leur eau de Cologne bon marché et l'arôme métallique de sang qui les entourait. Ils en avaient bu récemment – à l'un des humains présents ?

Je commençai par essayer de faire preuve de politesse.

— Désolée. On m'a bousculée.

— C'est ça, tu ferais mieux de faire gaffe où tu mets les pieds.

Bon. Leur réaction semblait un peu disproportionnée, mais après tout, la pièce était bondée, et l'ambiance électrique. Peut-être en avaient-ils assez de se faire malmener par la foule.

Je me forçai à sourire.

—D'accord.

Le blond me saisit par le coude.

—Ça ne ressemble pas vraiment à une excuse. Tu n'as pas l'air désolée de nous avoir foncé dedans.

Ce type était-il sérieux ? Je l'avais à peine touché.

Je dégageai mon bras.

—Encore une fois, je m'excuse.

Je jetai un coup d'œil nonchalant alentour à la recherche de Jonah ou de la fille qu'il avait suivie, mais il semblait y avoir plus de monde qu'auparavant, et je ne les repérai ni l'un ni l'autre. Pour la première fois, je regrettai d'être venue avec Jonah et non Ethan. Au moins, avec lui, j'aurais pu communiquer par télépathie.

—Je n'aime pas ton comportement, marmonna le blond.

—Euh, désolée ? tentai-je. Je voulais simplement vous laisser tranquilles.

Je le dévisageai en battant des cils, espérant déceler un signe d'affiliation quelconque, mais il ne portait ni médaillon ni maillot de sport. Dommage.

—Tu connais le mot de passe ? me demanda-t-il.

—Tentatrice, répondis-je en prenant un ton exaspéré. Je vais retrouver mon petit ami.

Je pivotai afin de m'éloigner d'eux et me diriger vers le coin de la salle où avait disparu Jonah, mais ils anticipèrent mon mouvement. Le plus grand m'empêcha d'avancer en se postant devant moi tandis que le petit restait derrière.

—Il en manque une partie, grogna le grand.

Le petit blond étrécit les yeux. Comme les vampires que nous avions rencontrés plus tôt, il avait les pupilles réduites à deux points noirs au centre d'un océan argenté. Ce type avait l'air défoncé. S'agissait-il d'un effet secondaire de la magie qui flottait autour de nous? Mes yeux ressemblaient-ils aux siens?

— Quelle est l'autre moitié du mot de passe? insista-t-il.

Mon sang se glaça dans mes veines. Même si le message de Jonah l'avait mentionné, je l'ignorais. Si j'essayais de deviner, je ne réussirais qu'à les énerver davantage. Le moment était venu de jouer la comédie, et étant donné que je portais la tenue adéquate, j'optai pour le rôle de la fille qui avait l'intention de s'amuser.

J'enroulai mon collier autour de mon doigt et me penchai en avant.

— Vous plaisantez? Vous n'avez pas besoin que je vous donne la seconde partie du mot de passe. C'est mon petit ami qui a parlé avec le gars de la sécurité. Vous ne l'avez pas vu? C'est un grand rouquin.

— Tout le monde doit connaître le mot de passe, renchérit le type aux cheveux noirs. Si tu ne peux pas nous le dire, tu n'as rien à faire ici.

J'attendis qu'il se tourne vers moi pour inspecter ses yeux. Comme les autres, il avait les iris argentés, et les pupilles aussi contractées que s'il se trouvait en pleine lumière.

— D'ailleurs, je ne t'ai jamais vue, ajouta le blond en affichant une expression menaçante. (C'était un miracle, étant donné que j'étais apparue à la une de plusieurs magazines.) Les vampires que je ne connais pas ne m'inspirent pas confiance.

Je lui adressai un clin d'œil.

— Peut-être que nous devrions faire plus ample connaissance. Si mon petit ami est d'accord, bien entendu.

Les deux hommes échangèrent un regard, puis commirent leur première erreur. Le blond passa un bras autour de ma taille et m'attira contre lui.

— Assez joué. Tu viens avec moi.

— Non ! Lâchez-moi ! criai-je d'une petite voix aiguë.

— Tu sais, en te débattant, tu ne feras que l'exciter davantage, ma jolie, ironisa le grand.

— Il peut toujours rêver, marmonnai-je avant de planter le talon de ma botte dans le pied du blond. Il hurla un chapelet de jurons puis finit par me relâcher, ce que j'espérais. Je reculai d'un pas et fis les yeux doux à son compagnon.

— Il m'a fait mal.

— Ouais, ben je vais faire pire, grommela-t-il.

Il se rua en avant, bras tendus afin de m'attraper. J'étais peut-être en train de gâcher la fête, mais je n'avais aucune intention de me battre avec un odieux vampire shooté à la magie. Je ne me prétendais cependant pas orgueilleuse au point de refuser de frapper sous la ceinture. Je posai une main sur son épaule et lui décochai un coup de genou dans l'entrejambe. Il se tordit de douleur.

— Abruti, marmonnai-je avant de reprendre ma petite voix aiguë. Et fais attention où tu laisses traîner tes sales pattes !

L'air hautain, je passai par-dessus mon agresseur qui gémissait toujours, recroquevillé au sol, et rejoignis l'anonymat de la foule. Je supposai qu'ils se lanceraient à ma poursuite dans une minute ou deux, ce qui signifiait que je devais retrouver Jonah en vitesse et filer. J'étais incapable de juger si ce que Tate et Jackson avaient affirmé au sujet des actes de violence était vrai, mais certains des vampires présents étaient visiblement à cran, et ils m'avaient dans le collimateur.

Je scrutai les alentours en quête de mon partenaire, que je ne vis nulle part. Il gardait sans doute un œil sur la fille, mais cela ne m'indiquait pas où il pouvait être. La salle grouillait de monde, à présent, ce qui me permettait de semer les voyous plus aisément, mais chercher Jonah dans ces conditions s'apparentait à vouloir retrouver une aiguille dans une botte de foin.

Je décidai de parcourir la pièce en décrivant des cercles concentriques jusqu'à m'approcher du centre. De cette manière, je finirais bien par repérer Jonah, et j'aurais peut-être également une chance de me débarrasser des types convaincus que je n'étais qu'une garce à crocs venue jouer les trouble-fête.

Je m'avançai vers le mur de plastique humide de condensation et entrepris de le longer, attentive au moindre signe de Jonah. Je dus me faufiler entre les invités pour progresser, mais il demeurait invisible.

Ce que je voyais, en revanche, c'étaient des vampires et des humains passant un agréable moment ensemble. Çà et là avaient été installés des meubles dépareillés sur lesquels se vautraient des vampires, penchés sur des humains alanguis. Ces derniers semblaient plus qu'heureux d'être le centre d'attention des créatures à crocs.

D'ailleurs, certains d'entre eux étaient en train de se faire mordre au poignet ou à la carotide. Je m'efforçai de réprimer l'intérêt qu'éveilla l'odeur de l'hémoglobine, regrettant de ne pas avoir bu avant de venir à titre préventif, et résistai à l'envie d'aller ramener ces humains à la raison. Après tout, ils donnaient clairement l'impression d'agir de leur plein gré… à l'exception d'une personne. Je m'immobilisai.

Assise sur le sol de béton, adossée à un pilier métallique, les genoux relevés, elle dodelinait de la tête et clignait lentement des yeux, comme si elle éprouvait des difficultés à se concentrer sur le monde qui l'entourait.

Du charme. En grande quantité, si j'en croyais l'électricité qui vibrait dans l'air.

Certes, certains humains choisissaient de vivre une expérience ténébreuse, mais l'attitude de cette fille dénotait quelque chose de différent, de nettement moins consensuel.

Ethan m'avait expliqué que le charme levait les inhibitions, mais ne pouvait conduire quelqu'un à faire une chose qu'il n'aurait jamais acceptée en temps normal. Rien dans les yeux de cette fille n'indiquait le plaisir… ou le consentement.

Je n'avais jamais bu à la veine d'un humain, et n'en avais d'ailleurs jamais vraiment eu envie. Mes récentes expériences impliquant des humains n'avaient pas été des plus plaisantes. Qu'éveillait cette fille en moi ? Disons que je ne voyais vraiment pas l'intérêt de mordre une personne qui semblait avoir été droguée au point de ne plus être capable de comprendre ce qui se passait autour d'elle. Je suppose que parfois, la raison domine la faim.

Je m'accroupis devant elle et l'examinai, mais ne trouvai aucune trace de morsure et ne perçus aucune odeur de sang susceptible d'indiquer une plaie dissimulée sous ses vêtements.

—Est-ce que ça va ? lui demandai-je.

Elle dirigea sur moi des iris ressemblant à deux disques noirs tant ses pupilles étaient dilatées. L'opposé des yeux des vampires.

— Je vais très bien.

J'étais persuadée qu'elle n'en pensait pas un mot.

— Je crois que vous dites ça à cause du charme. Est-ce que vous… ? Est-ce qu'ils vous ont… ?

— Vous voulez savoir s'ils ont bu mon sang ? suggéra-t-elle en esquissant un sourire triste. Non. Mais j'espère qu'ils vont le faire. Je ne suis pas assez jolie pour eux, à votre avis ? (Elle tendit vers moi une main tremblante et toucha la pointe de ma queue-de-cheval.) Vous êtes très jolie.

Soudain, son bras retomba, et ses yeux papillotèrent avant de se fermer. Elle était pâle. Bien trop pâle. J'ignorais si le charme avait la puissance de rendre un humain malade. Si son état n'était dû ni à la magie ni à une perte de sang, quelque chose avait peut-être été glissé dans son verre…

Quoi qu'il en soit, il fallait que je la fasse sortir de là.

Elle ouvrit de nouveau les yeux, à peine une mince fente sous les cils.

— Vous vivrez éternellement, vous savez. Les vampires sont immortels.

— Peut-être pas ceux qui attirent autant les ennuis que moi.

Sans doute aurais-je dû croiser les doigts en formulant ces propos, mais au moins, l'odeur de sang un peu rance que je perçus m'avertit de la présence du vampire qui se trouvait derrière moi avant qu'il ait eu le temps de passer à l'attaque.

J'étouffai un juron puis me redressai et fis volte-face, pour me retrouver nez à nez avec un homme grand et musclé aux cheveux noirs bouclés, doté d'un menton qui paraissait étrangement trop carré. Un filet de sang maculait la commissure de ses lèvres, et je suis fière d'affirmer que je ne me sentis pas le moins du monde déstabilisée par la vue de l'hémoglobine.

Il avait des yeux totalement argentés, tout à fait comme ceux des autres.

— Tu as l'intention de me piquer ma proie, ma jolie ?

— Elle est malade, rétorquai-je. Elle n'a rien à faire ici. Si tu veux du sang humain, va voir ailleurs.

Les vampires qui se trouvaient autour de nous commencèrent à nous observer tour à tour, hésitant visiblement sur le camp auquel se rallier. Il se tourna vers eux, un sourire enjôleur aux lèvres.

— Tiens tiens, il y a une pro-humains parmi nous ? Tu as pitié d'eux, c'est ça ?

J'éprouvais plutôt de la compassion. Je savais ce que cela signifiait d'être mordue sans avoir donné son consentement. J'avais eu la chance de survivre, mais ne souhaitais à personne de subir l'attaque que j'avais vécue.

Malheureusement, les vampires autour de moi ne semblaient pas convaincus.

— Je suis désolée pour ceux qui se trouvent ici sans l'avoir choisi.

Il éclata d'un rire tonitruant, pressant la main contre son ventre.

— Tu crois que ces humains ne sont pas venus de leur plein gré ? Tu penses qu'ils ne seraient pas prêts à payer pour être ici avec nous ? Ils peuvent bien nous traiter de tous les noms qu'ils veulent. Laissons les journaux nous accuser d'être des monstres. Nous représentons tout ce à quoi ils aspirent. La force. La puissance. L'immortalité.

De vagues murmures d'approbation parcoururent la foule. Apparemment, j'étais passée en l'espace de quelques heures de la manifestation anti-vampires à son extrême opposé.

Et vous savez ce qui me traversa l'esprit, à cet instant ? Je me surpris à penser qu'au lieu de s'accrocher à leurs préjugés aveugles les gens feraient mieux d'essayer de réfléchir de manière rationnelle. Tout n'est pas noir ou blanc. Quelques vampires avaient de toute évidence des problèmes, comme le démontrait mon interlocuteur, et j'étais certaine que bon nombre d'humains à Chicago – dont certains élus – n'étaient pas vraiment des modèles de vertu.

—Ça suffit, lançai-je. Assez parlé. Cette fille n'est pas en état de refuser quoi que ce soit. Je l'emmène dehors.

Les poings serrés, je me préparai à me battre. Je tâtai ma botte à l'aide de mon mollet en quête du renflement formé par mon poignard.

Le vampire ne paraissait pas prêt à renoncer si facilement, et n'avait manifestement pas peur de moi.

—Tu n'es pas mon Maître, gamine. Trouve-toi un autre jouet. Un beau garçon à mordre.

—Je ne la laisserai pas.

Il étrécit les yeux, et je ressentis aussitôt les effets de son charme sur mon esprit. L'inquiétude et l'angoisse qui me tenaillaient semblèrent se dissiper, et j'éprouvai soudain une furieuse envie de m'allonger au sol et m'offrir à lui en dépit des circonstances.

Soutenant son regard, je luttai contre le vertige qui tentait de s'emparer de moi. Je redressai les épaules puis le dévisageai d'un air de défi.

—Tu essayais de faire quelque chose ?

Il inclina la tête sur le côté, une expression intriguée sur le visage. Je résistai au réflexe qui m'incitait à reculer et fuir ce regard inquisiteur, mais tant que ce vampire me prenait pour cible, il ne s'intéressait pas à la fille. Il fallait que je tienne bon.

—Tu es… intéressante.

J'étais sur le point de lever les yeux au ciel quand je me rendis compte de l'occasion qu'il venait de m'offrir. Je le considérai de manière provocatrice.

—Tu souhaiterais en découvrir davantage sur moi ?

À l'instar d'une adolescente coquette, j'enroulai ma queue-de-cheval autour de mon doigt puis la rejetai dans mon dos, dégageant mon cou.

Ce n'était sans doute pas une ruse très élaborée, mais elle s'avéra efficace. Les yeux mi-clos, il se mit à avancer vers moi avec la démarche féline d'un lion traquant sa proie. J'avais déjà été confrontée à ce genre d'attitude, quand Ethan, usant de tout son pouvoir de séduction, s'était approché de moi, le regard brûlant de désir. Cette fois, l'homme qui se dirigeait vers moi n'exprimait pas la même forme d'envie. Il ne s'agissait pas d'amour ou d'attirance, mais de soif de domination, de contrôle.

Je gardai les yeux rivés aux siens, même si sa détermination me donnait la chair de poule. Il avait l'intention de boire, et j'avais l'intime conviction qu'il ne s'arrêterait pas avant la dernière goutte de sang. Peut-être la magie qui flottait dans l'air lui faisait-elle perdre la raison ; peut-être obéissait-il à son instinct de prédateur. Peu importait. Je comptais bien l'empêcher d'agir.

D'un mouvement fluide dont Catcher aurait été fier, je dégainai mon poignard. La lumière se refléta sur la lame d'acier qui me picotait agréablement la paume. Je resserrai les doigts autour de la poignée.

Le vampire parut enfin prendre conscience que je ne plaisantais pas et perdit de son aplomb.

Je m'adressai à l'humaine.

— Vous pouvez vous lever ?

Elle hocha la tête, les yeux embués de larmes.

— Oui, mais je veux rentrer chez moi.

Je lui tendis la main. Lorsqu'elle la saisit, je l'aidai à se mettre debout. Malheureusement, nous n'étions guère plus avancées. Nous demeurions le centre d'attention d'un vampire furieux à qui j'avais dérobé sa victime et d'une dizaine d'autres qui ne semblaient pas particulièrement s'intéresser à la fille, mais que la perspective d'une bataille paraissait attirer étrangement.

S'agissait-il de la violence dont avait parlé M. Jackson ?

Je maîtrisai la peur qui me nouait la gorge et, campée sur mes jambes, toisai la foule en faisant mine d'être sûre de moi.

— Je l'emmène dehors tout de suite. Est-ce que ça pose un problème à quelqu'un ?

J'aurais mieux fait de m'abstenir de formuler cette question.

— Tu devras d'abord me passer sur le corps, lança le vampire qui avait décidé de m'avoir. Viens par ici, ma jolie.

Un frisson glacé me parcourut. Contrairement à moi, la fille n'était ni forte, ni rapide, ni immortelle. Je ne pourrais pas me battre afin de me frayer un chemin dans la foule et la protéger en même temps.

Ce qu'il me fallait, c'était une diversion.

Et elle vint à point nommé.

— Et merde ! entendis-je à l'autre bout de la salle.

Le juron fut aussitôt suivi d'un fracas de verre brisé qui réduisit tout le monde au silence.

L'air s'emplit aussitôt de l'arôme caractéristique du sang, et les regards de tous les vampires des alentours convergèrent vers l'endroit d'où émanait cette odeur. J'entrevis Jonah au milieu de l'attroupement, les yeux baissés vers un vampire qui affichait une expression piteuse.

Un verre ou un pichet de sang avait été cassé, un bon moyen d'attirer l'attention des invités à crocs, et de me permettre de me faufiler vers la sortie.

Je regardai la fille qui s'appuyait à mon bras.

—Comment vous appelez-vous?

—Sarah, répondit-elle. Sarah.

—Eh bien, Sarah, on va piquer un sprint. Vous êtes prête?

Elle acquiesça et, dès que la foule – y compris l'homme qui m'avait provoquée – se mit à s'amasser autour du sang, on s'élança en direction de la porte.

Je ressentais, moi aussi, l'attrait de l'hémoglobine. Mon estomac commençait à gronder. L'aube approchait, et cela faisait des heures que je n'avais rien mangé… ou bu. Je me mordis la lèvre afin que la douleur supplante la sensation de faim qu'attisaient les délicieux effluves. Comme souvent, ce n'était ni l'endroit ni le moment de céder à ce genre de pulsion.

Je guidai Sarah parmi les gens qui se ruaient à présent de l'autre côté de la salle, un bras passé autour de sa taille tandis qu'elle me tenait par l'épaule. Nous n'avancions pas de manière particulièrement gracieuse, mais approchions de la porte qui nous permettrait de fuir ce chaos.

Car il régnait désormais un véritable chaos.

La fête se transforma en un tourbillon de violence lorsque les vampires se mirent à se piétiner et se bousculer en tentant d'accéder au sang versé. Une dispute éclata entre deux d'entre eux, provoquant la colère d'un autre groupe. L'agressivité se propagea dans la salle à la manière d'un virus, passant d'une personne à l'autre. Alors que l'ambiance dégénérait, la magie se renforçait, épaississait encore l'atmosphère, ce qui accentuait l'attitude prédatrice des vampires.

—J'ai pensé que tu avais besoin de la cavalerie.

Je tournai la tête vers la droite et fus soulagée de découvrir Jonah.

—Pas trop tôt. Merci pour la diversion.

—De rien. Je ne m'attendais pas vraiment à ce que tu dégaines ton poignard pour kidnapper une humaine. (Il jeta un coup d'œil à Sarah.) Qu'est-ce qui lui est arrivé ?

—Aucune idée. On l'a charmée, ou peut-être droguée, je ne suis pas sûre. De toute façon, il faut la faire sortir d'ici.

—Je vous suis, affirma-t-il avec un hochement de tête avant de nous accompagner en direction de l'ascenseur.

La cabine était ouverte. J'aidai Sarah à prendre place à l'intérieur tandis que Jonah appuyait sur le bouton de fermeture des portes. Celles-ci coulissèrent, étouffant les sons de bagarre qui s'échappaient de la salle. Je rangeai mon poignard à l'intérieur de ma botte.

Je ne m'autorisai à souffler qu'après avoir descendu plusieurs étages, et me tournai alors vers Sarah.

—Ça va ?

Elle hocha la tête.

—Oui, mais tous ceux qui sont restés à l'intérieur… Il faut les faire sortir, eux aussi.

J'échangeai un regard avec Jonah.

— Vous pourriez peut-être appeler la police ? suggéra-t-elle. Si vous leur parlez de la fête, ils viendront évacuer les autres humains.

Jonah posa de nouveau les yeux sur moi.

— Si la police est prévenue…

J'acquiesçai. Je comprenais tout à fait son inquiétude. Si les forces de l'ordre intervenaient, les retombées médiatiques seraient désastreuses pour nous, et nous devrions nous attendre à une nouvelle convocation dans le bureau de Tate – à condition qu'il n'ait pas encore exécuté le mandat d'arrêt à l'encontre d'Ethan.

Mais peut-être pouvions-nous nous passer de la police et nous contenter d'utiliser la crainte qu'elle inspirait.

— Nous pouvons les devancer, assurai-je au moment où les portes s'ouvraient. Aide-la à sortir, je vous retrouve dans une minute.

Je lui cédai ma place au côté de Sarah et, tandis qu'ils avançaient tant bien que mal vers la sortie, je marchai d'un pas vif en direction du vigile, qui suivait Jonah et Sarah du regard, la main sur le talkie-walkie posé devant lui.

— Re-bonjour, lançai-je lorsque je fus parvenue à son niveau, attirant son attention. Nous venons de recevoir un appel. La police est au courant de la fête et va arriver dans peu de temps. Vous feriez mieux de monter avertir les invités pour évacuer la salle, sinon il y aura des arrestations et un sacré scandale. Je suppose que vous n'avez pas envie de lire des articles à ce sujet dans les journaux demain. Votre… clientèle à crocs n'apprécierait certainement pas.

Le garde hocha la tête, s'empara de son talkie-walkie, tourna un bouton et appela des renforts. J'espérai qu'il parviendrait à rameuter suffisamment de monde, et qu'il serait en mesure de repousser une horde de vampires.

Je le laissai gérer la situation et, une fois dehors, je pris une grande bouffée d'air, qui me parut frais et pur comparé à celui que j'avais respiré à l'intérieur. J'observai Sarah et Jonah traverser la rue en boitillant en direction d'un petit carré de verdure. Il l'aida à s'asseoir sur un banc en fer forgé. Je demeurai immobile le temps de m'assurer d'avoir les idées claires et une parfaite maîtrise de ma faim.

Une ou deux minutes plus tard, je les rejoignis.

— Ils sont en train d'évacuer la salle, annonçai-je à Jonah avant de m'accroupir devant Sarah. Comment vous sentez-vous ?

Elle hocha la tête.

— Bien. Je suis juste morte de honte.

Elle se pressa une main sur le ventre. À présent sortie de son hébétude, elle éclata en sanglots.

J'échangeai un regard gêné avec Jonah.

— Sarah, dis-je avec douceur, vous pouvez nous expliquer ce qui s'est passé ? Comment vous êtes-vous retrouvée là-bas ?

— J'ai entendu parler de cette fête, balbutia-t-elle en s'essuyant le nez. J'ai pensé « chouette, des vampires, ça peut être sympa ». Au début, ça allait, et puis… L'ambiance est devenue de plus en plus tendue, et j'ai commencé à me sentir mal, alors je me suis assise par terre. Je les voyais bien me tourner autour et me jeter un coup d'œil de temps en temps, comme pour vérifier si j'étais prête.

— Prête ? répétai-je.

— À offrir mon sang. (Elle haussa les épaules puis soupira.) Et puis vous êtes arrivée. J'ai vraiment honte. Je n'aurais jamais dû y aller. (Elle leva la tête vers moi.) Ça ne vous dérangerait pas de m'appeler un taxi ?

— Je m'en occupe, assura Jonah avant de se poster sur le trottoir afin de surveiller les véhicules qui passaient.

Étant donné que nous nous trouvions à quelques rues à peine de Michigan Avenue, nous aurions peut-être une chance d'en arrêter un en dépit de l'heure tardive.

Comme Jonah s'éloignait, je reposai les yeux sur Sarah.

— Comment avez-vous eu vent de cette fête ? (Elle rougit et détourna le regard.) Si vous nous le disiez, ça nous aiderait beaucoup. Nous pourrions plus facilement mettre un terme à ce genre de soirées.

Elle soupira, mais finit par hocher la tête.

— Mon amie et moi nous trouvions dans un bar… un de ces endroits fréquentés par les vampires, vous savez ? Nous avons rencontré un homme.

— Vous vous rappelez le nom de ce bar ?

— Le *Temple Bar*.

Je me figeai. Il s'agissait du bar de Cadogan.

— Continuez.

— Il y avait beaucoup de monde à l'intérieur, et à un moment, je suis sortie prendre l'air. J'ai discuté avec un type, dehors. Il m'a parlé d'une fête où nous aurions l'occasion de nous amuser. Mon amie Brit n'avait pas envie d'y aller, mais moi, je voulais voir à quoi ça ressemblait, vous comprenez.

Ainsi, Sarah avait été informée de cette soirée au *Temple Bar*, et Jonah avait trouvé le téléphone sur lequel avait été envoyée l'invitation au *Benson's*. Ce qui signifiait que les personnes qui fréquentaient ces bars étaient également au courant des raves. Ethan allait être furax en apprenant cette nouvelle.

— L'homme à qui vous avez parlé… À quoi ressemblait-il ?

— Oh, euh, il était plutôt petit, assez âgé, avec les cheveux noirs, l'air un peu bourru. Il y avait une fille avec lui. Je m'en souviens parce qu'elle portait une sorte d'énorme chapeau qui lui cachait le visage. Oh, mais juste quand je retournais à l'intérieur, il l'a appelée. Elle avait un prénom un peu démodé, comme Marcie ou Martha…

Sarah plissa les yeux, s'efforçant de rassembler ses souvenirs.

Mon cœur battait la chamade.

— Marie, peut-être ?

Son regard s'éclaira.

— Oui, c'est ça ! Marie ! Comment avez-vous deviné ?

— Un coup de chance.

Si sa description du petit homme aux cheveux noirs ne m'évoquait rien, je connaissais en revanche une vampire qui n'aimait rien tant que semer le trouble. Et autrefois, elle s'appelait Marie.

Alors que je m'apprêtais à lui demander davantage de précisions, Sarah grimaça.

— Ça ne va pas ?

— J'ai mal au crâne, c'est tout. Je crois qu'il y avait quelque chose de bizarre dans l'air.

Excellente introduction à la question que je souhaitais poser.

— Est-ce que vous avez pris quelque chose, pendant la soirée ? Peut-être une boisson que quelqu'un vous aurait donnée ?

Elle fit « non » de la tête.

— Vous voulez savoir si je me suis droguée ? Ce n'est pas mon genre. Et je suis certaine de m'être servi moi-même tout ce que j'ai bu. Par contre, j'ai vu ça. Une fille, une humaine, me l'a fait passer.

Elle tira de sa poche une petite enveloppe de la taille d'une carte de visite. Elle était blanche, et la lettre « V » avait été inscrite sur le devant. Je m'en emparai et la rangeai afin de l'examiner plus tard. Je détestais avoir à lui poser la question suivante, mais il fallait absolument que j'obtienne des certitudes. L'importance des enjeux le nécessitait.

Je devais savoir si elle constituait un danger pour Cadogan.

— Sarah, est-ce que vous comptez raconter ce qui s'est passé à la police ?

Elle écarquilla les yeux.

— Oh, mon Dieu, non. Je n'aurais jamais dû venir à cette fête, et si jamais mes parents ou mon petit ami l'apprenaient, ils seraient furieux. En plus, si je parlais à la police, vous auriez des ennuis, vous aussi, non ? Vous êtes une vampire, mais vous m'avez aidée.

Je hochai la tête, soulagée.

— En effet, je suis une vampire, confirmai-je. Je m'appelle Merit.

Elle esquissa un mince sourire.

— Merit. C'est un joli prénom. Ça vous correspond bien, comme si vous étiez destinée à faire le bien, vous voyez ?

Cette fois, ce fut mon tour de m'efforcer de réprimer mes larmes.

Le son d'une portière qui s'ouvrait m'incita à tourner la tête. Jonah avait arrêté un taxi noir et blanc.

— Vous pouvez rentrer chez vous.

Elle titubait encore mais, avec notre aide, elle parvint à franchir les quelques mètres qui la séparaient du véhicule. Avant d'y monter, elle se retourna et m'adressa un sourire.

— Vous pensez que ça va aller ? demandai-je.

Elle acquiesça.

— Oui. Merci.

— Vous n'avez pas à me remercier. Je suis désolée pour ce qui s'est passé. Je regrette qu'ils vous aient mise mal à l'aise.

— C'est déjà oublié, mais je n'oublierai pas ce que vous avez fait pour moi ce soir, affirma-t-elle.

Après qu'elle eut fermé la portière, le taxi s'éloigna.

Jonah me regarda, puis leva la tête vers le ciel.

— L'aube ne va plus tarder, nous devrions rentrer, suggéra-t-il avant d'esquisser un geste en direction de la rue. En fait, je suis garé tout près d'ici. Tu veux que je te ramène jusqu'à ta voiture ?

— Ce serait gentil, approuvai-je alors que mon angoisse laissait place à une immense fatigue.

Je le suivis en silence quelques minutes, puis il s'arrêta devant une berline hybride.

— Tu te préoccupes de l'environnement ?

Il esquissa un sourire triste.

— Si le climat se réchauffe, nous serons là pour en subir les conséquences. Mieux vaut prévenir que guérir.

Il déverrouilla les portières. Une fois à l'intérieur, je lui indiquai comment rejoindre l'endroit où j'avais garé ma voiture, puis fermai les yeux et posai la tête contre le siège.

Quelques secondes plus tard, je dormais.

9

RIEN NE VAUT LA DOUCEUR
DU FOYER, SI HUMBLE SOIT-IL…
À MOINS D'ÊTRE IMMORTEL ET
D'AVOIR ACCUMULÉ UN CAPITAL

Lorsque je me réveillai, une lueur inhabituelle me fit cligner des yeux. J'étais roulée en boule dans un immense lit qui dégageait une odeur boisée d'eau de Cologne et des effluves de cannelle. Je m'assis afin d'observer la chambre inconnue dans laquelle je me trouvais. Le lit massif était recouvert d'une pile de couvertures couleur taupe. En face, à l'autre bout de la pièce, un téléviseur aux dimensions colossales trônait sur un bureau, contre lequel s'appuyait Jonah, bras croisés. Il avait abandonné ses élégants vêtements de la veille pour une tenue plus simple composée d'un tee-shirt au col en «V», un jean et des baskets.

—Bonjour, Sentinelle.

—Où sommes-nous?

—À la Maison Grey, dans ma chambre.

—Grey…, répétai-je.

Les événements de la nuit précédente me revinrent peu à peu en mémoire. Je m'étais endormie dans sa voiture, et il avait dû m'emmener à la Maison Grey. Enfin, il m'y avait sans doute portée, vu l'état dans lequel j'étais.

—J'ai préféré ne pas te laisser reprendre la route. Tu dormais à poings fermés, et il me semblait plus facile de t'amener ici que te raccompagner à Cadogan, où j'aurais dû expliquer ma présence. L'aube approchait, il fallait que je prenne une décision.

Je comprenais son choix, même si je n'étais pas ravie de savoir qu'il m'avait portée dans ses bras comme l'un des héros dévoués de mes romans à l'eau de rose.

—Merci. Est-ce que quelqu'un m'a vue?

Si c'était le cas, j'imaginais malheureusement très bien ce qu'ils penseraient, étant donné que j'avais passé la nuit dans la chambre de Jonah. Je sentis mes joues s'empourprer.

—Non. Tout le monde était déjà couché.

Je m'assis au bord du lit et posai les pieds sur un tapis extraordinairement moelleux sans doute hors de prix.

—Où est-ce que tu as dormi?

Il pointa le pouce derrière lui.

—Dans le salon. Je sais faire preuve de galanterie, et profiter d'une vampire inconsciente ne m'attire pas plus que ça. (Il haussa les épaules.) En plus, le soleil était sur le point de se lever. Nous étions tous les deux épuisés. Nous aurions pu dormir côte à côte sans même nous en rendre compte, comme des anges.

Mon sommeil léthargique ne m'aurait certes pas permis de faire quoi que ce soit, mais je lui étais reconnaissante de m'avoir cédé son lit. Tout le monde n'aurait sans doute pas eu ce genre de délicate attention.

—Merci.

Il haussa les épaules.

—J'ai emprunté ton téléphone pour envoyer un message à Ethan disant que tout allait bien. J'ai pensé que tu lui aurais sûrement fait un rapport en rentrant, et un appel de ma part lui aurait semblé vraiment étrange.

Je hochai la tête. Bien entendu, même s'il ignorait que je me trouvais en compagnie de Jonah, Ethan ne manquerait pas de me poser des questions. Il me demanderait forcément où j'avais passé la nuit.

Je jetai un coup d'œil au salon dans lequel Jonah avait dormi. Un somptueux canapé et une causeuse étaient installés à côté d'un autre énorme écran de télévision encastré dans le mur. Les luxueux tapis, les teintes raffinées, les moulures et lambris qui ornaient le reste de la pièce étaient tout aussi élégants que la chambre. Un jeu vidéo d'arcade se dressait contre l'une des cloisons, juste en face d'un maillot encadré de Ryne Sandberg, l'un de mes joueurs de base-ball préférés.

Cet endroit ressemblait à un palace.

—C'est très joli, chez toi.

—C'est l'avantage de vivre dans une nouvelle Maison. Enfin, quand je dis « nouvelle », tout est relatif, mais huit ans ne représentent pas grand-chose au regard de l'immortalité.

Il s'avança en direction d'un mini-réfrigérateur enchâssé dans un cabinet contre le mur du fond et l'ouvrit, révélant des bouteilles au col allongé, bien alignées. Il en sortit une, qu'il m'apporta.

—L'alcool ne me fait pas vraiment envie à cette heure.

—Ce n'est pas de la bière.

Lorsqu'il me la tendit, je l'examinai. C'était sans conteste une bouteille de bière, mais elle contenait de l'hémoglobine. Il s'agissait d'un produit *Sang pour sang*, une invention ridicule nommée « la veinarde ». Ils auraient vraiment besoin de l'expertise de Mallory en matière de marketing.

—Vu ton état, j'ai pensé que ça te ferait du bien.

J'acquiesçai et débouchai la bouteille, les doigts tremblants à cause de la faim. Le liquide était froid et présentait une saveur légèrement poivrée, comme s'il avait été relevé avec quelques gouttes de Tabasco.

C'était délicieux. Plus important encore, cette boisson permettait de satisfaire mon appétit. Je bus d'un trait puis détachai le goulot de mes lèvres, haletante.

—Je suppose que tu en avais besoin ?

Je hochai la tête en m'essuyant la bouche du revers de la main.

—Désolée. Parfois, la faim est trop forte.

Jonah me prit la bouteille des mains.

—Ça arrive. Et la nuit dernière a été éprouvante.

—Moins éprouvante que ce qu'elle aurait pu être, mais bien assez. J'ai commencé à avoir faim à la fête, encore heureux que je n'aie pas perdu la raison comme tous les autres.

Il jeta la bouteille vide dans une poubelle à côté du réfrigérateur.

—D'ailleurs, tu les as sacrément énervés.

—Ce n'était pas ma faute, affirmai-je. Une fille m'a bousculée, et je me suis retrouvée face à deux types qui se sont aussitôt mis en colère.

Jonah fronça les sourcils.

—L'ambiance était plutôt tendue, en effet.

— Et tu as remarqué leurs yeux ? Totalement argentés, la pupille presque invisible tellement elle était contractée. Ces types étaient complètement défoncés.

— Il y avait également une grande quantité de magie dans la salle. Un cocktail parfait pour obtenir des vampires survoltés prêts à se battre.

Je secouai la tête.

— Ce n'est pas le simple effet de la foule. Les Maisons n'existeraient pas si la concentration de vampires en un endroit stimulait leurs instincts de prédateurs au point de les amener à se taper dessus sans raison. Peut-être qu'il s'agit d'une sorte de mouvement de masse. Un individu commence à devenir violent, et tous les autres l'imitent.

Jonah ne parut pas convaincu.

— J'ai une autre théorie. Et si la magie ne provenait pas des vampires, mais servait à les manipuler ?

— Tu es en train de suggérer que quelqu'un utilise la magie contre nous ? pour alimenter les tensions ?

Il hocha la tête.

— Pour nous transformer en super prédateurs, peut-être.

— D'accord, concédai-je. Admettons que leur comportement soit le fait de la magie. Alors, qui pourrait être impliqué dans cette histoire ? des sorciers ? Ils préfèrent d'habitude se tenir à l'écart de nos affaires, et d'ailleurs, ils ne sont que trois dans l'agglomération de Chicago. J'en connais deux, et ça m'étonnerait qu'ils s'amusent à changer les vampires en gladiateurs.

Je n'avais certes jamais rencontré le tuteur de Mallory, mais j'avais une idée assez précise de ce à quoi il consacrait son temps : entraîner mon amie.

— D'accord, éliminons donc les sorciers, déclara Jonah. Comment as-tu trouvé Sarah?

— Elle était assise par terre, l'air drogué. Je n'ai vu aucune trace de morsure, donc quelque chose d'autre a dû se passer. Est-ce que charmer quelqu'un peut le rendre malade? Je veux dire, est-il possible d'affaiblir un humain de cette manière?

Il réfléchit quelques instants, sourcils froncés.

— Je n'ai jamais assisté à une chose pareille, mais ça ne signifie pas que c'est impossible. Est-ce qu'elle t'a appris quelque chose? Comment était-elle au courant de cette fête?

Je lui répétai ce qu'elle m'avait raconté au sujet de l'homme qu'elle avait rencontré au *Temple Bar*.

— Elle m'a également donné ça, ajoutai-je en plongeant la main dans ma poche.

Je sortis l'enveloppe, soulevai le rabat et vidai le contenu dans ma paume.

Je recueillis deux petites pilules blanches.

— Eh bien, dit-il, ça explique qu'elle ait été sonnée.

J'exposai l'un des comprimés à la lumière. Le même «V» aux élégants déliés était gravé à la surface.

— Elle m'a affirmé qu'elle n'avait rien pris.

— Oui, mais elle avait honte de ce qu'elle avait fait.

— C'est vrai, reconnus-je. Tate nous a dit que M. Jackson avait été arrêté pour possession de stupéfiants. Alors quoi? Les vampires droguent les humains pour les rendre plus sensibles au charme?

— Vu les individus que tu as rencontrés hier soir, ça te paraît tiré par les cheveux?

Malheureusement, non. Cette hypothèse me semblait plausible. Bien entendu, aucune preuve ne nous permettait de confirmer nos soupçons. Sarah aurait tout aussi bien pu être charmée, et après tout, il n'y avait pas une énorme différence entre droguer un humain et le manipuler en usant de ses pouvoirs.

Quoi qu'il en soit, nous devions creuser dans cette direction. Je remis les pilules dans l'enveloppe, que je glissai de nouveau dans ma poche.

—Je vais les amener à l'Agence de médiation, dis-je à Jonah. Peut-être pourront-ils nous en apprendre davantage.

Après ce débriefing, Jonah m'autorisa à utiliser sa salle de bains afin que je puisse me rafraîchir un peu. J'effaçai les traces de mascara sous mes yeux et me recoiffai.

Lorsque je sortis, il s'apprêtait à répondre au téléphone.

—Je dois décrocher. Je n'en ai pas pour longtemps. Fais comme chez toi. Sers-toi du sang si tu en as besoin.

Je hochai la tête.

—Merci.

Il s'éloigna et ferma la porte derrière lui, me laissant seule dans son appartement raffiné.

Je me rendis dans le salon et me dirigeai vers une série de cadres accrochés au mur. Ils contenaient les diplômes correspondant à quatre doctorats : trois délivrés par des universités publiques de l'Illinois – histoire, anthropologie et géographie –, et un de Northwestern – littérature allemande et pensée critique. Chaque certificat portait une variante de son nom – John, Jonah, Jonathan, Jack –, et leurs dates s'étalaient sur tout le xxᵉ siècle.

Tiens, tiens, il est donc possible pour un vampire de mener à bien une thèse.

La porte s'ouvrit.

—Désolé, dit Jonah derrière moi. C'était Noah. Il est au courant que tu as passé la nuit chez lui.

— Bonne initiative, affirmai-je, espérant qu'Ethan ne m'interrogerait pas au sujet de l'aménagement de la maison de Noah, et qu'il ne me demanderait pas plus de détails que le peu que je connaissais sur le chef des Solitaires.

Je désignai les diplômes.

— Tu as été un étudiant brillant.

— Par «brillant», tu sous-entends «intello»?

— Je sous-entends que tu as quatre doctorats. Comment est-ce que tu as réussi?

— En cachant le fait que j'ai des crocs, tu veux dire?

J'acquiesçai. Il esquissa un sourire et vint me rejoindre.

— En étant très prudent, reprit-il.

— Tu as suivi des cours du soir?

— Oui. Internet n'existait pas encore, je n'avais pas d'autre possibilité. (Il regarda les diplômes encadrés, un mince sourire aux lèvres.) À cette époque, l'université était fréquentée par bon nombre d'excentriques. C'était facile de jouer le rôle du génie solitaire qui n'assistait qu'aux cours du soir, dormait toute la journée, etc.

— Est-ce que tu as été prof de TD, en même temps?

Enseigner pendant ses études aurait sans doute rendu la tâche plus difficile.

— Non. J'ai eu la chance d'obtenir une bourse, et comme j'aimais la recherche, j'ai échappé aux travaux dirigés. Si j'avais dû travailler en plus, j'aurais eu du mal. (Il pencha la tête.) Tu as été à la fac?

— Avant ma transformation, oui.

Il dut percevoir la pointe de regret dans ma voix, car il me demanda aussitôt:

— Tu veux me raconter?

— J'étudiais à l'université de Chicago avant de devenir une vampire. J'avais rédigé trois chapitres de ma thèse en littérature anglaise. (Je révélai toute l'histoire sans pouvoir m'interrompre.) Une nuit, alors que je traversais le campus, j'ai été attaquée. (Je posai les yeux sur lui.) Par l'un des Solitaires engagés par Célina.

Il déduisit le reste.

— Tu étais l'une des victimes du parc ? Tu t'es fait mordre sur le campus ?

Je hochai la tête.

— Ethan et Malik se trouvaient dans les parages. Ils sont intervenus aussitôt, ont fait fuir mon agresseur, puis Ethan m'a emmenée chez lui pour procéder à la transformation.

— Eh bien, tu as eu de la chance.

— En effet.

— Alors, Ethan t'a sauvé la vie.

— Oui. Il a fait de moi une vampire Cadogan et m'a nommée Sentinelle. (Je fronçai les sourcils.) Il a également mis un terme à mes études. Il pensait qu'il valait mieux que je ne retourne pas à l'université.

Étant donné que le Registre des Vampires d'Amérique du Nord avait publié mon nom dans la liste des Initiés peu après, Ethan avait probablement eu raison.

— Il n'avait pas tort, confirma Jonah. Ce n'était pas facile d'assister aux cours en dissimulant mon identité. Je suppose que, pour un vampire âgé qui connaît les règles du jeu, c'est plus simple que pour un jeune Novice qui tente encore de les comprendre. Ç'aurait été très compliqué pour toi.

— *Dixit* celui qui a obtenu quatre doctorats.

— C'est juste. Mais tu sembles t'être adaptée à ta situation, même si tu ne l'as pas vraiment choisie.

— Ça n'a pas été facile, admis-je. J'ai eu une période de rébellion pendant laquelle je me plaignais souvent. Finalement, je suis arrivée à un stade où soit j'acceptais qui j'étais devenue, soit je quittais la Maison et prétendais être humaine de nouveau. (Je haussai les épaules.) J'ai choisi la Maison.

Jonah s'humecta les lèvres puis me jeta un regard en biais.

— Je dois reconnaître que tu t'es bien débrouillée, hier soir.

— Je me sentirais flattée si tu n'avais pas l'air aussi surpris.

— Je ne m'y attendais pas vraiment.

— Je m'en doutais. (Je me rappelai le dédain qu'il avait affiché lors de notre première rencontre.) Et d'où viennent ces préjugés anti-Sentinelle ?

Il afficha un petit sourire en coin.

— Ce n'est pas tant anti-Sentinelle que…

— … anti-Merit ? finis-je à sa place.

— Je connais ta sœur. Charlotte. Nous avons des amis communs.

Charlotte, ma sœur aînée, était mariée avec deux enfants, et travaillait à plein temps en qualité d'invitée et collectrice de fonds aux soirées de charité. Même si j'aimais ma sœur, je ne faisais pas partie – par choix – des cercles dans lesquels elle évoluait. Le fait que Jonah connaisse Charlotte ne m'étonnait pas outre mesure.

— Ah bon, fis-je.

Il poussa un soupir puis me regarda avec une lueur de culpabilité dans les yeux.

— J'ai supposé que tu lui ressemblais, en tant que Merit.

Il me fallut un moment pour réagir.

— Comment ça?

— Je me suis dit que… comme vous étiez sœurs, et de la famille Merit…

Il s'interrompit, mais n'avait pas besoin de poursuivre. Jonah n'était pas le premier vampire à confesser m'avoir jugée sur la base de mon patronyme, qui présupposait richesse et notoriété. Avoir de l'argent comportait certes quelques avantages, mais être estimée d'après ses propres mérites – jeu de mots tout à fait approprié – n'en faisait pas partie.

D'un autre côté, je comprenais désormais pourquoi il s'était montré si froid et distant lors de nos deux premières rencontres. Il s'attendait à une pimbêche issue du milieu des nouveaux riches de Chicago.

— J'aime beaucoup ma sœur, affirmai-je, mais nous sommes très différentes.

— C'est ce que je constate.

— Et maintenant, qu'est-ce que tu penses de moi?

— Oh, eh bien… (Il sourit, et un éclair de fierté brilla dans son regard.) Je t'ai vue en pleine action. Un véritable ange justicier…

— Je préfère qu'on m'appelle «la Justicière à la queue-de-cheval», répliquai-je sèchement.

C'était le surnom que m'avait donné Nick Breckenridge, alias «le maître chanteur».

Jonah leva les yeux au ciel.

— Je disais donc un ange justicier descendu sur terre pour secourir les humains innocents, et qui n'hésite pas à écarter les ennemis qui se dressent sur son chemin.

En fait, je me demande si ce ne serait pas une bonne idée de t'intégrer à la Garde Rouge, finalement.

— Alors qu'il y a quelques mois, j'aurais été un véritable boulet à traîner ? (Il eut la grâce de rougir.) Je savais que tu avais une mauvaise opinion de moi. Tu n'as pas vraiment essayé de le cacher, d'ailleurs. Et je ne me décrirais pas comme un ange justicier. Je suis la Sentinelle de ma Maison, et je fais de mon mieux pour protéger les vampires Cadogan.

— Uniquement les vampires Cadogan ?

Je soutins son regard.

— Pour l'instant, oui.

Le silence s'installa, ces mots flottant toujours entre nous. Je refusais une fois de plus de devenir sa partenaire, mais laissais entrevoir la possibilité d'accepter un jour. Après tout, j'avais l'éternité devant moi.

Il hocha la tête.

— Je devrais te raccompagner jusqu'à ta voiture.

— Bonne idée. Il faut que je rentre.

Je devais retrouver Ethan, la Maison, et une routine impliquant moins de bagarre avec des vampires survoltés, mais plus de mensonges.

Jonah s'empara de ses clés, et je le suivis hors de la pièce.

Je découvris alors un décor incroyable.

La Maison Grey était située dans un ancien entrepôt converti en résidence à proximité de Wrigley Field. L'immense volume disponible avait été aménagé avec goût. Nous nous trouvions dans un couloir où s'alignaient des portes identiques à celle de la chambre de Jonah, régulièrement espacées, comme dans un hôtel. Au fond, une balustrade constituée de montants en acier et de fil de fer fin donnait sur un atrium qui s'étendait sur quatre étages. En face, au même niveau, se trouvait une nouvelle rangée de portes. Je supposai qu'il s'agissait également d'appartements.

Je marchai jusqu'à la balustrade et me penchai. L'espace central était occupé par un arbre d'une dizaine de mètres de haut, entouré de végétaux luxuriants. D'autres plantes et arbustes bordaient un sentier qui serpentait dans la cour en contrebas, le long duquel avaient été plantés des piquets noirs, chacun portant un fanion à l'effigie d'une équipe de sport de Chicago.

Je n'avais jamais rien vu de pareil – et certainement pas dans le monde des vampires.

— C'est spectaculaire! m'exclamai-je lorsque Jonah me rejoignit.

Je levai la tête au plafond, qui était entièrement vitré. Dans une Maison de vampires, cela posait problème.

— Comment poussent les arbres? Vous devez forcément couvrir les fenêtres pour empêcher la lumière du soleil de pénétrer, non?

Jonah effectua un moulinet de la main.

— Le toit est muni d'un auvent parabolique rotatif qui se met en place au lever du jour. (Jonah fit pivoter ses doigts.) Il se ferme à la manière d'un obturateur d'appareil photo et une ouverture au centre laisse passer la lumière pour les arbres. C'est un mécanisme photosensible. Le cercle central suit la course du soleil, ce qui permet aux végétaux de toujours bénéficier de ses rayons.

— C'est extraordinaire.

— La technologie utilisée est vraiment impressionnante, concéda-t-il. Scott a pris le temps de tester des nouveautés; on ne peut pas en dire autant de tous les Maîtres.

— Ils ont en effet plutôt tendance à être conservateurs.

Jonah émit un petit ricanement.

— Les autres plantes reçoivent la lumière quand l'auvent tourne.

— Et si un vampire doit absolument traverser l'atrium dans la journée en cas d'urgence ?

— Ça n'arrive jamais, affirma simplement Jonah. Les plans de la Maison ont été conçus de telle façon qu'il ne soit pas nécessaire de traverser l'atrium pour se rendre dans les chambres ou gagner la sortie. (Il pointa son doigt vers le bas.) Près de l'atrium, il n'y a que des bureaux ou des pièces non essentielles et, de toute manière, il existe des passerelles couvertes au cas où.

Il se tourna pour emprunter le couloir dans l'autre sens, et je le suivis jusqu'à un ascenseur qui nous mena au sous-sol. Il abritait un garage quasiment identique à celui de Cadogan : une grande salle bétonnée où s'alignaient de nombreuses voitures de luxe.

Je m'immobilisai devant un petit cabriolet gris métallisé aux lignes harmonieuses. Avec ses phares circulaires, son toit décapotable et ses roues à rayons, c'était tout à fait le genre de véhicule que James Bond serait susceptible de conduire.

— Est-ce que… ? C'est bien une Aston Martin ?

Jonah se retourna.

— Ouais. C'est la voiture de Scott. Il a presque deux cents ans, il a eu le temps d'accumuler du capital.

— On dirait, répondis-je en serrant les poings afin de résister à l'envie de passer mon doigt sur la peinture impeccable.

Je n'en avais encore jamais vu, à part dans les films. J'étais ébahie. Je ne me considérais pas comme une amatrice de belles voitures, mais il était difficile de ne pas succomber devant cette carrosserie fuselée. Et j'imaginais que le moteur devait être incroyablement puissant.

—Tu as une idée du nombre de… chevaux, ou je ne sais quoi ?

Il sourit en ouvrant la portière de sa berline hybride, et y monta sans changer d'expression.

—Tu n'es pas fan de voitures ? demandai-je.

—Je suis capable d'apprécier les belles choses, mais pour moi, les voitures ne sont qu'une futilité.

—J'en prends bonne note.

De Wrigleyville, Jonah me conduisit au Magnificent Mile et me déposa près de ma Volvo. J'avais eu de la chance : alors que je l'avais laissée garée au même endroit durant presque vingt-quatre heures, je n'avais écopé que d'un papillon qui avait été glissé sous l'un des essuie-glaces. On ne m'avait mis aucun sabot à la roue. Stationner à Chicago comportait des risques.

—Tu penses que tu vas avoir des ennuis pour ne pas être rentrée à Cadogan la nuit dernière ? me demanda-t-il après avoir baissé sa vitre tandis que je déverrouillais ma portière.

Seulement si Ethan croit que je couche avec Noah.

—Ça ira, lui assurai-je. D'ailleurs, il aurait été impossible de faire autrement. Tu n'aurais pas pu me ramener à la Maison sans te démasquer.

—C'est vrai. Nous devrions rester en contact. Je suppose que toute cette histoire est loin d'être terminée.

—Sans doute.

Mon estomac se noua. Je n'avais pas particulièrement envie de me rendre à une autre rave, si on pouvait baptiser ainsi ce genre de soirée. J'avais beau être entraînée, je ne combattais pas par plaisir. J'intervenais sans problème s'il fallait venir en aide à quelqu'un, mais je préférais que personne ne se mette en situation délicate en premier lieu.

— Je vais interroger les serveurs du *Temple Bar*, au cas où ils auraient remarqué quelque chose d'anormal. Je leur parlerai également de la drogue. Si des substances illégales circulent chez eux, mieux vaut qu'ils le sachent, et qu'ils soient à même d'en reconnaître les effets. Et je te tiendrai au courant si jamais j'ai du nouveau au sujet du numéro de téléphone.

— Bonne idée. Appelle quand tu veux.

— D'accord. Merci pour ton aide.

— Les partenaires sont là pour ça, répliqua Jonah avec un sourire.

— Ne brûle pas les étapes. Nous ne faisons pas encore équipe.

Avec un dernier sourire entendu, il s'écarta du trottoir, me laissant seule à côté de ma Volvo. Qu'avais-je répondu à Mallory quand elle m'avait dit ne pas avoir envie de retourner à sa vie normale ? Quelque chose comme quoi il fallait accepter les choix qu'on avait faits et gérer les conséquences désagréables sans rien regretter.

Je m'installai dans ma voiture, fermai la portière, et ramenai ma frange en arrière en démarrant le moteur.

— Que la fête continue, marmonnai-je en m'insérant dans la circulation.

Une fois garée devant la Maison, je pris le temps de mettre en route l'autre partie de l'enquête et composai le numéro de Jeff.

— Merit ! répondit-il, enthousiaste. On a entendu qu'il y avait eu du grabuge, hier soir. Tout va bien ?

—Salut, Jeff. Ça va, oui. Je te raconterai tout ça plus tard. Pour l'instant, j'aurais besoin d'une petite faveur.

—Super Jeff, à ton service. Qu'est-ce qui se passe ?

Je lui dictai le numéro de téléphone que Jonah m'avait transmis.

—C'est le numéro de l'expéditeur du texto d'invitation à la fête – je ne sais pas si je dois appeler ça une rave. Est-ce que tu peux remonter la piste ?

—Je regarde ça tout de suite, lança-t-il.

Je l'entendis pianoter sur les touches de son clavier et, au bout de quelques instants, il reprit :

—Ça ne donne rien, mais laisse-moi un peu de temps. Je finirai bien par trouver quelque chose.

—Tu es un amour.

—Nous le savons déjà tous les deux. Je te rappelle.

—Merci, Jeff.

Après avoir raccroché, j'observai la Maison. J'avais probablement intérêt à accomplir les tâches désagréables en premier. Je marchai jusqu'à l'entrée – sous une pluie d'épithètes bien choisies de la part des manifestants – et me dirigeai vers la pièce qu'occupait Ethan au rez-de-chaussée.

La porte était ouverte, et je l'aperçus assis à son bureau, le téléphone collé à l'oreille.

J'attendis qu'il ait reposé le combiné pour franchir le seuil. Les mots sortirent aussitôt de ma bouche.

—La soirée se déroulait dans un immeuble de Streeterville, mais il ne s'agissait pas d'une rave intime. En tout cas, ça ne ressemblait pas à ce que nous en connaissons. Il y avait au moins une trentaine de vampires, une grande quantité de magie et de charme dans l'air, et beaucoup de bagarre. Tout le monde était tendu, comme à l'affût de la moindre excuse pour se battre. Beaucoup d'humains assistaient à la fête, et certains ont donné leur sang. Il est possible qu'on les ait drogués afin de les rendre plus sensibles au charme.

Les yeux d'Ethan se braquèrent sur un point situé derrière moi.

— Monseigneur, dit-il après un moment, je vous présente Merit, Sentinelle de la Maison Cadogan. Merit, voici Darius West, directeur du Présidium de Greenwich.

Et merde.

10

Comme un chef

J e me tétanisai lorsque je me rendis compte – bien trop tard – que nous n'étions pas seuls dans le bureau. Mortifiée, je fermai les yeux et sentis mes joues s'embraser. Et nous qui voulions rester discrets sur notre tactique d'infiltration des raves…

Je me résolus à rouvrir les yeux au bout de quelques secondes, m'attendant à lire de la fureur sur les traits d'Ethan. De manière surprenante, il se contenta de me lancer un regard gentiment réprobateur. Peut-être avait-il changé.

—Désolée, articulai-je en silence avant de me tourner vers Darius.

Celui-ci se tenait dans le coin salon aux côtés de Luc et Malik, debout devant du mobilier en cuir que je n'avais encore jamais vu. Helen était un modèle d'efficacité.

Darius était grand et mince, avec le crâne rasé et les yeux bleus. Son nez droit, ses lèvres fines et son menton aristocratique creusé d'un sillon bien net lui conféraient un air sévère, presque arrogant.

—Voilà une histoire qui semble très intéressante, déclara-t-il avec un accent britannique marqué et une élégante élocution dont la reine aurait été fière. Venez vous asseoir. Ethan, voudriez-vous vous joindre à nous ?

Ayant le sentiment qu'il s'agissait d'un ordre et non d'une requête, je m'installai sur l'un des fauteuils en cuir placés face au canapé qu'occupait Darius. Luc et Malik prirent place sur les sièges jouxtant le sofa, puis Ethan, lorsqu'il nous eut rejoints, s'assit sur le fauteuil situé à côté du mien.

Darius plongea la main dans sa poche et en tira un mince étui argenté qu'il ouvrit avant d'en sortir une fine cigarette noire. Ce ne fut qu'une fois qu'il l'eut portée à sa bouche qu'il daigna enfin se tourner vers Ethan pour obtenir sa permission.

— Je vous en prie, l'invita Ethan.

Son attitude indiquait toutefois clairement qu'il lui déplaisait que Darius fume dans la Maison.

La cigarette au coin des lèvres, ce dernier glissa de nouveau l'étui dans sa poche et sortit une petite boîte d'allumettes. Il en frotta une, qui laissa des effluves de soufre flotter dans l'air, alluma sa cigarette et jeta ensuite l'allumette usagée dans un imposant bol de cristal qui trônait sur la table basse au centre du cercle formé par le mobilier.

Après avoir pris quelques bouffées, il haussa un sourcil – voilà peut-être d'où provenait le tic d'Ethan – et souffla un panache de fumée odorante du coin de la bouche.

— Dans ce climat politique sensible, vous envoyez votre Sentinelle à une rave ? commença-t-il. Avec tous les problèmes que nous rencontrons ?

— Je ne suis pas sûre qu'il s'agissait d'une rave, avançai-je, tentant de sauver les meubles. C'est ce que nous avons cru au départ, mais ce que nous avons vu est d'une autre ampleur, beaucoup moins intime, et très violent.

—Les raves sont toujours violentes, c'est leur nature même, trancha Darius.

Je me retins de le contredire. Après tout, étant donné que je n'avais assisté qu'à une seule soirée, il savait mieux que moi si l'agressivité était une constante.

—Ce qui est atypique, reprit-il, c'est d'utiliser un membre officiel de la Maison pour infiltrer ce genre d'événement.

—Nous n'avions pas d'autre choix que l'infiltration, répondit Ethan.

—Pas d'autre choix, répéta Darius d'un ton sec en affichant une expression sceptique.

Ethan se racla la gorge.

—Seth Tate nous a informés que des vampires étaient suspectés du meurtre de trois humaines. Il a fait délivrer un mandat d'arrêt à mon nom et menace de l'exécuter dans la semaine si nous ne résolvons pas ce problème. Il nous a donné l'occasion d'enquêter, et nous l'avons saisie.

—A-t-il ordonné l'exécution du mandat?

—Pas encore, mais…

—Alors, vous aviez le choix, assena Darius d'un ton sans réplique qui nous rappela que, si Ethan était le Maître de cette Maison, Darius, lui, était le Maître de toutes les Maisons.

Il braqua ensuite sur moi ses yeux bleus d'une froideur glaciale.

—Vous êtes Sentinelle.

—Oui, Monseigneur.

—Vous avez une apparence plutôt négligée.

Je réprimai l'envie de lisser mes cheveux et mon débardeur fripé. J'avais dormi tout habillée, et même si je m'étais rafraîchie à la Maison Grey, je devais toujours faire peur à voir. D'un autre côté, j'étais en tenue débraillée parce que j'avais travaillé, et non parce que je manquais d'hygiène.

— J'étais en mission, Monseigneur.

— Appelez cela comme vous voulez, marmonna Darius. Et vous rentrez seulement à la Maison ? Vous avez traversé Chicago dans cet état ?

Je donnai une chance à Ethan de me suggérer par télépathie ce que je pouvais et ne pouvais pas révéler à Darius – même si je n'avais plus grand-chose à cacher. Considérant son silence comme une permission, je dis la vérité, sans m'étendre plus que nécessaire.

— Il était tard, Monseigneur. L'aube approchait.

La cigarette entre les doigts, Darius s'humecta les lèvres et dirigea lentement le regard vers Ethan.

— C'est le moment de rassurer et convaincre l'opinion, d'améliorer notre image auprès du public, et non pas de la ternir en laissant votre Sentinelle se promener dans la ville en tenue négligée comme une vulgaire fille de mauvaise vie.

Je me figeai sous le choc de l'insulte. Ethan remua sur sa chaise.

— Merit est un soldat. Si son champ de bataille est certes inhabituel, ce n'en est pas moins un champ de bataille, et ce qu'elle porte constitue son uniforme.

Je lui fus reconnaissante de prendre ma défense et de plaider en faveur de mon statut de Sentinelle, que certains méprisaient. D'ailleurs, franchement, de quel service se targuait Darius ? de nous diriger depuis un autre continent, en costume, à fumer des cigarettes sorties d'un étui en argent ?

Je redressai le menton et regardai Darius droit dans les yeux.

— Je suis un soldat, confirmai-je. Et j'en suis fière.

Il haussa les sourcils d'un air intrigué.

— Et vous revenez de la bataille.

— D'une certaine manière, oui.

Darius se carra dans le canapé.

— D'après vous, la soirée d'hier, qu'il s'agisse ou non d'une rave, comportait une violence inhabituelle, résuma-t-il avant de prendre une nouvelle bouffée de cigarette, son visage exprimant clairement la suspicion. Vous aviez déjà assisté à une rave ? Vous avez un point de comparaison ?

— Non, admis-je. Je me suis appuyée sur l'information dont nous disposons, provenant de différentes sources, et de la visite d'un site où s'était déroulée une rave. D'après ce que nous savons, ces fêtes à Chicago restent rares et intimes. Peut-être les participants s'efforcent-ils ainsi d'éviter de se faire repérer. D'habitude, il y a moins d'une dizaine de vampires. Ce que nous avons vu hier soir ne correspond pas à cette description.

— Bien que je ne sois pas d'accord avec vos conclusions, votre rapport est plutôt pertinent, lança-t-il avant de se tourner vers Ethan. Je comprends pourquoi vous l'appréciez.

— Elle est très efficace, renchérit Ethan. Mais je suppose que vous n'avez pas traversé l'océan pour écouter le compte-rendu de mission de notre Sentinelle.

Darius se pencha en avant et écrasa son mégot dans le cendrier.

— Vous n'ignorez pas que la situation à Chicago devient de plus en plus préoccupante. Les métamorphes, les Solitaires, l'attaque de Cadogan… Les problèmes s'accumulent.

Ethan croisa les jambes.

— Comme vous pouvez le constater, nous avons pris les choses en main.

— Ces « choses », comme vous dites, dénotent un certain manque d'organisation et d'autorité politique au sein des Maisons de l'Illinois. Lorsque Célina a été révoquée, vous êtes devenu le Maître le plus expérimenté de Chicago, Ethan. Il est de votre responsabilité, de votre devoir envers le Présidium, de maintenir la stabilité de votre domaine.

Ce qu'il aurait parfaitement réussi à accomplir si vous aviez gardé Célina emprisonnée en Angleterre comme prévu, pensai-je.

— Que voulez-vous dire ? demanda Ethan.

— Qu'il y a une forte probabilité pour que la Maison Cadogan soit placée sous tutelle par le Présidium jusqu'à ce que la situation à Chicago soit maîtrisée.

Je n'avais pas besoin de connaître la signification précise de la mise sous tutelle pour comprendre l'idée générale : le PG menaçait de prendre la direction de la Maison.

Le silence s'abattit sur la pièce. Ethan demeurait immobile. Seule l'éloquente ride qui lui barrait le front indiquait qu'il avait entendu le discours de Darius.

— Avec tout le respect que je vous dois, Monseigneur, cette décision me paraît hâtive.

Ethan avait pris soin de parler d'un ton neutre et de peser ses mots. J'étais persuadée qu'il bouillait intérieurement. Il était impossible qu'Ethan puisse rester de marbre à la perspective que le PG gère sa Maison à sa place, mais il parvenait étonnamment bien à dissimuler ses émotions.

— Je ne suis pas tout à fait certain que vos propos témoignent le respect que vous me devez, Ethan. Il vous plaira sans doute d'entendre que le Présidium ne prend pas à la légère le fait de placer l'une des Maisons d'Amérique sous tutelle. Cette mesure évoque des souvenirs désagréables.

— Des souvenirs désagréables ? répétai-je.

Je n'aurais certainement pas dû intervenir étant donné que j'avais une position hiérarchique inférieure à tous les autres membres de l'assistance, mais parfois, la curiosité gagne.

Darius hocha la tête.

— La guerre d'indépendance américaine a constitué une période difficile pour les Maisons d'Angleterre et des États-Unis, comme vous pouvez l'imaginer. Le PG n'avait pas encore été créé – il ne l'a été que des décennies plus tard – et le Conseil Rouge détenait tout le pouvoir. En tant que Français, les membres du Conseil étaient en faveur de l'autonomie des colonies. En tant qu'Anglais, nous y étions opposés.

J'exprimai ma compréhension d'un signe de tête.

— L'immortalité aidant, certaines tensions subsistent au sein des Maisons d'Amérique, devinai-je.

— Exactement.

— Une excellente raison de ne pas envisager la mise sous tutelle, intervint Ethan.

— Nous l'envisageons pourtant déjà, Ethan. Je sais que vous n'approuvez pas le Présidium ou les actions que nous avons entreprises, mais nous n'avons pas édicté des règles et des procédures sans raison.

Et ces règles et procédures ne s'appliquent pas à Célina? persiflai-je en mon for intérieur.

Après quelques coups frappés à la porte, quelqu'un entrouvrit le battant. Un homme élégamment vêtu d'une chemise et d'un pantalon à pinces muni de bretelles passa la tête à l'intérieur. Seuls déparaient de sa tenue impeccable les plis de ses cheveux bruns ondulés.

— Monseigneur, la communication avec les Maisons de New York a été établie.

D'après son accent britannique et ses manières snob, il faisait certainement partie de l'escorte de Darius.

— Merci, Charlie, dit ce dernier. J'arrive dans un instant.

Après un hochement de tête, Charlie disparut. Darius se leva aussitôt, et tout le monde l'imita.

— Nous poursuivrons cette conversation plus tard, décréta Darius avant de se tourner vers moi. Bonne chance pour la suite de votre entraînement.

— Merci, Monseigneur.

Une fois qu'il fut parti et eut refermé la porte derrière lui, le silence régna un moment. Ethan posa les coudes sur les genoux et se passa la main dans les cheveux.

— Une mise sous tutelle…, répéta Luc. Quand est-ce que c'est arrivé pour la dernière fois?

— Il n'y en a pas eu depuis la crise financière d'avant la Seconde Guerre mondiale, répondit Malik. Il y a des années de cela.

— Il exagère, dis-je en les regardant tour à tour. Cadogan n'est pas responsable de ce qui s'est passé. C'est la faute d'Adam Keene, du PG, de Célina. Nous subissons les conséquences de leurs erreurs et de leurs méfaits, et maintenant, il voudrait que le Présidium dirige Cadogan ?

Ethan se redressa.

— En résumé, oui. Si la tutelle est prononcée, un curateur viendra ici, enquêtera sur toutes les procédures de la Maison et aura l'autorité – conférée par le PG – d'approuver chacune de nos décisions, des plus insignifiantes aux plus importantes. Chacun de nos actes sera rapporté au PG, donc à Darius et Célina. (Ethan posa sur moi ses yeux verts.) Et je me demande s'il aurait évoqué cette éventualité si notre Sentinelle ne l'avait pas convaincu que Chicago était une vraie pétaudière.

Ainsi, l'indulgence et l'impassibilité affichées par Ethan n'avaient été qu'un leurre pour Darius.

Malheureusement pour lui, nous avions été trop loin pour que je sois intimidée par une simple phrase tranchante ou une expression furieuse. J'avais accepté de prendre des risques pour mon Maître et la Maison, et n'avais pas l'intention de m'effacer parce qu'il n'en assumait pas les conséquences. Je soutins son regard.

Un silence pesant s'installa.

— Veuillez nous excuser, finit par aboyer Ethan, les yeux toujours rivés aux miens. (Comme personne ne bougeait, il tourna la tête vers Luc et Malik.) Je viens de vous congédier.

Ils se hâtèrent de sortir, me gratifiant au passage de regards compatissants.

Une fois qu'ils furent partis et eurent refermé la porte, Ethan resta immobile une bonne minute, raide dans son fauteuil.

Il finit par se lever pour aller s'asseoir derrière son bureau, s'assurant ainsi de mettre de l'espace – et des meubles – entre nous.

Je le connaissais depuis assez longtemps pour reconnaître là une des attitudes typiques d'Ethan Sullivan. Nous aurions pu ajouter cette manie au jeu consistant à répertorier les tics de notre Maître, quelque part entre sa façon impérieuse d'arquer les sourcils et son habitude d'appeler les Novices de la Maison par leur titre plutôt que par leur nom.

— Sentinelle, dit-il au bout d'un moment, les mains croisées sur son bureau.

J'avançai d'un pas, désireuse de lui montrer que je regrettais vraiment d'avoir tout révélé par inadvertance à Darius.

— Ethan, je suis sincèrement désolée. Tu étais au téléphone, et ça ne m'est même pas venu à l'esprit de vérifier s'il y avait quelqu'un d'autre dans la pièce.

Il leva la main.

— Tu lui as dit où tu étais allée. Je ne sais pas si je devrais t'étrangler tout de suite ou te traîner devant les membres du Présidium pour qu'ils le fassent à ma place.

J'aurais eu la même réaction. Je me contentai de hocher la tête.

Lorsqu'il me regarda de nouveau, il avait l'air désespéré.

— Un curateur. Dans ma propre Maison. Une Maison sur laquelle j'ai veillé, que j'ai dirigée, parfois à la manière d'un père. Tu te rends compte de l'insulte que ça représente pour moi ? Me faire remplacer par un administrateur, une sorte de spécialiste de l'organisation qui ne serait même pas capable de guider des vampires avec une carte et une boussole ? L'écouter me dire si ce que j'ai fait est bien ou mal, ou comment réparer les erreurs que j'ai commises ?

Mon cœur se serra. Ce devait être très dur pour Ethan d'entendre non seulement que le chef suprême des vampires n'était pas satisfait par son travail, mais qu'il avait l'intention de faire venir quelqu'un d'Angleterre pour s'assurer qu'il accomplissait ses tâches correctement. Je n'aurais pas été ravie non plus.

Et le pire, c'est que ce qui arrivait était en partie ma faute. Certes, Darius n'aurait sûrement pas effectué un aussi long voyage s'il n'avait pas déjà eu des inquiétudes au sujet de la Maison, mais j'avais peut-être précipité sa décision de mise sous tutelle.

—Cadogan est une Maison ancienne et respectable, Merit. La désignation d'un curateur est un véritable affront. (Il détourna le regard et secoua tristement la tête.) Comment ne pas considérer ça comme une injure à tout ce que j'ai accompli depuis la mort de Peter ?

Il parlait de Peter Cadogan, celui qui avait donné son nom à la Maison, le premier Maître. Il avait tenu les rênes jusqu'à sa mort, puis Ethan lui avait succédé.

—Je l'aurais pris comme une attaque personnelle, moi aussi.

Ethan aboya un rire.

—Plus qu'une attaque personnelle, c'est une remise en cause de notre travail à tous, moi, Malik, Luc, Helen, toute l'équipe. Chaque Initié, chaque Novice qui a servi. Une insulte à tous les sacrifices consentis. En bref, tu l'as convaincu que nous ne maîtrisions pas la situation.

—Ce qui est le cas si ce que nous avons vu hier soir est monnaie courante. Il ne s'agissait pas de cinq vampires et d'un ou deux humains réunis pour partager quelques gouttes de sang, Ethan. C'était une énorme fête, très animée.

— Donc, ce n'était pas une rave.

— Pas du genre de celles dont nous avons entendu parler auparavant. Les vampires étaient surexcités, l'air épais de magie. Des bagarres éclataient dans tous les sens.

— Est-ce que vous avez dû vous défendre, Noah et toi ?

Je me haïs de devoir mentir à Ethan. Vraiment. Mais il n'aurait pas été juste de ma part de satisfaire ma conscience aux dépens de Jonah. Je rassemblai donc mon courage et lui racontai ma version de l'histoire.

— Nous défendre, oui. Nous n'avons pas réellement eu besoin de nous battre, même si la situation était en train de dégénérer quand nous sommes partis. J'ai trouvé une humaine qui nécessitait de l'aide. Elle avait été droguée ou charmée, je ne sais pas vraiment. Il fallait la faire sortir, et quelques vampires n'avaient pas envie qu'elle s'en aille. Noah a répandu du sang par terre pour faire diversion, et les vampires sont devenus fous. Ils ont commencé à se battre dans tous les coins de la salle, mais nous avons réussi à nous éclipser, puis elle est rentrée chez elle. Elle était si reconnaissante – et gênée – qu'à mon avis, elle ne nous causera aucun problème. (Je poussai un soupir et détournai le regard.) Je déteste dire une chose pareille, Ethan. Je suis horrifiée de considérer une femme qui s'est trouvée en mauvaise posture comme une menace. Ces vampires la traitaient comme un objet. Ça ne devrait jamais se reproduire. Nous ne devons pas laisser faire ça.

Je reposai les yeux sur lui, et appréciai la compassion que je lus sur son visage.

— Tu es très humaine, pour une vampire, déclara-t-il d'un ton affectueux.

—C'est toi qui le dis.

—J'ai moi-même considéré ce trait de caractère comme une faiblesse, et chez certains vampires, je le pense encore. Mais dans ton cas… espérons que ce que tu traverses ne finira pas par te priver de cette qualité.

On se dévisagea quelques instants sans prononcer un mot, puis je brisai le silence. Je plongeai la main dans ma poche, sortis l'enveloppe et la lui tendis.

—Voilà la raison pour laquelle nous soupçonnons que les humains ont été drogués.

Ethan inspecta l'objet puis en fit tomber le contenu dans sa paume.

—Que signifie ce «V»?

—Je ne sais pas. «Vampire», je suppose. Et tu veux connaître le pire? La fille qui m'a donné ça, Sarah, avait été informée de la rave au *Temple Bar*.

Ethan se figea.

—Quelqu'un se sert du bar de la Maison Cadogan pour racoler les humains?

—On dirait, oui.

Un muscle de sa mâchoire tressaillit, mais quelques instants plus tard, il semblait de nouveau détendu.

—Au moins, tu as réussi à cacher ça à Darius.

La lueur moqueuse dans ses yeux me fit sourire.

—Comme quoi les miracles existent, concédai-je. Sarah m'a dit qu'elle avait été abordée par un homme de petite taille… et une femme prénommée Marie.

Ethan se pétrifia, puis glissa les pilules dans l'enveloppe.

—Il doit y avoir un millier de Marie à Chicago.

—C'est vrai, reconnus-je.

Il me rendit l'enveloppe.

— Rien ne prouve qu'il s'agisse de Célina. Elle ne s'est pas fait appeler ainsi depuis deux siècles.

— C'est encore vrai, admis-je en tapotant sur l'enveloppe avec les doigts.

— D'habitude, tu te défends avec bien plus de conviction.

— D'habitude, j'ai plus d'arguments sur lesquels m'appuyer.

— Nous allons finir par faire de toi une véritable Sentinelle, ironisa-t-il avec un petit sourire.

Bien entendu, même si je ne disposais pas d'assez de preuves impliquant Célina dans cette affaire nauséabonde, certains faits demeuraient…

— C'est quand même une étrange coïncidence que cette rabatteuse utilise l'ancien nom de Célina.

— Le même qui nous a conduits sur la piste d'un saboteur la dernière fois qu'elle s'en est servi, me rappela Ethan.

Il marquait un point : Célina avait envoyé des e-mails compromettants à Peter sous le pseudonyme de « Marie Collette ». Il oubliait cependant un détail.

— Célina ignore que nous l'avons démasquée grâce à cette adresse en particulier. Elle en utilisait cinq ou six autres, et elle n'est pas au courant que c'est à cause de celle-ci que nous avons découvert la traîtrise de Peter. Tout ce qu'elle sait, c'est qu'il a arrêté de se plier à ses quatre volontés. Plus important encore, elle n'imaginait sans doute pas se faire prendre. Quelles étaient les probabilités pour que je rencontre cette fille et qu'elle me raconte qu'une femme nommée Marie sollicite les humains devant un bar ?

— Quelles sont les probabilités pour que Célina utilise un pseudonyme que nous sommes susceptibles d'identifier devant un bar qui nous appartient?

D'accord, exprimée en ces termes, mon hypothèse ne paraissait pas très convaincante.

— Ce n'est pas parce que je n'ai pas encore découvert de preuve qu'il n'y a aucun lien.

— Et ça recommence…, marmonna Ethan avant de reposer les yeux sur moi, toute ironie ayant à présent disparu. Merit, le directeur du PG se trouve sous notre toit en ce moment même. Je t'ordonne de ne plus mentionner Célina (lorsque j'ouvris la bouche pour protester, il leva la main) jusqu'à ce que tu aies des indices plus convaincants qu'un nom qu'elle serait éventuellement susceptible d'avoir utilisé. Je considère que ce sujet est clos. Compris?

— Compris, assurai-je avant de m'humecter les lèvres. Est-ce que tu me fais confiance?

Son regard se fit plus séducteur que je ne l'aurais souhaité.

— Si je te fais confiance?

— On dirait que Darius n'a pas vraiment envie que je me salisse les mains, mais c'est mon boulot, et franchement, je le fais plutôt bien.

— À la plus grande surprise de tous.

Je le dévisageai d'un air courroucé.

— Nous savons que quelque chose d'étrange est en train de se passer. Si le seul moyen de s'assurer que des vampires ne massacrent pas des humains est d'infiltrer les raves, alors il faut le faire. Je dois y retourner afin de creuser cette piste.

— Il est impensable de se mettre le PG à dos.

Me voyant plisser les yeux, il coupa court à toute protestation de ma part en ajoutant :

— Et je ne dis pas ça parce que tu fais partie de cette Maison. Je comprends ton impatience et apprécie ton dévouement, mais s'ils pensent que tu t'opposes à eux, ils te descendront en flèche, Merit. Ils disposent d'une sorte d'autorité souveraine. Célina vit encore car elle n'a pas défié cette autorité. Si tu te dresses contre eux, tu menaces directement Darius et les autres. Et ce sera le début de la fin pour toi.

— Je sais, mais ce n'est pas une raison pour laisser faire ceux qui sèment la discorde dans la ville.

Son visage exprima un mélange de triste résignation et de fierté, reflétant mes propres sentiments.

— Je ne t'ai pas entraînée, je n'ai pas investi en toi pour que tu te livres en pâture au PG en te sacrifiant au nom de Chicago.

Il parlait avec douceur et sérieux, mais ses yeux trahissaient son émotion. Une émotion sincère.

— Je n'ai pas l'intention de m'offrir en sacrifice. Et je ne te laisserai pas le faire non plus.

Il détourna le regard.

— Ils vont surveiller la Maison. Ils connaîtront le moindre de nos faits et gestes.

C'est le moment, pensai-je, me préparant à lui exposer mon plan.

— Pas si tu n'es pas impliqué.

Il s'immobilisa, visiblement abasourdi, puis s'appuya contre le dossier de sa chaise. Cette suggestion le rendrait sans doute nerveux, mais j'avais piqué sa curiosité.

— Que veux-tu dire exactement ?

—J'ai des amis puissants : Mallory, Catcher, Gabriel, mon grand-père, Noah, commençai-je, omettant sciemment de mentionner Jonah et la Garde Rouge. Je peux travailler avec eux afin d'accomplir ce que le PG t'interdit.

Les sourcils froncés, Ethan se redressa et remua des documents sur son bureau d'un air absent. Au bout de quelques instants, il secoua la tête.

—Si tu ne travailles pas sous mon autorité, tu ne bénéficies pas de ma protection. Et si tu te fais prendre, le PG n'appréciera pas d'apprendre qu'une Sentinelle écume Chicago sans aucune supervision.

—Par contre, ils ne voient aucun inconvénient à permettre à une ancienne Maîtresse de le faire ?

—Elle a seulement tué des humains, me rappela-t-il d'un ton sec. Tu parles de défier le PG.

—Je parle d'accomplir ce qui est nécessaire, ce qui est juste. Des humains font le piquet de grève devant nos portes et le maire est sur le point de tenter Dieu seul sait quoi contre toi et la Maison pour se rendre populaire. Sans compter les vampires déchaînés prêts à déclencher une bagarre sans raison, juste pour le plaisir. Est-ce que tu as vraiment envie de les laisser se balader à Chicago ?

Après une pause, sachant ce qu'il avait besoin d'entendre, j'ajoutai :

—Je me suis entraînée, je suis plus forte qu'avant.

Il leva la tête, les yeux plissés par l'inquiétude.

Bon sang, je détestais le voir si angoissé, et à cause de moi, en plus. En dépit de toutes mes résolutions, je m'approchai de lui. Je me faufilai entre le bureau et sa chaise, et lorsqu'il se pencha pour appuyer le front contre mon ventre, je glissai mes doigts dans ses mèches soyeuses.

—Je serai prudente.

Ethan grogna puis posa les mains sur ma taille. Je lui caressai longuement les cheveux, et lui massai le dos du bout des doigts. Peu à peu, je sentis la tension quitter ses épaules.

Lorsqu'il me regarda de nouveau, ses iris ressemblaient à deux émeraudes chatoyantes.

J'esquissai un sourire.

—Tu as l'air ivre.

—Je me sens… détendu.

Comme je craignais de franchir les limites que je m'étais imposées, je me libérai de son étreinte, m'écartai, puis fis le tour de son bureau pour retourner m'asseoir en face de lui.

Je pensais qu'il serait irrité par mon comportement, mais pour la deuxième fois, il me surprit. Lorsque je le regardai de nouveau, il me souriait. Un sourire honnête, humble et tendre.

—Peut-être que je m'améliore? demanda-t-il. Que j'apprends à te courtiser comme tu le mérites?

Croisant les jambes, je plongeai les yeux dans les siens.

—Mon boulot consiste à assurer la sécurité de cette maison. Veiller à la santé mentale de mon Maître me paraît un bon point de départ.

—C'est ta version des faits?

—C'est ma réponse.

—Je n'y crois pas.

Je lui adressai un mince sourire, les yeux mi-clos.

—Tu n'es pas obligé.

—Pfff, soupira-t-il, malgré tout visiblement satisfait par ma repartie.

Cette fois, ce fut lui qui lança l'offensive. Il se leva, contourna le bureau et s'avança vers moi. Je me raidis en le voyant s'approcher. Quand il se trouva devant moi, il prit mes mains dans les siennes, comme le maire l'avait fait quelques jours auparavant.

—Je me connais suffisamment pour admettre que je préfère contrôler la situation, expliqua-t-il. Je pense que c'est la conséquence des responsabilités qui pèsent sur mes épaules. Mais je t'ai déjà dit ce que je ressentais pour toi…

—En fait, non.

Il cligna des yeux.

—Pardon ?

—Tu m'as dit que tu commençais à te rappeler ce que ça faisait d'aimer quelqu'un, lui remémorai-je en souriant. Tu ne m'as jamais rien avoué qui me concerne personnellement.

Il pinça les lèvres, mais eut néanmoins l'intelligence de poser une question pertinente :

—Est-ce que ça changerait quelque chose si je le faisais ?

—Non, mais les filles aiment entendre qu'on les apprécie.

L'éclair qui traversa ses yeux représenta l'unique avertissement avant qu'il se mette à genoux devant moi.

Je me pétrifiai, l'estomac noué. En dépit de mes remarques espiègles, un homme agenouillé à mes pieds revêtait une signification que je ne me sentais pas prête à affronter.

Ethan passa une main autour de mon cou et caressa du pouce l'endroit où se percevaient mes battements de cœur.

—Merit, je t'…

—Tais-toi !

Je savais bien que je l'avais poussé à le faire, mais cela ne voulait pas dire que j'étais préparée à entendre ces paroles. Je réussis à l'interrompre d'une voix implorante avant qu'il ait prononcé le mot fatidique.

— Tais-toi. Ça ne ferait que rendre notre travail à tous les deux plus difficile.

— Je suis vexé que tu doutes de ma sincérité.

— Parce que tu es sincère ?

Il me considéra d'un air impassible, puis son expression devint plus grave.

— Qu'est-ce qu'il y a ? demandai-je.

— Nous sommes des vampires.

— J'en ai conscience.

— En tant que tels, nous négocions, passons des marchés, et concluons des accords.

Je haussai les sourcils.

— Et quel accord as-tu l'intention de conclure ?

— Je veux un baiser.

Avant que j'aie eu le temps de répliquer, il ajouta précipitamment :

— Un seul baiser, et je garderai ma déclaration pour moi. Ensuite, j'arrêterai de te draguer, comme tu le dis toi-même, jusqu'à ce que tu viennes à moi et me fasses ta propre déclaration.

Je le regardai du coin de l'œil afin d'observer l'expression de son visage. Je le croyais capable de manipulation psychologique, et sa proposition n'avait aucun sens s'il ne s'agissait pas d'une nouvelle stratégie. J'avais beau reconnaître le magnétisme qui existait entre nous, je me sentais de taille à m'abstenir de faire des avances à mon patron.

— Un baiser ? répétai-je.

— Un baiser.

— Marché conclu, affirmai-je.

Espérant en finir tout de suite, je fermai les yeux et tendis les lèvres. Ethan gloussa, mais lorsque je me rendis compte qu'il ne bougeait pas, j'ouvris un œil.

— N'imagine pas t'en sortir aussi facilement, se moqua-t-il.

Il fit glisser sa main sur ma nuque et, son pouce au creux de mon cou, étendit les doigts sur mon épaule.

Il plongea son regard d'un vert irréel dans le mien, puis ferma les yeux et s'approcha.

Mais il ne m'embrassa pas.

Il resta quelques instants les lèvres suspendues au-dessus des miennes. Je refusai de m'en emparer – et il refusa d'exécuter notre marché.

— Tu triches, murmurai-je.

J'hésitais entre le soulagement et le regret. Je craignais de perdre toute volonté de résistance si sa bouche se posait sur la mienne, et redoutais d'avoir de nouveau le cœur brisé.

Ethan secoua la tête.

— J'ai dit un baiser, et je suis sérieux. Un baiser, selon mes conditions, lorsque le moment sera venu.

Soudain, il approcha les lèvres de mon oreille et en mordilla le lobe. Je frissonnai quand une décharge électrique me parcourut l'échine, et la sensation intense de plaisir me fit fermer les yeux.

— Ce n'est pas un baiser, susurra-t-il.

— Ce n'est pas non plus dans l'esprit de notre accord.

— Ne nous arrêtons pas sur ces formalités, Merit.

Il effleura ma joue de sa bouche, me laissant entrevoir ce qu'il était susceptible de faire.

Attisant mon désir.

Je réprimai l'envie de m'avancer, de presser mes lèvres contre les siennes et d'en finir. D'agir comme il m'incitait à le faire.

— Je t'aurai de nouveau dans mon lit, Sentinelle. Et à mon côté. C'est une promesse.

— Tu me provoques pour essayer de me séduire ?

— Est-ce que ça fonctionne ?

Ma réponse ressembla davantage à un grognement frustré qu'à une parole intelligible. Je me connaissais assez bien pour savoir que la seule chose qui me procurait davantage de plaisir que d'obtenir ce que je voulais était de ne pas l'obtenir. D'après mon expérience, il était plus amusant d'entretenir son désir que de l'assouvir.

D'un autre côté, j'étais capable de jouer à ce jeu-là, moi aussi.

Je levai la main afin de repousser une mèche de cheveux derrière son oreille, puis traçai les contours de son sourcil et de sa mâchoire du bout du doigt, me délectant de chacun de ses traits, de ses pommettes parfaitement dessinées à ses lèvres pleines.

Cette fois, il se figea.

Enhardie par sa réaction, je caressai d'un geste sensuel la ligne de son cou, puis empoignai le col de sa chemise et l'attirai vers moi.

Voyant ses yeux s'écarquiller, je refrénai un sourire.

Je me fis un plaisir de le torturer, effleurant sa joue du bout des lèvres, puis son oreille. Je le mordis délicatement, juste assez pour lui arracher un soupir de désir. J'ignorais si je le taquinais simplement par revanche, ou si je souhaitais ressentir la satisfaction de lui faire éprouver ces sensations.

Mon cœur cognait dans ma poitrine, affolé par la peur, l'impatience et l'excitation.

—Est-ce que tu aimes ce genre de jeu ? susurrai-je.

—J'aime les préliminaires, déclara-t-il avec assurance, d'une voix rauque et sensuelle.

Je considérai son ton comme un signal. J'avais envie de troubler Ethan, pas de nous faire franchir un point de non-retour. J'appuyai ma paume contre sa poitrine et le repoussai. Il se releva en chancelant, me regardant avec des yeux chargés de frustration.

Ce n'est qu'un juste retour des choses, pensai-je. Être si près d'obtenir ce que l'on désirait… et en même temps si loin.

Je me mis debout et commençai à me diriger vers la porte, puis m'immobilisai, poussai un soupir et resserrai ma queue-de-cheval.

—C'est tout ? protesta-t-il.

Mon cœur tambourinait dans ma poitrine et mon sang coulait dans mes veines bien plus vite qu'il n'aurait dû.

—Tu m'as dit un baiser. Tu as eu l'occasion de le prendre.

Ethan se passa la langue sur les lèvres, rajusta le col de sa chemise et retourna derrière son bureau. Après s'être assis, il me regarda, une pointe de tendresse au fond des yeux.

—Un baiser, promit-il. Après ça, la prochaine fois que nous nous toucherons, ce sera parce que tu l'auras demandé.

Je n'étais pas assez naïve pour lui affirmer que ça ne se produirait jamais, que je ne reviendrais pas vers lui. Je n'étais pas dupe, et lui non plus.

—J'ai peur, finis-je par confesser.

—Je sais, souffla-t-il doucement. Et me dire que c'est ma faute me rend malade.

Le silence flotta entre nous quelques instants.

—Quelle est l'étape suivante ? demandai-je, le rappelant à notre travail.

—Un petit verre ?

Alors que j'ouvrais la bouche pour répondre, une pensée me traversa l'esprit. Je me remémorai les révélations de Sarah, puis fis un geste en direction de ses meubles flambant neufs.

—Eh bien, ce ne serait pas une mauvaise idée.

—Est-ce que j'aurais fini par te convertir à l'alcool, Sentinelle ?

Je lui adressai un sourire malicieux.

—Nous approchons de la fin des travaux. Je devrais peut-être inviter quelques Novices à se détendre au *Temple Bar*.

La compréhension éclaira son visage, et une lueur approbatrice apparut dans son regard.

—Ce qui te donnerait l'occasion d'enquêter afin de savoir si on utilise mon bar pour repérer des victimes humaines. Bonne idée, Sentinelle.

—Je ne vois pas ce que tu veux dire, Sullivan. Je parlais simplement d'aller boire quelques verres avec mes amies.

Le silence qui s'ensuivit consolida notre nouvel accord. J'étais désormais les yeux et les oreilles d'Ethan. Il m'incombait de résoudre le problème soulevé par Tate. Afin de garantir la sécurité de mon Maître, je ne devais pas lui fournir plus d'informations que nécessaire. L'idée de défier le PG ne m'enchantait pas vraiment, et j'avais jusqu'à présent presque toujours joué mon rôle de Sentinelle avec Ethan à mon côté. Toutefois, j'étais attirée par la perspective de remplir ma mission sans avoir à combattre l'alchimie qui me liait à lui, et le danger qu'elle impliquait.

Il consulta sa montre.

— Au cas où ça t'intéresserait, Darius va sans doute revenir me lancer quelques menaces supplémentaires, mais il finira par regagner le *Ritz*. Le décalage horaire fera son effet à un moment ou à un autre, et un vampire a besoin de repos. Si tu te rendais au bar à… disons, 3 heures, tu ne le verrais certainement pas.

— Quel dommage. (Notre pacte conclu, je me dirigeai vers la porte.) Je te tiendrai au courant des renseignements pertinents concernant les cocktails maison.

— Sentinelle ?

Je jetai un coup d'œil en arrière.

— La prochaine fois que tu te sens d'humeur bavarde, n'oublie pas de vérifier qui se trouve dans la pièce.

11

FÊTARDES

D'accord, ce n'était pas très sain. Je savais bien qu'un biscuit fourré à la crème de guimauve ne constituait pas le remède miracle contre la frustration. Un jogging à Hyde Park ou une séance d'entraînement avec Luc se seraient avérés plus efficaces qu'une tonne de calories.

Ce qui n'en rendait pas moins mon Mallocake – un morceau de génoise bourré de produits chimiques et de graisses saturées garni d'une pâte de guimauve tellement sucrée qu'elle restait collée aux dents – tout aussi délicieux que les trois précédents.

Mallory avait découvert les Mallocakes un soir dans une petite épicerie de quartier. Seuls quelques magasins les proposaient à la vente à Chicago, de sorte que son amour naissant pour ces douceurs – causé en partie par une quasi-homonymie – se révéla peu pratique. Les Mallocakes étaient fabriqués par une pâtisserie familiale de l'Indiana qui les expédiait seulement une fois par mois, et étaient donc difficiles à trouver. Même s'il fallait se bouger les fesses pour en dénicher, je devais reconnaître qu'ils en valaient la peine.

Ils étaient divins.

La génoise au chocolat était constituée d'un alliage équilibré de cacao amer et d'un biscuit peu sucré qui contrebalançait à merveille la garniture ultra-riche en glucose. Chaque gâteau recélait plusieurs centaines de calories, et une boîte contenait six Mallocakes en emballages individuels. De quoi organiser une séance de déprime dans de bonnes conditions.

D'un autre côté, j'étais une vampire. Ils ne pouvaient pas me faire de mal. En dépit des reproches que j'étais en droit de faire à Ethan pour m'avoir transformée, je bénéficiais désormais d'un métabolisme accéléré qui me permettait de garder la ligne.

Un vampire raisonnable aurait tenté d'assouvir sa faim avec un sachet ou deux de sang de groupe O ou AB, mais se jeter sur des Mallocakes était un comportement très humain, et parfois, j'avais besoin de me rappeler ma part d'humanité. Les petits déjeuners à base de céréales complètes bio avec graines de lin et germes de blé, ça va bien un temps. Après tout, nous étions les seules créatures sur terre à pouvoir nous gaver de sucres et de graisses en toute impunité, alors pourquoi s'en priver ?

Je n'avais donc aucune raison de ne pas dévorer ces Mallocakes.

Et franchement, il fallait bien fêter le fait que les journaux n'avaient pas dit un mot de la rave de la veille. Tout ne s'était pas peut-être pas déroulé sans heurts quand j'étais rentrée à la Maison, mais le silence de la presse constituait toujours une victoire appréciable.

Ainsi, une petite victoire et deux mille calories plus tard, je jetai les emballages vides à la poubelle et saisis le téléphone que j'avais posé sur la table de nuit. À présent que j'étais rassasiée, il était temps de me remettre au travail.

Jeff répondit avant la fin de la première sonnerie.

— Merit !

— Salut, Jeff. Tu as du nouveau au sujet du numéro ?

— Que dalle. Il a été attribué à un téléphone jetable, et d'après le compte, le client n'a pas envoyé d'autre message que ce fameux texto ni passé d'appel. Je n'ai trouvé aucune trace de facturation ni du temps de communication, ni du portable lui-même dans mes fichiers commerciaux, ce qui signifie que les transactions ont dû être réglées en liquide.

— Oh, merde. Et au passage, ça me perturbe que tu aies accès à des données appartenant à des entreprises privées.

— Ce n'est qu'un tout petit peu illégal. Hé, tu voudrais que je te fasse disparaître du système financier ? C'est possible. Même les fédéraux ne te retrouveraient pas. Je te jure, ils ne sont pas très doués.

Son enthousiasme me mit presque mal à l'aise. Après tout, j'étais la petite-fille d'un policier. Bon, d'un autre côté, Jeff travaillait pour lui.

— Non, merci. Et si tu commets des crimes, assure-toi que c'est pour le bien de la ville.

— Tu n'es pas marrante, se plaignit Jeff.

— C'est faux. Je peux être très marrante.

— De toute manière, les vampires n'ont que dix pour cent d'humour. Les quatre-vingt-dix pour cent restants, c'est de l'angoisse. Et de l'obsession pour le sang.

— Tu fréquentes bien trop M. Bell. Hé, tant que je t'ai au bout du fil, tu pourrais me le passer ? J'ai une question à lui poser.

—Sans problème, affirma-t-il. Catch, j'ai la petiote au téléphone.

J'entendis des bruits de pas traînants, sans doute ceux de Jeff qui se déplaçait pour apporter le combiné à Catcher. Ce moment de répit me laissa le temps de m'adapter au fait qu'ils m'avaient surnommée « la petiote ». Mon charisme de vampire en prenait un coup.

—Salut, ma poule, lança Catcher. Quoi de neuf ?

—De la drogue.

—On vit dans la troisième plus grande ville du pays. Tu vas devoir entrer dans les détails.

Je saisis l'enveloppe et l'examinai.

—Des pilules blanches qui se consomment sans doute par deux. Elles sont marquées d'un « V » et circulent dans une petite enveloppe portant la même inscription.

Il garda le silence quelques instants.

—Il faut que je vérifie dans nos données, mais ça ne me dit rien. Pourquoi tu demandes ça ?

Je lui racontai l'histoire, remplaçant le nom de Jonah par Noah, haïssant d'avoir à empiler les mensonges à ce rythme. Bientôt, j'aurais besoin d'un échafaudage.

—Est-ce qu'il y a une probabilité pour que les humains aient été drogués avec ça ? l'interrogeai-je. Peut-être pour les rendre plus sensibles au charme ?

—Et les inciter à offrir plus facilement leur sang à une fête ? Je n'y crois pas. (Je l'imaginai se penchant en arrière sur sa chaise, les mains derrière la tête, prêt à prodiguer ses conseils.) C'est se donner beaucoup de mal pour faire un truc que le charme accomplirait sans problème. Enfin, après tout, c'est pour ça que vous avez des pouvoirs.

—C'est vrai.

— En plus, sans vouloir accabler les victimes, si des humains se rendent à une fête de vampires, ils ont conscience que du sang va être versé. Ce qui ne signifie pas forcément qu'ils consentent à offrir le leur – s'afficher en pro-vampire à une soirée n'est pas la même chose que s'asseoir et tendre la veine –, mais ce que je veux dire, c'est qu'ils n'ont sans doute pas besoin de drogue pour se laisser convaincre. Tu es au courant des bracelets ?

— Les rouges ? Ouais, j'en ai vu. Des humains en portaient.

— Alors, les vampires n'avaient pas à leur forcer la main. Et franchement, je ne suis pas sûr que quelqu'un qui ne demande qu'à se faire sucer le sang représente un défi vraiment attirant. À mon avis, ce n'est pas le genre de fantasme qui fait vibrer les vampires.

— Tu as peut-être raison, concédai-je. Il y avait une grande quantité de magie dans l'air. Est-ce que tu crois qu'elle aurait pu provenir de l'extérieur ? ne pas être d'origine vampire, je veux dire ?

— Tu me demandes si un sorcier serait susceptible de mettre un humain KO pour permettre à un vampire d'en profiter ? lança-t-il d'un ton abrupt. Il n'y a que Mallory et son tuteur à Chicago, et même si d'autres abrutis de l'Ordre se trouvaient dans cette ville, ce qui n'est pas le cas, je te répondrais « non ». Un sorcier ne ferait jamais un truc pareil.

— Et que penses-tu de provoquer la violence ? Est-ce qu'un sorcier aurait intérêt à rendre des vampires plus agressifs, nerveux, ce genre de chose ?

— Je déteste devoir briser tes rêves, Merit, mais l'Ordre se contrefout de vos niveaux d'hormone.

Nous pouvions donc écarter l'hypothèse de Jonah, qui ne m'emballait pas particulièrement, de toute façon.

—Alors, je suis perdue. J'espérais que tu aurais des idées.

—J'ai toujours des idées. Tu as dit qu'il y avait de la violence, du charme, et de la drogue, c'est ça ?

—C'était *Une nuit en enfer*, là-dedans. Les vampires montraient les crocs, et bon nombre d'entre eux avaient les yeux argentés, et les iris étranges. Avec la magie, le charme et les odeurs de sang qui flottaient dans l'air, leurs pupilles étaient complètement contractées. (Je faillis mentionner Jonah, et m'abstins au dernier moment en m'en tenant à sa couverture.) Noah a créé une diversion en versant du sang par terre, ça a rendu les vampires fous furieux.

—C'est du sang. Vous êtes des vampires. Pas étonnant que vous deveniez fous furieux dans ces circonstances.

—Ça ne ressemblait pas à l'envie incontrôlable de la Première Faim. C'était, comment dire, plus agressif. (Je me rappelai les paroles d'Ethan.) Comme si, au lieu de la sensualité, ils recherchaient la bagarre, la violence, l'adrénaline. Nous ne sommes pas en train de parler de deux ou trois vampires buvant quelques gorgées de sang en cachette, mais d'une énorme fête avec beaucoup de magie, de charme, d'humains influençables et de vampires très énervés prêts à se battre pour un rien.

Catcher soupira.

—Je n'aime pas jouer au porteur de mauvaises nouvelles, mais c'est peut-être un effet de la popularité, un nouveau moyen de s'amuser pour les vampires.

—Si c'est le cas, ils recrutent au *Temple Bar*. Et le téléphone qui a reçu le texto a été trouvé au *Benson's*.

J'entendis grincer sa chaise.

—Ils recrutent dans les bars des Maisons ? s'étonna-t-il.

—D'après ce que nous savons, oui. Apparemment, les humains au *Temple Bar* ont été abordés par un homme plutôt petit et une femme sans doute prénommée Marie. Est-ce que je t'ai déjà dit le nom de naissance de Célina ? Marie Collette Navarre.

—Ah, voilà qui est intéressant. Le raisonnement est assez merdique, mais intéressant.

—J'adore les infos croustillantes.

—J'imagine que tu comptes aller au *Temple Bar* mener l'enquête ?

—Je pars dans moins d'une heure.

—Super. Entre-temps, je vais contacter notre informateur vampire et voir si je peux trouver quelque chose sur les recruteurs. Après tout, je te dois une faveur.

—Ah bon ?

—Oui, affirma-t-il avant de se racler la gorge avec nervosité. Mallory et moi avons eu une discussion, hier soir.

—Comment va-t-elle ?

—Elle pourrait aller mieux, mais ta petite mise au point lui a remonté le moral. Tu l'as bien aidée, Merit, et je t'en suis reconnaissant. Vraiment. Je l'ai rassurée. Le reste s'arrangera avec le temps.

Les larmes commencèrent à me piquer les yeux.

—Merci, chef. J'étais inquiète. Je l'aime aussi, tu sais, mais pas à ta manière, espèce d'obsédé.

—Je dois dire qu'au lit c'est assez phénoménal.

Je fis semblant de vomir.

—Épargne-moi les détails et appelle-moi si tu apprends quelque chose.

—D'accord, dit-il avant de raccrocher.

Je reposai le téléphone et le contemplai pendant une minute. Je ne me sentais pas encore prête à passer à l'étape suivante du marathon téléphonique du soir.

Ethan n'avait peut-être pas été convaincu par mon hypothèse, mais je soupçonnais toujours Célina d'être impliquée dans cette histoire, ou du moins d'embaucher des sous-fifres – dont sans doute un homme de petite taille – pour accomplir les basses besognes à sa place. À mon avis, le fait qu'une Marie incite les vampires à traiter les humains comme des boissons jetables constituait une coïncidence un peu trop troublante.

Je me fis une promesse : quoi qu'il arrive, je m'occuperais d'elle en personne. Elle s'en était prise à moi, à Ethan, et s'amusait à semer la zizanie dans les Maisons et dans la ville. Même si je devais le cacher à Ethan et au PG, je la mettrais hors d'état de nuire.

Bien entendu, j'avais besoin de preuves. Je devais admettre qu'un nom correspondant à l'un de ses pseudonymes ne suffisait pas à étayer ma théorie. Si je voulais confirmer le rôle qu'elle jouait, qui était le plus à même de me renseigner ?

Morgan Greer. Le nouveau Maître de Navarre, également mon ex-petit ami – il ne l'avait pas été longtemps – et ancien partisan de Célina. Je ne sautais pas de joie à l'idée de faire appel à lui, mais il avait été le Second de Célina, ce qui faisait de lui la meilleure source de renseignements sur elle. Je ne pensais pas qu'il contacterait de lui-même Scott ou Ethan afin de partager ses informations.

Je composai le numéro de Morgan, que j'avais gardé dans la mémoire de mon téléphone au cas où j'aurais voulu l'appeler après une soirée trop arrosée, et attendis qu'il décroche.

—Greer, lança-t-il.

Il y avait quelque chose de prétentieux dans sa manière de répondre en énonçant son nom de famille. Il avait de nouveau le droit de l'utiliser depuis qu'il était devenu Maître de Navarre, et semblait désireux de rappeler à ses interlocuteurs ce changement de statut.

—Salut Morgan. C'est Merit.

—Oh, salut, répondit-il d'un ton soudain suspicieux.

—Je suis désolée de te déranger, mais j'ai besoin d'une faveur.

—Une faveur?

—Ouais, et j'aimerais que tu me promettes de ne pas sauter au plafond.

—En général, quand quelqu'un dit ça, il y a une forte probabilité pour qu'on saute au plafond.

—C'est vrai, concédai-je avant de rassembler mon courage pour lui débiter toute l'histoire. Il faut que je te parle au sujet de Célina.

Je lui donnai les détails concernant la rave présumée et la femme nommée Marie qui avait été vue aux portes du *Temple Bar*.

S'ensuivit un long silence.

—Et quel rôle penses-tu qu'elle joue là-dedans?

—Je n'en suis pas encore sûre. Peut-être qu'elle recrute des humains pour leur faire jouer le rôle d'appât à des sortes de sessions de maîtrise de soi destinées aux vampires?

Il souffla avec dédain.

—Merit, même si je croyais en ton hypothèse, ce qui n'est pas le cas, le PG ne la mettra jamais derrière les barreaux.

— D'accord, mais en obtenant assez d'informations sur son implication exacte, on augmente nos chances. Au pire, on saura ce qu'elle trame en ce moment et on pourra l'empêcher de détruire la ville.

— Attends, je résume : tu veux que je t'aide à enquêter sur ma Maîtresse, la femme qui m'a transformé en vampire et que j'ai juré de servir en prêtant serment à deux reprises, contre l'avis du PG, et sans avoir la moindre preuve de ce dont tu l'accuses ?

— « Enquêter » est un terme un peu fort. Je préfère « recueillir des informations ». (Il garda le silence.) Écoute, j'ai conscience que c'est beaucoup te demander, surtout de ma part, mais elle a tenté de me tuer à deux reprises, elle a essayé d'assassiner Ethan, et Dieu seul sait si elle ne s'occupe pas encore un peu des affaires de Navarre.

J'avais poussé le bouchon un peu trop loin avec cette dernière suggestion, mais à en croire le hoquet étouffé qu'émit Morgan, j'avais sans doute touché un point sensible.

— Elle a des amis, lui rappelai-je. Au moins quelques-uns à Cadogan, et ce n'est même pas sa Maison. Est-ce que tu as perdu quelques membres de Navarre, récemment ?

— Non, répondit-il, adoptant à présent un ton impérieux d'adulte responsable et non plus d'adolescent en colère. Mais ils l'aimaient. Je n'ai pas encore créé de nouvelle recrue, et je ne le ferai pas avant le printemps, donc c'est à elle qu'ils ont tous juré fidélité. Est-ce que je pense que certains ont gardé contact avec elle sans m'en parler ? Pour être franc, ça m'étonnerait que ce soit le cas, mais on ne sait jamais.

— Si elle est mêlée à cette histoire et qu'elle attire les humains dans des raves, quel est son objectif ? Quelles seraient ses motivations ?

— Eh bien, on lui a volé sa couronne, pour ainsi dire. Si elle ne peut plus endosser le rôle d'héroïne des vampires, peut-être qu'elle est prête à s'essayer à celui d'antagoniste.

— Voyant que les humains ne la vénèrent plus, elle les jetterait joyeusement en pâture aux loups ?

— Comme je l'ai dit, on ne sait jamais. Mais sincèrement, je doute qu'elle prenne ce risque. Elle oserait faire une apparition au bar de Cadogan, où des gens sont susceptibles de la reconnaître ? Je n'y crois pas.

Voilà que Morgan partageait le point de vue d'Ethan, un fait inattendu et préoccupant. Ils avaient toutefois tous les deux oublié un élément important au sujet de Célina.

— J'aurais pu moi aussi me trouver au *Temple Bar*, et elle a saisi chaque occasion qu'elle a eue de me tomber dessus.

Cette femme semblait m'avoir dans le collimateur, mais j'ignorais pourquoi.

— Je ne sais pas, je ne suis pas convaincu par tes arguments.

— Eh bien, si tu finis par y croire, ou si tu entends quelque chose de concret concernant Célina, tu pourrais m'appeler ? Et si tu ne veux pas le faire pour moi, fais-le pour cette ville.

— Tu penses qu'elle causerait autant d'ennuis que ça ?

— Oui, Morgan. Célina est très intelligente, très maligne, et d'après ce que j'ai constaté, très mécontente que les événements se soient déroulés ainsi. Elle s'attendait à jouer les martyrs auprès des humains comme des vampires. Elle a sûrement des complices…

— Dont certains affiliés à Cadogan, m'interrompit-il.

Je levai les yeux au ciel et poursuivis :

— Elle a sûrement des complices parmi les vampires, mais plus parmi les humains, et c'est ce qui l'ennuie.

— Amène-moi des preuves et nous en rediscuterons, trancha-t-il.

Sur ce, il raccrocha.

Pourquoi tout le monde exigeait-il des « preuves » et des « faits » ? Franchement, la police et les procédures judiciaires ruinaient la crédibilité des bons vieux instincts.

Bon, de toute manière, il fallait que j'obtienne plus d'informations. Autant commencer sur-le-champ.

Impossible de démarrer mon opération d'espionnage au *Temple Bar* sans un petit discours d'introduction. Ainsi, après m'être douchée et avoir enfilé des vêtements un peu plus branchés – mon pantalon d'uniforme noir et un débardeur rouge assorti à mes escarpins à brides et talons aiguilles –, je me dirigeai vers le sous-sol.

La Maison était constituée de quatre niveaux de merveilles vampiriques. L'étage supérieur comprenait des chambres et la suite d'Ethan. Au premier se trouvaient d'autres chambres – dont la mienne –, la bibliothèque et la salle de bal. Au rez-de-chaussée étaient situés les locaux de l'administration, la cafétéria et les salons. Le sous-sol, lui, exclusivement consacré au travail, comportait un gymnase, l'arsenal de Cadogan, une salle d'entraînement et la salle des opérations. Cette dernière pièce servait à Luc de bureau et faisait office de QG pour les gardes, incluant Lindsey, et moi-même, en quelques rares occasions.

La porte de la salle des opérations était entrebâillée, et cette fois, j'eus le bon sens – et la patience – de jeter un coup d'œil à l'intérieur avant d'entrer en trombe.

Juliet et Kelley étaient postées devant des rangées d'ordinateurs placés contre le mur, ce qui signifiait que Lindsey devait être en train d'effectuer une ronde à l'extérieur. J'aperçus Luc installé à la table de réunion qui occupait le centre de la pièce. Fait étrange, il portait un costume.

En face de lui était assis un homme grand à l'allure dégingandée, flottant dans un complet-veston trop large pour lui. Il débitait à toute vitesse un discours sur sa passion des jeux vidéo.

— J'essaie de ne pas tricher, mais comme les concepteurs ne créent pas toujours des univers à progression logique, on est de temps en temps obligé de déroger aux règles qu'on s'est fixées en se servant d'un code pour avancer et ne pas voir tous les progrès réalisés disparaître car sinon on perd tout intérêt à la quête.

Lorsqu'il marqua une pause afin de reprendre son souffle, je me surpris à inspirer une grande bouffée d'air. J'ignorais qui était ce type, mais il ne savait manifestement pas s'arrêter.

— Merci, Allan. C'est une réponse intéressante, bien que ça ne m'explique pas vraiment ce que tu penses nous apporter en tant que membre de la Garde.

Oh mon Dieu, Luc lui faisait passer un entretien ! Depuis la révocation de Peter, il manquait un garde ; Luc cherchait sans doute à en recruter un nouveau. J'espérai qu'il y avait d'autres candidats en lice, sinon, nous avions de sérieux ennuis.

Allan afficha une expression dédaigneuse.

—Ce qui m'attire dans cette mission, c'est d'avoir à faire confiance à mes propres instincts guerriers. Bien sûr, on est parfois amené à ne pas respecter la procédure standard – le protocole, si vous préférez –, et ne pas suivre le diktat d'un Capitaine qui…

—Holà! l'interrompit Luc. Tu as parfaitement clarifié ton point de vue, et je crois que nous nous arrêterons là pour aujourd'hui. Une autre réunion m'attend et… Oh, regarde qui est là! Notre Sentinelle!

Je marmonnai un juron, mais me forçai à sourire et poussai le battant.

—Bonjour, tout le monde.

Luc s'empressa de se lever et se dirigea vers moi, puis posa la main dans mon dos.

—Tu tombes à pic, murmura-t-il avant de grimacer un large sourire à l'intention de son candidat. Allan, est-ce que tu as déjà rencontré notre Sentinelle? Merit, Allan postule pour faire partie de la Garde. C'est un vampire Cadogan qui réside en ville et aimerait rejoindre notre petite famille.

Ce qui expliquait que je ne l'aie encore jamais vu. Je lui adressai un signe de la main.

—Enchantée, Allan.

Ce dernier n'avait toutefois apparemment pas de temps à perdre en civilités.

—Est-ce qu'il est vraiment utile de se doter d'une Sentinelle, de nos jours, étant donné les progrès techniques qui ont été faits en matière de systèmes de sécurité?

—Bon, allons-y, dit Luc en tirant Allan vers la porte. Prends cet escalier, et tu te retrouveras au rez-de-chaussée. Merci beaucoup de t'être déplacé.

— Quand est-ce que je saurai à quelle date je commence ?

— Eh bien, nous venons tout juste de démarrer la procédure de recrutement, mais nous ne manquerons pas de te tenir informé de notre décision.

— Je pars en vacances dans une semaine. Je vais à Carmel, en Californie. Je ne serai peut-être pas facile à joindre, mais j'ai un téléphone satellite que je pourrais emporter.

— C'est extraordinaire, s'extasia Luc tout en le poussant cette fois vers la sortie d'une main ferme. Je m'en souviendrai. Et tant que tu es là-bas, passe le bonjour à Clint Eastwood.

Luc ferma la porte, puis se mit à se taper le front contre le battant.

— Les entretiens ne se passent pas comme tu veux ?

La tête toujours appuyée contre la porte, il me jeta un regard désespéré.

— J'ai envie de me planter un stylo dans l'œil. Ce gamin est intelligent, mais il vit sur une autre planète, et il n'est pas vraiment doué pour les relations sociales.

— Peut-être qu'il serait efficace pour les tâches informatiques, fis-je remarquer. Même Jeff Christopher est obsédé par *Warcraft*.

— Tu es bien optimiste. Et je ne me moque pas de sa passion pour les jeux vidéo. D'accord, je me suis fait les crocs à une autre époque, mais je possède toutes les consoles de jeux qui existent sur le marché américain. (Il se pencha.) Plus quelques-unes de Taipei que personne ne connaît encore, ici. (Il secoua la tête.) Non, c'est son attitude qui ne me plaît pas. Quand je demande à ce gars s'il serait prêt à faire face à un pieu pour protéger les membres de sa Maison, lui, il me sort un discours philosophique pour m'expliquer que parfois, il vaut mieux désobéir ? Non, merci. Est-ce que tu lui ferais confiance, toi ?

— Tu marques un point. En fait, non.

— À moins que ce ne soit une jolie petite hôtesse du salon des jeux vidéo qui lance le pieu, intervint Kelley d'un ton sec sans quitter des yeux les images en noir et blanc provenant des caméras de sécurité qui défilaient sur son écran.

— Bien envoyé, Kelley, renchérit Luc. Bon, Sentinelle, tu es arrivée pile au bon moment, mais qu'est-ce qui t'amène ? Tu as tellement peur de Darius que tu as préféré descendre ?

— En fait, il faut que je te parle. Est-ce que tu pourrais appeler Malik et lui demander de venir nous rejoindre ?

— Qu'est-ce qui te tracasse ? demanda-t-il en arquant un sourcil.

— Il se peut qu'un ancien Maître de Navarre aborde des humains aux portes du *Temple Bar*.

Luc afficha une expression intriguée.

— Je lui passe un coup de fil tout de suite.

12

Over the rainbow[1]

Dix minutes plus tard – sans doute le temps de trouver un prétexte pour fausser compagnie à Ethan et Darius –, Malik nous retrouva dans la salle des opérations. J'appelai Lindsey, toujours en train de patrouiller dehors, et branchai le haut-parleur afin qu'elle puisse participer à la réunion.

— Je vous écoute, dit-elle. Accouche, super Sentinelle.

Elle m'adorait, pas de doute.

— Je vous fais un topo, commençai-je. Les raves que l'on connaît correspondent plutôt à des rassemblements intimes, avec quelques vampires, quelques humains et un peu de sang. Il se trouve que maintenant, nous sommes confrontés à des fêtes de grande ampleur, bondées, où l'ambiance est très agressive. Je n'ai pas assisté au genre d'actes de violence dont Tate a parlé, mais nous avons coupé court à la bagarre aussi vite que possible. Nous savons que les humains se font sévèrement charmer, et peut-être qu'ils

---

1. Chanson initialement écrite pour Judy Garland qui l'interpréta dans le film *Le Magicien d'Oz* sorti en 1939, et reprise ensuite par de nombreux interprètes. Le titre pourrait être traduit par « au-delà de l'arc-en-ciel ». (*NdT*)

sont rendus plus malléables par une drogue qui circule. Nous pensons que les organisateurs se servent des bars des Maisons pour transmettre les invitations.

Le silence s'abattit sur la pièce, tous les participants à la réunion échangeant des regards inquiets.

— Tu as des preuves ? interrogea Malik.

— Le téléphone sur lequel a été envoyé le texto informant de la fiesta d'hier soir a été trouvé au *Benson's*, le bar de la Maison Grey, et une humaine nous a appris qu'un homme plutôt petit et une femme prénommée Marie lui avaient parlé de la soirée devant le *Temple Bar*.

Malik retroussa les lèvres.

— Quelqu'un se sert de notre bar pour aborder les humains.

— Apparemment, oui.

Son regard exprimait une détermination implacable.

— Et quel est ton plan ?

— Eh bien, dans un monde parfait, le plan consisterait à éviter de se mettre le PG à dos, mais, comme nous le savons tous, ce monde est loin d'être parfait. (Des grognements d'approbation me répondirent.) Darius aimerait que nous restions confortablement cloîtrés à Cadogan, où, du moins pour l'instant, il peut garder un œil sur nous et s'assurer que nous n'allons pas nous attirer des ennuis en ville. Mais la situation est préoccupante, et si nous n'intervenons pas, elle va dégénérer très vite. Nous ne pouvons pas nous contenter de regarder Chicago s'écrouler autour de nous sans rien faire. Je sais que je suis jeune, mais il est de mon devoir de faire le nécessaire pour protéger la Maison. Même contre l'avis de Darius… et même si Ethan n'est pas au courant.

Je leur laissai une minute pour digérer mes propos et ce qu'ils impliquaient, puis baissai d'une octave :

— Il connaît déjà l'essentiel, mais je ne lui fournirai aucun détail, et il ne participera pas. Moins il en saura...

— ... mieux ça vaudra pour lui, compléta Malik. Darius ne pourra pas se servir de lui comme bouc émissaire.

J'acquiesçai.

— Exactement. En bref, il m'autorise à prendre les initiatives que je jugerai nécessaires sans forcément lui en rendre compte, et j'aimerais vous offrir la même possibilité. Le PG met déjà assez de pression sur la Maison pour que je n'en rajoute pas. Si vous voulez savoir ce que je fais, je vous le dirai. Sinon (je levai les mains), pas de problème. Vous pourrez affirmer que vous ignoriez ce qui se passait, et éviter ainsi les foudres de Darius si le pire se produisait.

Mon discours terminé, je lançai un regard circulaire à l'assemblée.

Luc posa un pied chaussé d'une botte de cow-boy sur la table.

— Sans blague, tu nous demandes si nous allons te soutenir contre le PG ? Franchement, Sentinelle, je pensais t'avoir appris autre chose. Nous formons une équipe, et tu en fais partie.

— Et tu t'améliores en « laïussage », ajouta Lindsey. Je crois que Sullivan déteint sur toi. Oh, et moi je suis partante à cent pour cent.

Juliet et Kelley échangèrent un regard entendu, puis m'adressèrent un sourire.

— Nous aussi, bien sûr, affirma Kelley. Nous connaissons à peine Darius, alors que nous fréquentons Ethan depuis longtemps. Il a peut-être des défauts, mais il se préoccupe de sa Maison, et pas seulement de politique.

— Je suis d'accord, renchérit Juliet.

Je me tournai en même temps que tous les autres vers Malik, le seul dont je doutais un peu. Je ne remettais pas en cause sa loyauté, mais il était tellement discret que j'ignorais à quoi m'en tenir.

— Tu sers Cadogan, déclara-t-il. C'est tout ce que j'ai besoin de savoir.

Je lui souris, puis hochai la tête.

— Très bien. Voici mon plan.

Avance rapide jusqu'à la scène où un groupe de vampires émerge d'un taxi dans l'obscurité et la chaleur étouffante de la rue du *Temple Bar*, près de Wrigley Field, quarante-cinq minutes plus tard : moi, Lindsey, et Christine – anciennement Christine Dupree, une Novice de ma promotion –, sur notre trente-et-un, en tenues branchées aux teintes noires, grises et rouges, et maquillées à mort. Ce qui n'est pas peu dire pour des immortelles.

Nous donnions sans doute l'impression de tourner un remake de *Drôles de dames*. Je jouais le rôle de la brune intrépide, Lindsey celui de la blonde sexy, et Christine, brune en temps normal, s'était glissée dans la peau d'une rousse aux cheveux coupés au carré.

Christine ne faisait pas partie de la Garde, et nous n'étions pas particulièrement proches. Étant donné que nous l'emmenions au-devant d'ennuis potentiels – et lui avions demandé de jurer loyauté –, Luc lui avait fait un cours sur ses devoirs et responsabilités. Nous ne lui avions pas fourni tous les détails concernant les raves. Elle était juste au courant que nous menions une enquête au sujet de certains méfaits au *Temple Bar*. Elle paraissait désireuse d'aider, ce qui me suffisait.

Quant à mon plan, j'avais opté pour une nouvelle stratégie : jouer aux appâts.

Les vampires Cadogan me connaissaient en tant que Sentinelle et Lindsey en qualité de garde, mais ils savaient aussi que Christine était la fille de Dash Dupree, un avocat célèbre de Chicago, et que j'étais moi-même la fille de Joshua Merit, le magnat de l'immobilier de cette ville.

Je m'étais rendu compte à la soirée de Streeterville que j'étais tout à fait capable de me faire passer pour une fêtarde, et j'avais l'intention de retenter le coup. Au vu de mon origine sociale et de celle de Christine, personne ne trouverait étrange de nous voir au *Temple Bar* nous renseigner sur les nouvelles manières de s'amuser.

Une file s'étirait devant la porte. Les humains n'étaient pas autorisés à pénétrer dans l'enceinte des Maisons, mais Tate n'avait pas étendu l'interdiction aux bars. Colin et Sean avaient fait preuve de créativité en installant des néons sur la façade dans le but d'aider les clients à s'y retrouver. Ce soir-là, les inscriptions « HUMAINS » et « CADOGAN » étaient illuminées, ce qui signifiait que les vampires Navarre et Grey devraient tenter leur chance plus tard.

Le fait que les humains aient accès au bar nous permettrait de mettre en œuvre la première partie de mon plan d'infiltration du *Temple Bar*, ou PIT-B. L'absence de vampires d'autres Maisons, en revanche, ne m'arrangeait pas vraiment. J'avais espéré profiter de cette soirée pour récolter auprès d'eux quelques renseignements au sujet des raves et de la drogue. Bon, tant pis. Jonah me transmettrait les informations de Grey. Quant à Navarre... chaque chose en son temps.

À l'instar de Lindsey et Christine, je pénétrai à l'intérieur d'une démarche assurée, comme si je me sentais parfaitement à l'aise, puis restai avec elles un moment devant le comptoir… afin de voir et d'être vue.

J'admirai les lieux quelques instants. Le bar faisait presque office de sanctuaire dédié à mon équipe de base-ball préférée. Des rangées de maillots et de banderoles tapissaient les murs, et des objets à l'effigie des Cubs comblaient tous les espaces vides. Le *Temple Bar* était géré par deux frères, Sean et Colin, des vampires aux cheveux roux. Avec eux, Wrigleyville célébrait chaque jour l'Irlande et les Cubs.

— Première étape du PIT-B : repérer les humains susceptibles d'avoir reçu une invitation à une rave, passée ou future, afin d'identifier leur informateur, recommandai-je à mes acolytes.

— Ou informatrice, ajouta Lindsey. N'oublions pas la possibilité que Célina joue un rôle là-dedans.

— On pourrait arrêter d'appeler ça PIT-B, s'il te plaît ? me pria Christine. Je conçois que tu aimes les acronymes, mais ce nom est vraiment ridicule.

— Désolée, mais je suis d'accord avec elle, renchérit Lindsey. Ou alors, il faudrait trouver un code vachement plus fun, comme « DANGER », « PSYCHOSE », « TASER » ou un truc du style.

Je lui lançai un regard moqueur.

— Et que voudraient dire les initiales de « DANGER », exactement ?

— Euh…, balbutia-t-elle, les yeux levés au plafond tandis qu'elle réfléchissait à sa réponse. D'admirables novices géniales estimant les risques ? Ou bien drogue avalée, nouveaux gros ennuis récoltés ?

— C'est nul, marmonnai-je.

— Hé oh, rabat-joie, j'improvise. Pas d'autre proposition ?

— Mesdemoiselles, intervint Christine en levant la main, arrêtons nos gamineries et concentrons-nous sur notre mission.

J'échangeai un regard coupable avec Lindsey. Les sarcasmes et les enfantillages constituaient ma méthode de gestion du stress. Je ne pouvais pas mordre dans un Mallocake n'importe quand, surtout pas en plein milieu d'un combat au katana.

Christine surveillait la foule avec attention, comme un lion épiant un troupeau de buffles, en quête de la proie la plus facile. Nous nous étions dit que les humains fréquentant un bar vampire feraient confiance à un ancien membre du gotha de Chicago et seraient enclins à lui parler de fêtes clandestines.

— Ceux-là, annonça-t-elle en pointant un doigt manucuré en direction de deux jeunes hommes portant des polos de l'université. (À en croire le pichet vide qui trônait sur leur table, ils devaient déjà être sérieusement imbibés.) J'y vais.

Elle se dirigea avec aplomb vers ses innocentes victimes. Les garçons relevèrent la tête à son approche, les yeux brillants. Soit l'alcool qu'ils avaient avalé leur faisait de l'effet, soit Christine leur avait envoyé une solide dose de charme.

— Elle est forte en Psy ? demandai-je à Lindsey.

Je faisais référence à la discipline permettant de juger le pouvoir de séduction d'un vampire.

— Non, répondit-elle. Leur air béat est à cent pour cent causé par ses adorables formes féminines.

Si c'était le cas, ces formes s'avéraient incroyablement efficaces : l'un des garçons se leva en hâte pour offrir sa chaise à Christine. Elle s'assit en croisant les jambes avec pudeur puis se pencha en avant et engagea la conversation. S'ils savaient quoi que ce soit, nul doute qu'elle parviendrait à leur soutirer l'information.

— Elle est douée, dis-je avant de lancer un regard à Lindsey. Est-ce que Luc compte lui faire passer un entretien ?

— Je ne suis pas sûre qu'elle travaille. Elle est plutôt du genre jet-setteuse, ce qui se révèle très pratique dans des situations comme celle-ci. D'un autre côté, je ne viendrais pas me plaindre si on était invitées à un cocktail par Dash Dupree.

Je gloussai, puis me tournai vers le comptoir.

— Maintenant qu'elle est lancée dans sa mission, mettons-nous au travail.

— Les humains, c'est fait, approuva Lindsey en traçant une croix dans les airs avec son doigt. On s'occupe du barman ?

Je lui adressai un clin d'œil et m'approchai du bar.

— Essaie de suivre, d'accord ?

Lindsey grogna.

— Chérie, tu es peut-être douée, mais je serais capable de vendre des réfrigérateurs à des Esquimaux.

Colin, un peu plus âgé et plus grand que Sean, travaillait seul ce soir-là.

— S'il n'a personne pour l'aider, ça ne va pas être facile de lui parler, fit remarquer Lindsey en m'emboîtant le pas.

J'acceptai son argument, mais lui opposai le mien :

— Nous vivons la nuit, il doit donc servir des boissons jusqu'à l'aube. Je ne suis pas certaine qu'il y ait réellement un bon moment pour l'interroger, et il faut découvrir ce qui se passe.

Je contournai la foule compacte de vampires et d'humains amassée devant le comptoir, au bout duquel je me postai. Après quelques instants, Colin s'approcha en s'essuyant les mains sur un torchon qu'il portait glissé à la ceinture.

— Est-ce que je peux te parler en privé quelques minutes ? lui demandai-je.

L'air soupçonneux, il se tourna vers un petit réfrigérateur et en sortit deux bières qu'il posa sur le bar avant de saisir la monnaie qu'un vampire y avait déposée.

— Je suis occupé. Ça peut attendre ?

— Euh, coucou, salua Lindsey en se glissant à côté de moi, un coude sur le comptoir. Je reste là, je peux te remplacer.

Colin fronça les sourcils.

— Tu sauras te débrouiller ?

— Mon lapin, j'ai passé dix ans de ma palpitante existence à remplir des verres à Manhattan. Tous ces gens vont être éméchés et de bonne humeur quand tu reviendras, parole de l'une des dix filles les plus canons de la Maison Cadogan. (Elle se tourna vers moi.) Sans blague, il y a une liste, et nous y sommes toutes les deux.

— Super ! m'exclamai-je.

Pas mal pour un ancien rat de bibliothèque comme moi.

Passant en un éclair du statut de canon à celui de barmaid, Lindsey se coula derrière le comptoir et se jeta une serviette blanche sur l'épaule.

— Mesdames et messieurs, annonça-t-elle, qui veut boire quelque chose ?

Lorsque des sifflements approbateurs s'élevèrent dans la foule, Colin me posa une main dans le dos et me guida vers le fond du bar.

—Allons dans le bureau, proposa-t-il. Ce sera un peu plus calme.

Je le suivis tandis qu'il se frayait un chemin au milieu des clients. Il traversa la salle à la manière d'un homme politique en campagne : vérifiant si chacun était servi, embrassant de jolies filles sur la joue, recommandant les pizzas du restaurant d'à côté, et demandant des nouvelles de leurs parents à des humains qui étaient vraisemblablement ses amis. Je ne connaissais pas très bien Colin, mais les habitués semblaient l'apprécier et le considérer comme une figure du bar aussi essentielle que les maillots des Cubs et la présence des vampires.

Après avoir atteint l'autre bout de la pièce, il s'engagea dans le couloir tapissé de photos – dont une représentant Ethan et Lacey Sheridan, l'ancienne élue de son cœur – au fond duquel il s'immobilisa devant une petite porte.

Il tira une clé de sa poche et l'inséra dans la serrure, puis ouvrit. Je pénétrai à sa suite dans un local exigu, tout juste assez grand pour le bureau métallique et l'armoire à dossiers vétuste qui le meublaient. Toutes les surfaces disponibles étaient couvertes de papiers en tous genres : magazines, notes, listes, déclarations d'impôts, extraits des Pages jaunes, journaux, programmes d'activités sportives, factures, ou encore menus de restaurants livrant à domicile. Les murs ne faisaient pas exception, sauf que ce qui y était affiché aurait pu être interdit aux moins de dix-huit ans. Des posters et des calendriers sur lesquels figuraient les pin-up des soixante-dix dernières années tapissaient les cloisons à la manière d'un papier peint.

Blondes et brunes plantureuses en minishort et talons aiguilles vertigineux semblaient nous adresser leurs sourires suggestifs. On se serait cru dans un garage ou une station-service. Pas exactement le style de décoration qui mettait une femme à l'aise, mais, après tout, cet endroit n'avait pas été conçu pour moi.

— C'est sympa, me contentai-je de dire poliment.

— On aime bien, répondit-il. Tu peux fermer la porte, s'il te plaît ?

J'obéis, et le volume sonore se réduisit juste assez pour que nous puissions parler au lieu de crier.

Colin contourna le bureau et ouvrit le tiroir supérieur de l'armoire. Il en sortit une petite flasque métallique dont il dévissa le bouchon avant de porter le goulot à ses lèvres.

— C'est de l'alcool ? demandai-je.

— Groupe O. Un cocktail maison.

Il me proposa d'y goûter, mais je déclinai son offre. J'avais besoin de garder les idées claires, et je n'étais pas sûre que le « cocktail maison » de Colin me permette de rester concentrée sur ma mission.

La flasque à la main, il tira vers lui une vieille chaise de bureau dont le dossier disparaissait sous le ruban adhésif, et s'assit.

— Bon, madame la Sentinelle, qu'est-ce que je peux faire pour toi ?

— Est-ce que tu as remarqué quelque chose sortant de l'ordinaire par ici, ces derniers temps ?

Il émit un grognement sarcastique.

— Autrefois, c'était un bar de vampires. Réservé à eux, leurs amis et leurs parents. Depuis que notre existence a été dévoilée, je sers des humains qui pensent que les hommes à crocs sont des héros romantiques ténébreux, et que les femmes détiennent le secret du régime minceur. Il m'arrive aussi de voir des clients humains qui nous considèrent comme des monstres susceptibles de provoquer l'apocalypse. Et tu me demandes si j'ai remarqué quelque chose qui sorte de l'ordinaire? Je crois que oui, Sentinelle.

Au fur et à mesure de sa diatribe, il avait parlé de plus en plus vite, rendant son accent bien plus marqué. Je n'avais jamais été en Irlande, mais sa voix suffisait à faire émerger dans mon esprit des images de douces collines verdoyantes.

Même s'il n'avait pas tort, je cherchais quelque chose de plus précis. J'avançai donc mon hypothèse:

— Nous pensons que des vampires se servent du bar pour inviter les humains à un nouveau genre de rave. Ça ne t'évoque rien?

Il but une gorgée de cocktail.

— Comme je te l'ai dit, de nombreux humains veulent côtoyer les vampires. Je ne suis pas certain d'être capable de faire la différence entre une discussion innocente et un échange au sujet d'une soirée un peu spéciale.

Je me mordis la lèvre, déçue qu'il n'ait pas d'information plus pertinente à me livrer.

— D'accord. Et est-ce que tu as déjà vu de la drogue circuler? Un truc qui s'appelle le V? Nous supposons que ça rend les humains sensibles au charme.

Il eut l'air intrigué.

— Sans blague. Nous sommes donc devenus si nuls que nous devons recourir à des produits pharmaceutiques pour charmer?

— Nous ne sommes pas vraiment sûrs des effets, mais nous avons retrouvé des pilules lors d'une soirée.

Il haussa les épaules.

—C'est un bar. La drogue fait partie du paysage. Je n'ai pas entendu parler d'une nouvelle substance, mais ça ne veut rien dire.

Encore raté, mais je ne m'avouais pas vaincue.

—Et est-ce que tu as aperçu des gens connus ? Tu n'as vu personne traîner aux alentours du *Temple Bar* ? Quelqu'un qui t'ait semblé louche ou inhabituel ?

Colin se pencha en arrière sur sa chaise et croisa les bras, la flasque nichée contre lui comme un bébé.

—Je ne voudrais pas te vexer, et j'apprécie ce que tu fais pour la Maison en tant que Sentinelle, mais pour être franc, je passe mon temps à faire en sorte de satisfaire les clients de ce bar, humains comme vampires, afin de leur permettre de se distraire et relâcher la pression accumulée au cours de leur semaine de travail. Est-ce que j'ai remarqué quelque chose suggérant que le *Temple Bar* serait le nouveau QG d'un genre de mouvement en faveur des raves ? La réponse est « non ».

Abattue, je soupirai. Je pensais que l'homme qui travaillait là serait à même de me confirmer ce que Sarah avait raconté. Il avait toutefois raison : même s'il y avait eu quelque chose à voir, il était très occupé ailleurs.

Je hochai la tête.

—Merci pour ton honnêteté. Tu me contactes si quoi que ce soit te revient ?

Il m'adressa un clin d'œil.

—Compte sur moi, Sentinelle.

Je m'excusai auprès de Colin et regagnai le bar, bredouille.

J'eus alors ma deuxième surprise de la soirée.

Je savais que Lindsey était née en Iowa et que son père était éleveur de porcs. J'avais également appris qu'elle avait vécu à New York et était une fervente supportrice des Yankees, ce que je considérais, en tant que fan des Cubs, comme le résultat d'une sorte de maladie mentale.

En revanche, j'ignorais qu'elle avait des talents de barmaid.

Je la découvris derrière le comptoir, acclamée par une foule compacte de vampires, billets entre les doigts, qui scandaient son nom comme si elle avait remporté un match.

Cette fille était un véritable phénomène. Elle faisait tournoyer un shaker à l'horizontale d'une main, et une bouteille remplie d'un alcool bleu de l'autre. Son public hurla «youhou» lorsqu'elle lança la bouteille par-dessus son épaule avant de la rattraper puis de verser son contenu en même temps que celui du shaker dans un verre à martini. La bouteille et le shaker atterrirent sur le comptoir, et Lindsey présenta le verre qui semblait avoir sauté dans sa main au vampire qui lui faisait face. Elle s'empara des billets qu'il lui tendait et les plaça dans un bocal.

La foule l'applaudit. Après avoir esquissé une révérence, Lindsey entreprit de préparer un cocktail pour le client suivant. Les vampires observaient chacun de ses gestes avec attention, comme s'ils la regardaient manipuler un vin millésimé d'une grande rareté. Personnellement, je ne comprenais pas vraiment ce qui les attirait, mais je n'étais pas une fervente amatrice d'alcool.

Lorsque quelqu'un me tapota l'épaule, je me retournai, et découvris Christine.

—Tu as du nouveau?

Elle désigna les deux garçons.

— Ces mignons petits étudiants viennent ici au moins une fois par semaine, en général le week-end. Vendredi dernier, ils étaient en train de fumer dehors quand un homme les a abordés pour leur parler d'une nouvelle expérience ténébreuse qu'il fallait absolument essayer. En fait, il se trouve que nos chouchous, s'ils ont eu le courage d'entrer dans un bar vampire, n'ont pas osé s'aventurer plus loin. (Elle m'adressa un sourire entendu.) Apparemment, boire un verre dans un endroit fréquenté par les créatures à crocs leur permet de goûter au danger sans l'inconvénient des calories, si tu vois ce que je veux dire. Ils ne se rappellent pas vraiment à quoi ressemblait cet homme, mais...

Je levai la main pour l'interrompre, le cœur battant d'excitation. J'aimais vraiment le moment où les pièces du puzzle commençaient à se mettre en place.

— Laisse-moi deviner. Il était petit, assez âgé, avec des cheveux noirs ?

Elle écarquilla les yeux, stupéfaite.

— Comment tu le sais ?

— La fille que j'ai interrogée s'est fait accoster par un homme correspondant à cette description alors qu'elle était sortie prendre l'air.

— Et il a choisi le *Temple Bar* comme terrain de recrutement ?

— On dirait.

Un tonnerre d'applaudissements éclata près du bar. Je tournai la tête juste à temps pour apercevoir Lindsey terminer un autre cocktail et frapper des mains à la manière d'un croupier de Las Vegas.

— Et maintenant, mon tour suivant, annonça-t-elle en posant son regard sur moi. Un numéro inédit. Je vais demander à la présidente du comité des fêtes de notre Maison de venir me servir d'assistante !

Sous les encouragements du public, elle m'invita à avancer. Je levai les yeux au ciel, mais, comme tout le monde avait l'air de rentrer dans son jeu, je m'exécutai et me glissai derrière le comptoir.

Elle commença aussitôt à me donner des ordres.

— Passe-m'en sept et aligne-les sur le bar, dit-elle en désignant des verres de taille moyenne.

Sa requête satisfaite, Lindsey s'empara d'un shaker propre dans lequel elle versa de l'alcool. Elle répéta son geste avec cinq ou six bouteilles différentes, puis reboucha le shaker.

— Vous savez ce qui me manque ? demanda-t-elle à l'assistance. Les nuages. Les rayons de soleil. Ce moment étrange quand il pleut mais que le soleil brille encore. L'aube. Les couchers de soleil. Bien sûr, maintenant, je préfère éviter tout ça. (Des rires s'élevèrent dans la foule.) Mais vous savez ce qui me manque le plus ? Les arcs-en-ciel, comme des Smarties suspendus dans le ciel. Rien que pour vous, mes petits vampires Cadogan, voici un arc-en-ciel, une couleur à la fois.

D'une torsion du poignet, Lindsey se mit à verser le contenu du shaker en cascade au-dessus des verres. Elle remplit le premier d'un liquide bleu, et passa aussitôt au suivant. Comme par magie, le cocktail qu'elle avait mélangé dans le shaker, une fois dans les verres, se transforma en un éventail de teintes allant du turquoise au rose vif. Lorsqu'elle eut fini, les sept verres de liquide coloré alignés sur le bar formaient un parfait arc-en-ciel.

— Et voilà comment les vampires font les arcs-en-ciel, conclut Lindsey en reposant le shaker sur le comptoir.

Les applaudissements fusèrent de toutes parts. Je devais admettre qu'elle m'avait épatée. J'ignorais si les cocktails avaient bon goût – ils ressemblaient un peu à des accessoires de films de science-fiction, pour être honnête –, mais leurs couleurs étaient incroyables.

Lindsey se tourna vers moi, tout sourires.

—Pas mal, pour une fan des Yankees, hein ?

—Pas mal du tout, affirma Colin en reprenant sa place au bar. Tu nous en as mis plein la vue.

Apparemment, il n'était pas le seul à avoir été impressionné. Les vampires à proximité du comptoir commençaient à se bousculer afin de s'emparer de l'un des sept verres.

—Ce n'est que de l'alcool, mesdames et messieurs, fit observer Colin avec un gloussement tout en essuyant le liquide que Lindsey avait renversé.

—Il en reste encore plein dans les bouteilles, et je suis sûre que Colin sera ravi d'accepter votre argent en échange, renchérit cette dernière.

Colin éclata de rire, mais la ruée autour des cocktails de Lindsey me troublait. Après tout, il ne s'agissait que d'alcool servi par un membre de la Maison que les vampires avaient l'occasion de côtoyer tous les jours, dans un bar où ils pouvaient se rendre quand ils voulaient.

Tous mes sens en alerte, je reculai jusqu'au bout du comptoir et regardai Lindsey du coin de l'œil. Elle avait remarqué que je m'étais esquivée et, en garde avisée, elle se tourna vers les vampires en train de se disputer les verres.

Elle put ainsi observer en même temps que moi une petite bousculade se transformer en bagarre générale.

13

THE REVOLUTION WILL BE TELEVISED[1]

— J'étais là avant toi, affirma un vampire aux dreadlocks rassemblées sous un bonnet.

— J'allais le prendre quand tu as mis tes sales pattes dessus, rétorqua un autre, un brun élancé portant un tee-shirt noir et un treillis.

Ils ressemblaient davantage à des slameurs ou de paisibles fumeurs de joints qu'à des adeptes de la bagarre... jusqu'à ce qu'ils commencent à s'envoyer des coups de poing en pleine figure.

— C'est quoi, ce bordel ? s'exclama Lindsey alors que je sautais par-dessus le comptoir pour les séparer.

J'attrapai Tee-shirt par le bras et le tirai en arrière. Il fit quelques pas en titubant avant de tomber sur les fesses. Rasta, toujours dans le feu dans l'action, essaya de me frapper, mais je le saisis par le poignet et lui tordis le bras pour le forcer à se mettre à genoux.

---

1. Jeu de mots sur la chanson de Gil Scott-Heron « The Revolution Will Not Be Televised ». Le titre de ce chapitre pourrait être traduit par « la révolution sera télévisée ». (*NdT*)

Ce fut à cet instant que je vis ses yeux. Ses pupilles réduites à deux têtes d'épingle étaient noyées au milieu d'immenses iris argentés aussi brillants que du diamant.

Je marmonnai un juron. Ils avaient le même comportement agressif et violent que les vampires de la rave, et le même regard de dément. Mon estomac se noua, et je commençai à redouter le pire. Les vampires étaient-ils en train de sombrer dans une sorte d'hystérie collective ?

Je frappai Rasta à la gorge, et il s'écroula au sol, privé d'oxygène. Malheureusement, le temps que je me redresse, une dizaine d'autres individus avaient succombé à cet étrange délire. Les coups et les insultes pleuvaient, les vampires s'engageant dans une lutte enragée comme si leurs vies – et non un simple verre d'alcool – étaient en jeu.

La furie se répandit à la manière d'un virus. Chaque fois que quelqu'un, dans le feu de l'action, bousculait involontairement une autre personne, une nouvelle dispute éclatait, la foule devenant ainsi de plus en plus déchaînée.

N'ayant pas le choix, après avoir échangé un hochement de tête entendu avec Lindsey, je me jetai dans la bataille. Mon but n'était pas de prendre part à la bagarre, mais de séparer les opposants. Je commençai par sauter entre les deux individus qui se trouvaient près de moi. J'écopai d'un coup à l'épaule au passage, mais réussis néanmoins à écarter les adversaires. Je les envoyai valser dans des directions opposées avant de m'occuper des deux suivants.

Lindsey bondit par-dessus le comptoir, renversant son arc-en-ciel dans la manœuvre, et m'imita.

Cependant, les combattants semblaient n'avoir aucune envie de lâcher prise. La frénésie qui s'était emparée d'eux avait inhibé toute capacité de réflexion et les poussait à continuer à se battre sans raison précise.

Heureusement, ceux qui n'étaient pas affectés – quelques hommes et femmes que j'avais déjà aperçus aux alentours de la Maison – nous apportèrent leur aide. Nous formions à présent une véritable équipe. Luttant contre notre propre camp, certes, mais pour la bonne cause.

J'appréciai leurs efforts, même s'ils s'avérèrent insuffisants. Chaque fois que je séparais des adversaires, une nouvelle altercation semblait aussitôt éclater ailleurs. Finalement, la vague de violence se propagea dans toute la salle et, sous la pression des échauffourées, les portes du bar finirent par exploser. J'entendis le hurlement strident des sirènes au-dessus de la clameur provenant de la mêlée. Quelqu'un avait prévenu la police. Il était temps de trouver un plan avant que la situation devienne vraiment critique.

Je jetai un regard autour de moi à la recherche de Lindsey, et l'aperçus à ma gauche, en train de traîner par la cheville un vampire qui poussait des cris d'orfraie.

—Lindsey, je vais faire sortir les humains! lui criai-je en repoussant un assaillant qui se ruait sur moi avant de pivoter pour éviter qu'un autre ne m'écrase le pied avec sa botte.

Les policiers ne seraient pas ravis de voir des vampires se battre entre eux, mais s'ils constataient que des humains étaient pris malgré eux dans la bagarre, ils deviendraient carrément furieux. Compte tenu des avertissements que Tate nous avait déjà lancés, je n'étais pas certaine que la Maison se tire indemne d'un tel scandale. En tout cas, nous étions bons pour la mise sous tutelle.

—J'arrive, me répondit-elle en larguant son fardeau quelques tables plus loin.

Un autre vampire Cadogan vint prendre le relais de Lindsey en maîtrisant celui qu'elle avait jeté à terre tandis qu'elle accourait vers moi pour me libérer de l'agresseur qui tentait de me faucher à coups de pied.

— Tu es un ange, la remerciai-je en démêlant un nœud de vampires qui m'empêchait d'accéder à la porte.

Je commençai par faire chuter les combattants qui bloquaient l'entrée en faisant glisser la table la plus proche. Apportant trois tables supplémentaires, j'édifiai une sorte de mur entre la sortie et la salle, ce qui permettait de contenir la bagarre à l'intérieur tout en laissant un passage aux humains.

Scrutant la foule, j'en repérai deux, blottis dans un coin, les yeux écarquillés. Je courus vers eux, les aidai à se lever et leur indiquai le chemin à présent partiellement sécurisé qui menait à l'extérieur.

— Sortez par là, leur intimai-je.

Tandis qu'ils se dirigeaient vers la porte, je rassemblai les autres. Je n'eus aucune difficulté à les localiser. Les quelques vampires encore sains d'esprit tentaient de nous prêter main-forte, alors que les humains, sans doute choqués par la violence de la bataille, essayaient de se mettre hors d'atteinte en se recroquevillant, tremblants. J'en fis sortir autant que possible, consciente que le ululement des sirènes de police se rapprochait.

Lorsque les derniers furent évacués, je me dirigeai vers la porte et trouvai la rue baignée d'une lumière bleu et rouge, les gens fuyant le bar comme des otages libérés lors du braquage d'une banque.

Quand je vis les policiers descendre de leurs véhicules, je commençai à craindre le pire : une arrestation générale pour trouble de l'ordre public. D'un autre côté, la menace que Tate faisait peser sur nous avec son mandat d'arrêt n'aurait alors plus grande valeur.

Je m'avançai d'un pas prudent sur le trottoir, redoutant qu'un agent de police me prenne pour une criminelle et me tire dessus. Je sentis un flot d'adrénaline me submerger tandis que je me préparais à affronter le deuxième round : les conséquences. Mais quand je vis une Oldsmobile familière rouler vers moi, je poussai un soupir de soulagement.

Mon grand-père émergea de la place du passager, en pantalon kaki et chemise jaune à manches courtes.

Jeff sortit de l'arrière du véhicule, et Catcher se leva du siège du conducteur. Il portait un tee-shirt noir sur lequel on pouvait lire « Bang Bang répare votre maison ». Son expression sévère détonnait avec sa tenue kitsch.

Les trois hommes adressèrent des hochements de tête aux policiers qui passèrent devant eux. Je m'approchai.

— Il y a un problème ?

— De la bagarre, répondis-je. Lindsey préparait des cocktails au bar quand les vampires ont commencé à se battre pour déterminer qui allait les boire. Après, la violence s'est répandue comme un virus.

— La même chose qu'à la rave ? demanda Catcher.

— Ça y ressemble. Peut-être qu'il y avait quelque chose dans l'air, ou dans les boissons. Je ne sais pas. (Je désignai le groupe de personnes que nous avions évacuées.) Nous avons fait sortir les humains, mais la situation est encore tendue à l'intérieur. Ils continuent à se rouer de coups, et nos tentatives pour les séparer n'ont pas vraiment abouti.

— Comment est-ce que vous avez réussi à les calmer, à la rave ? s'étonna Jeff.

— En fait, nous avons juste lancé une fausse alerte avant de déguerpir. Comme les journaux n'ont pas parlé de la soirée, je suppose qu'ils se sont calmés tout seuls.

Soudain, une table vola par la porte et atterrit sur le trottoir, où elle rebondit avant de s'immobiliser contre la roue de l'un des véhicules de police.

— Nous n'avons pas le temps d'attendre, cette fois, avança Catcher.

— Vas-y, lui ordonna mon grand-père en adressant un geste à un policier.

Ils échangèrent une sorte de code secret et, tandis que les agents restaient dehors, Catcher courut en direction du *Temple Bar*, et disparut à l'intérieur.

Peu après, Lindsey et les vampires qui ne se battaient pas sortirent sur le trottoir. Colin apparut en dernier, les traits crispés en une expression amère.

— Que va faire Catch… ?

Ce fut tout ce que je parvins à dire avant que le silence s'abatte sur le bar. Plus de fracas de verre brisé, plus d'insultes, plus de coups.

Même si je savais que ce n'était pas possible, je pensai tout d'abord que Catcher avait réussi à venir à bout de tous les vampires présents grâce à ses incroyables techniques de combat. Mais Jeff se pencha vers moi pour me faire part d'une solution plus probable.

— La magie, murmura-t-il. Catcher a fait sortir les vampires normaux afin d'utiliser les Clés sur les autres.

— Il les a endormis ? m'étonnai-je.

— Non, il les a sûrement calmés avec un petit tour de passe-passe. Il est doué pour ça – amener les gens à se détendre. C'est un don qui peut être bien utile avec les surnats.

Je ne savais pas trop quoi penser de ce tour de passe-passe. J'avais beau faire confiance à Catcher, le fait qu'un sorcier se serve de ses pouvoirs comme de cachets calmants pour maîtriser des vampires ne me plaisait qu'à moitié. J'aurais préféré rester avec lui afin d'assister au déroulement des opérations et surveiller ce qui se passait.

Toutefois, je n'eus même pas l'occasion de partager mon opinion à haute voix avant que Catcher ressorte. Il adressa un signe de la main à la dizaine de policiers qui s'étaient mobilisés dans ce coin de Wrigleyville. La plupart portaient un uniforme, mais quelques enquêteurs étaient vêtus d'une chemise et d'un costume, leur insigne fixé à la ceinture ou à une chaîne autour du cou.

— Nous allons entrer, annonça mon grand-père. J'espère seulement que personne ne se fera arrêter à cause de cette affaire. Ces officiers savent qu'il ne s'agit pas d'une simple soirée trop arrosée qui a mal tourné, mais que quelque chose d'autre est en jeu, impliquant les surnaturels.

— Nous garderons un œil sur les vampires jusqu'à ce qu'ils reviennent à la raison, ajouta Jeff en me posant une main sur le bras. Jouer aux anges gardiens fait partie de notre boulot.

— Je serai plus tranquille, merci.

— Nous te contacterons dès que possible, affirma mon grand-père. En attendant, fais attention à toi.

Je lançai un regard en direction du bar, pensant à mon enquête. Nos étudiants et Sarah avaient sans doute été abordés par le même homme, ou du moins, leurs descriptions sommaires concordaient. Ça valait la peine de creuser un peu.

— En fait, je crois que je vais jeter un coup d'œil aux alentours.

Mon grand-père fronça les sourcils.

— Je ne serais pas rassuré de te savoir dans les parages alors qu'il y a quelque chose d'étrange dans l'air.

— J'ai un poignard dans ma botte, et je serai entourée de policiers.

— Très bien, mon bébé. Mais fais-moi une faveur, sois prudente. J'en prendrais pour mon grade si ma petite-fille venait à se faire arrêter, sans compter que je devrais appeler ton père pour le prévenir.

— Je n'ai pas plus envie que toi de voir l'une de ces deux possibilités se réaliser, lui assurai-je.

Tandis que Jeff et mon grand-père s'éloignaient vers le bar, je balayai la rue du regard.

Lindsey et Christine avaient regroupé les vampires sains d'esprit en face. Les humains s'étaient rassemblés à l'intérieur du périmètre délimité par le ruban jaune et assistaient désormais à la scène en spectateurs curieux. Les paparazzis s'amassaient déjà autour du bar, mitraillant à qui mieux mieux. Le bruit de leurs objectifs me fit penser au bourdonnement d'une nuée d'insectes voraces.

Darius et Ethan allaient criser. Je sortis mon téléphone de ma poche. Je détestais annoncer de mauvaises nouvelles, mais je devais informer Ethan de ces événements. Je me contentai d'un texto contenant un bref résumé – « Bagarre au *Temple Bar*. Police » – et un avertissement – « Journalistes. Éloigner Darius de TV ». Cela suffirait pour l'instant.

Mon devoir accompli, je scrutai les environs. La rue était coupée par une allée longeant le bar. S'il avait rôdé autour du *Temple Bar* pour inviter des humains à la rave, notre homme aurait-il emprunté ce chemin ? Cette hypothèse tenait autant la route que n'importe quelle autre ; je décidai d'aller voir de plus près.

Je ne pus réprimer une grimace au bout de quelques pas dans la ruelle. Par cette chaude nuit d'été, elle exhalait des odeurs nauséabondes que l'on retrouvait sans doute dans tous les autres étroits passages urbains : un mélange de relents d'ordures, de saleté, et d'urine d'origine indéterminée. Il y faisait sombre, mais la voie était assez large pour qu'une voiture puisse passer. À un mur était affiché un panneau qui avait autrefois dû porter l'inscription « INTERDIT AUX POIDS LOURDS », mais sur lequel on lisait à présent « INTERDIT AUX POILUS ». Je retins un rire puéril, mais ne pus m'empêcher de sourire.

Parvenue vers le milieu de l'allée, je découvris l'entrée de service du bar, marquée par une imposante porte métallique peinte en rouge et criblée de taches de rouille annonçant « RÉSERVÉ AUX FOURNISSEURS » et « PROTÉGÉ PAR AZH SECURITY ». Juste à côté se trouvait une pile d'emballages de packs de bière aplatis. À part ça, il n'y avait rien d'intéressant.

Par simple curiosité, je marchai jusqu'au bout de la ruelle. Hormis quelques bennes à ordures et deux accès secondaires appartenant à d'autres commerces, rien de spécial là-bas non plus.

Déçue, je fronçai les sourcils. J'ignorais ce que j'attendais, mais découvrir un homme de petite taille aux cheveux noirs en dessous d'une flèche lumineuse avertissant « sale type » m'aurait fait plaisir. En plus d'un suspect, une rapide confession aurait également été la bienvenue.

C'était bien plus difficile que dans les films.

Eurêka!

Le cœur battant à coups redoublés sous l'effet de l'excitation, je courus en direction de l'entrée de service du *Temple Bar*. Comme je l'espérais, une caméra de sécurité avait été fixée au-dessus. Avec la pénombre qui régnait dans la ruelle et la saleté ambiante, les images ne s'avéreraient certainement pas dignes d'un oscar, mais je tenais enfin une piste. Pour commencer, je devais trouver Jeff.

Je regagnai la rue principale, mais mon génie de l'informatique n'était pas encore ressorti du bar. Étant donné que je préférais éviter de retourner dans ce marasme désormais grouillant de policiers, je décidai d'aller parler à Lindsey.

Je n'avais pas fait deux pas que je sentis quelqu'un me tapoter l'épaule.

— Est-ce que tout va bien ?

La voix pourtant familière me surprit tellement que je fus parcourue d'un violent frisson. Je fis volte-face et découvris Jonah, en jean et tee-shirt moulant, accompagné par deux vampires que je ne connaissais pas. L'un deux était vêtu d'un maillot bleu et jaune portant un numéro sur la poitrine. L'uniforme de la Maison Grey.

Jonah se trouvait là avec des amis, ce qui signifiait que nous devions nous en tenir à nos rôles de Sentinelle et Capitaine, sans évoquer aucun lien avec la Garde Rouge. Dans ce contexte, comme personne ne nous avait vus ensemble à Grey, nous étions censés ne jamais nous être rencontrés. Je me sentais capable de jouer la comédie.

— Tu es Merit, c'est ça ? la Sentinelle de Cadogan ?

— Oui. Et toi ?

— Jonah. Capitaine de la Garde de la Maison Grey. (Il jeta un regard en direction du bar.) Vous avez besoin d'un coup de main ?

— Je crois que ça ira. Il y a eu une bagarre.

Il écarquilla les yeux.

— Une bagarre ?

Je considérai un instant ses compagnons. Fournir des informations à Jonah ne me posait pas de problème, mais les deux types qui l'accompagnaient étaient de parfaits étrangers.

— Je ne connais pas tes amis.

— Je te présente Danny et Jeremy, annonça-t-il en les désignant tour à tour. Des gardes de Grey.

Danny esquissa un sourire en me saluant d'un hochement de tête, et Jeremy fit un signe de la main.

— Salut, dit-il.

— Tu peux parler sans crainte, affirma Jonah.

J'avais l'impression qu'il s'adressait à moi en tant que membre potentiel de la Garde Rouge et non en qualité de simple témoin d'un drame.

Je m'exécutai :

— Il y avait beaucoup de vampires dans le bar. Ils ont commencé à se disputer pour des broutilles, puis ils ont pété les plombs. Des bagarres ont explosé dans tous les coins.

— Nous avons entendu parler de rassemblements violents.

— Eh bien, je viens d'assister à l'un d'eux. Qu'est-ce que vous faites ici ?

— Nous étions dans les parages, nous rentrons à la Maison.

Il sortit un petit carton blanc de sa poche et me le tendit. Il s'agissait d'une carte de visite indiquant son nom, sa fonction et son numéro de téléphone.

—C'est ma ligne fixe, reprit-il. N'hésite pas à m'appeler si tu as besoin de quoi que ce soit.

—Merci, ça peut être utile.

—Rien de mieux que la coopération entre Maisons. Bonne chance.

—Au revoir.

Après un bref salut de la tête, le Capitaine de la Garde et ses acolytes s'éloignèrent et disparurent dans la foule. J'aurais bien aimé lui demander son aide une fois de plus, mais qu'aurait-il pu faire ce soir-là ?

Je glissai sa carte dans ma poche et, quand je me retournai, je me trouvai face à Catcher.

—Tu connais Jonah ?

—Maintenant, oui, affirmai-je, sentant mon estomac se contracter sous l'effet du mensonge. C'est le Capitaine de la Maison Grey.

—C'est ce que j'ai entendu dire.

Il me dévisagea quelques instants.

—Qu'est-ce qu'il y a ? demandai-je, intriguée.

Me suspectait-il de connaître Jonah ? Pensait-il que ce dernier en savait plus qu'il ne le laissait paraître ?

Catcher ne dit rien, gardant pour lui ses éventuels soupçons.

Ce fut à ce moment-là que je le vis. Je ne perçus tout d'abord qu'une ombre du coin de l'œil, mais distinguai bientôt la silhouette reconnaissable d'un homme de l'autre côté de la rue, accompagné d'un de ses soldats.

Il s'agissait de McKetrick, vêtu d'un caleçon de course à pied et d'un tee-shirt noirs. Je ne repérai aucune arme, mais avec les policiers qui grouillaient aux alentours, peut-être en cachait-il une sur lui. Il tenait à la main des jumelles compactes, et son compagnon, debout derrière lui, écrivait dans un calepin. Apparemment, le sympathique chef de la milice anti-crocs du quartier effectuait une petite opération de reconnaissance. Il étudiait la foule, ignorant de toute évidence que je me trouvais à proximité avec quelques sympathisants de notre communauté vampire. J'imaginais que, s'il l'avait su, il aurait été ravi.

Je me penchai vers Catcher.

— En face, au coin de la rue, c'est McKetrick et l'un de ses sbires.

Avec la subtilité d'un agent de la CIA, Catcher montra du doigt un immeuble dans la direction de McKetrick.

— Tu étais au courant que ce bâtiment avait été conçu par un singe qui vivait tout en haut de la Tribune Tower ?

— Ah non. Un singe, tu dis ?

— Poilu, avec bananes et grimaces. La totale, quoi, affirma-t-il avant de se retourner et de fourrer les mains dans les poches. Son visage ne me rappelle rien, mais il est habillé tout en noir, il a des jumelles et un sous-fifre. Un ancien militaire, peut-être ?

— Vu l'équipement qu'il avait la dernière fois, c'est ce que je me suis dit. Qu'est-ce qu'il trafique ici, à ton avis ?

— Il a sûrement un scanner radio, suggéra Catcher, le grondement de sa voix me renseignant sur ce qu'il pensait des propriétaires de tels appareils. Il a dû entendre l'appel, et décider de venir voir quelles atrocités les vampires avaient encore bien pu commettre ce soir.

— Foutus vampires, marmonnai-je.

— Toujours à s'attirer des ennuis, renchérit-il. Comme il est focalisé sur le bar, je vais m'approcher en tentant la Feinte de Chicago.

— La Feinte de Chicago ?

— Je vais le contourner par-derrière.

— Bien sûr, chef. Fais attention aux voyous et aux femmes fatales que tu risques de rencontrer en chemin.

Catcher me fusilla du regard.

— Parfois, je me demande pourquoi je me donne tant de mal.

— Parce que je suis adorable et que je t'ai laissé ma place dans la maison de Mallory.

Ma repartie lui arracha un mince sourire.

— Il n'empêche que je suis vexé. Garde un œil sur lui et envoie-moi un texto si tu as l'impression qu'il a envie de se joindre à la fête.

— D'accord.

Catcher baissa la visière de sa casquette puis plongea dans l'obscurité, partant à l'opposé de McKetrick.

— La Feinte de Chicago, murmurai-je, juste pour réécouter ces mots.

Je décidai que toutes nos futures opérations devraient porter des noms aussi cool.

Jeff reparut dès que Catcher eut disparu.

— Où va-t-il ?

— Nous avons vu McKetrick, le militant anti-crocs, de l'autre côté de la rue. Catcher essaie de l'espionner. Qu'est-ce que vous avez trouvé à l'intérieur ?

— Un certain nombre de vampires apparemment défoncés. Les policiers ne sont pas ravis qu'ils aient provoqué du grabuge en public. Ils vont tenter de faire retomber cette histoire sur Cadogan, tu sais.

— Je sais. Je ne saute pas de joie à l'idée de faire mon rapport à Ethan.

— Je te comprends. Les agents de police ont parlé à Chuck d'appeler le maire pour l'avertir de ce qui s'est passé.

— Ils ne vont pas déranger le maire pour une simple rixe de bar, tout de même ?

— Apparemment, étant donné que des vampires sont impliqués, si.

Il fit un geste en direction des paparazzis, qui ne cessaient de prendre des photos. Ils mitraillaient à présent les humains qui avaient assisté à la bagarre.

— Nous ne pouvons pas y faire grand-chose, soupirai-je. Mais tu peux m'aider. (Je levai la main avant qu'il me parle de nouveau de Fallon.) Rien d'indécent, rassure-toi. J'aurais juste besoin de tes prouesses en technologie.

— Mes deuxièmes prouesses préférées.

— Il y a une caméra au-dessus de la porte de service du bar. Est-ce que tu pourrais aller demander à Colin s'ils conservent les enregistrements ?

— D'accord. Si oui, je dois chercher quoi, exactement ?

— Tout. Activité suspecte, trafic de drogue, des trucs comme ça.

— Mouais, pas très précis.

Je lui tapotai le bras.

— C'est pour cette raison que je fais appel à toi, Jeff. Parce que tu es un génie. Si tu trouves un homme de petite taille aux cheveux noirs, tu gagnes le gros lot.

Jeff se redressa aussitôt.

— Définis ce que tu entends par « gros lot ».

J'eus besoin d'un moment pour réfléchir à une récompense qui ne le compromettrait pas auprès de Fallon et ne me causerait pas non plus d'ennuis avec la Meute des

Grandes Plaines. Mais Jeff était un Américain pur souche, et un métamorphe à l'appétit solide. J'avais une idée qui lui plairait sans doute.

— J'appellerai le boucher préféré de mon grand-père pour lui commander son assortiment de fête, à livrer à l'Agence.

Il haussa les sourcils, une lueur d'approbation carnassière dans les yeux.

— Nous ne sommes pas censés accepter les cadeaux, tu sais, en tant qu'employés de la Ville et tout ça.

— Je suis certaine que cet assortiment comporte une demi-douzaine de filets, probablement quelques longes, des steaks, des côtelettes et des saucisses, mais si tu penses que c'est inapproprié, on abandonne. Je n'ai pas envie de te causer des ennuis.

Jeff hocha vigoureusement la tête.

— S'il y a une vidéo, ton homme ne m'échappera pas. Je le trouverai.

— Merci.

Tout à sa nouvelle mission, Jeff se dirigea vers l'Oldsmobile de mon grand-père, s'installa sur le siège arrière et ouvrit un ordinateur portable noir.

Je souris devant un tel enthousiasme, heureuse d'avoir des amis du bon côté de l'ordre et de la justice. Mon travail de Sentinelle aurait été bien plus difficile à accomplir sans Jeff, Catcher, mon grand-père, Mallory et tous ceux qui m'aidaient à récolter des informations. On ne devrait jamais sous-estimer la valeur d'une équipe soudée.

Voilà que je commençais à parler comme Jonah. Peut-être que son discours sur la Garde Rouge ne me laissait pas de marbre, après tout.

14

LE S(C)EAU DU SECRET

Alors que l'aube approchait, les derniers vampires commencèrent à sortir du bar, vacillant légèrement sous les lumières stroboscopiques des gyrophares des voitures de police et des flashs des photographes. Leur peau était marquée d'hématomes qui avaient déjà pris une teinte verdâtre, résultat du processus de guérison accéléré des créatures à crocs. Malheureusement, à mon avis, les plaies qu'avait subies notre communauté s'avéreraient plus longues à soigner.

Mon grand-père et Catcher s'entretenaient avec les agents, échangeant sans doute leurs remarques et théories. Jeff finit par pénétrer dans le bar, son ordinateur sous le bras, probablement en vue d'examiner les enregistrements de la caméra de sécurité.

Lorsque les véhicules de police commencèrent à quitter les lieux, je m'avançai vers Lindsey et le groupe de vampires qui n'avaient pas pris part à la bagarre.

Elle se mit debout quand j'approchai.

— Est-ce que tu as découvert quelque chose ? s'enquit-elle.

— Pas encore. Apparemment, se trouver sur une scène de crime implique d'attendre longtemps à ne rien faire. Et toi ?

Lindsey jeta un coup d'œil aux vampires qui se tenaient à ses côtés, de toute évidence traumatisés par l'accumulation de policiers, inspecteurs, cocktails arc-en-ciel et paparazzis.

— Rien pour l'instant. L'un des ambulanciers m'a dit que ton grand-père avait organisé une cellule psychologique pour les humains.

— Ce n'était qu'une rixe de bar, grommelai-je.

Les humains avaient peut-être été ébranlés, mais aucun d'eux n'avait été blessé. Ils ne s'étaient même pas réellement impliqués dans la bagarre.

— Oui, mais avec de terrifiants vampires fous furieux, s'écria-t-elle, exagérant à dessein en agitant les doigts à la manière d'un monstre menaçant.

Je poussai un soupir dédaigneux. Je devais toutefois reconnaître que la bataille était perdue d'avance, avec la masse de journalistes et de photographes qui encerclait déjà les humains. Je dirigeai de nouveau le regard vers le bar.

— Nous devrions peut-être retourner à l'intérieur, pour nettoyer un peu. Est-ce que tu veux essayer de motiver les troupes ?

— Oh oui ! J'ai obéi à Luc, qui refusait qu'on bouge avant que la police nous donne le feu vert, alors je suis restée là à m'ennuyer. Je considère ta requête comme un feu vert.

Son raisonnement me convenait tout à fait.

— Laisse-moi une minute d'avance. J'aimerais inspecter les lieux.

Elle acquiesça, et je rentrai dans le bar.

Une véritable pagaille régnait dans la salle, rappelant l'aspect de Cadogan après l'attaque des métamorphes, même si le décor était plus orienté sur le sport. Grâce au ciel, les objets à l'effigie des Cubs avaient survécu à la bataille, mais les tables et les chaises avaient pour la plupart été renversées. Je balayai la pièce du regard en quête d'un indice qui aurait expliqué pourquoi les vampires avaient ainsi perdu la raison, mais supposai que les policiers s'étaient emparés de toutes les preuves disponibles. Et aucun homme de petite taille distribuant des cartons d'invitation en vue.

Si Célina était impliquée dans cette histoire et provoquait d'une façon ou d'une autre cette hystérie collective chez les vampires, elle avait réussi à nous expulser de notre propre bar. Tout à fait le genre de chose qu'elle aurait adoré. Seule dans la salle, je me représentai Célina surgissant de derrière le comptoir, entourée de ballons, les bras levés en signe de victoire.

—Ah, le pouvoir de l'imagination, murmurai-je avant de commencer à redresser les tables.

Lindsey franchit le seuil, suivie de sa bande de vampires.

—Très bien, jeunes gens, dit-elle. Essayons de retaper cet endroit. Enfin, façon de parler.

Ils s'exécutèrent en marmonnant, ramassant et replaçant les meubles. Colin entra à son tour et, en voyant l'état de la salle, il poussa un grognement.

—J'espère que tu vas découvrir ce qui se passe, Sentinelle.

—J'y travaille, lui assurai-je. D'ailleurs, j'aurais besoin d'une autre faveur. Je suppose que tu sais siffler ?

Il inséra aussitôt deux doigts dans la bouche et émit un chuintement strident. Un instant plus tard, je bénéficiais de l'attention de toutes les personnes présentes.

— La discrétion est une valeur précieuse, commençai-je. Je vais dans le bureau. Si quelqu'un est au courant de quoi que ce soit, c'est le moment de venir me parler.

À la manière d'une institutrice agacée, je les fustigeai du regard jusqu'à ce que j'en voie certains prendre un air penaud. Même si ma cote de popularité devait en pâtir, je n'avais pas le choix. Mon statut de présidente du comité des fêtes passait après ma mission de Sentinelle et la nécessité de garantir la sécurité de Cadogan.

Je me tournai vers Colin et tendis la main afin qu'il me confie les clés. Puis je me dirigeai vers le bureau. J'ouvris la porte et m'avançai aussitôt vers l'armoire à dossiers. Boire un coup ne me ferait pas de mal, et Colin ne me reprocherait certainement pas de tester son cocktail maison. Je sortis la flasque du tiroir supérieur, la débouchai et reniflai prudemment.

Je fis une grimace. J'ignorais ce que contenait son mélange secret, mais il sentait le vinaigre. Je fermai les yeux et pris une gorgée.

C'était… pas si mal, en fait. J'éprouvais des difficultés à en décrire le goût. «Aigre» se rapprochait le plus de ce que je ressentais, mais les arômes de sang et une saveur légèrement sucrée contrebalançaient l'acidité, comme dans du vinaigre à la framboise. Comme je n'avais pas particulièrement envie de boire un assaisonnement pour salade, je rebouchai la flasque et me promis de manger un Mallocake lorsque je rentrerais à la Maison.

Je remarquai la silhouette qui se découpait dans l'embrasure de la porte au moment où je refermais l'armoire. Il s'agissait d'une vampire que j'avais déjà vue à Cadogan, mais que je ne connaissais pas vraiment, une jolie brune avec de longs cheveux ondulés et des courbes généreuses.

Elle jeta un regard dans le couloir comme si elle craignait d'être aperçue sur le point de dénoncer ses camarades à la prof.

— Tu peux fermer la porte, si tu veux, lui proposai-je.

Ce qu'elle fit après être entrée dans la pièce.

— Je suis Adriana, commença-t-elle. J'habite au deuxième étage de la Maison.

— Enchantée.

Elle alla droit au but.

— Je n'aime pas moucharder, mais je suis loyale à Cadogan et à Ethan, affirma-t-elle, l'affection féroce qui se lisait dans ses yeux ne laissant planer aucun doute sur ses sentiments. Et si quelqu'un menace l'un ou l'autre, c'est le moment de parler.

Je hochai la tête de manière solennelle.

— Je t'écoute.

— Je m'en suis rendu compte pour la première fois il y a quelques semaines. J'étais à une fête où il n'y avait pas d'humains, et j'ai vu un vampire Grey en prendre. Vingt minutes plus tard, il a frappé quelqu'un en l'accusant d'avoir fait des avances à sa copine. (Adriana marqua une pause comme pour rassembler son courage, puis leva de nouveau les yeux sur moi.) Et ce soir, j'ai trouvé ça dans les toilettes.

Elle tendit le poing, puis déplia les doigts, révélant une petite enveloppe blanche sur laquelle était inscrite la lettre « V ». Je n'avais pas besoin de l'ouvrir pour savoir ce qu'elle contenait.

Je fermai les yeux, énervée de m'être montrée si stupide. La drogue n'était pas destinée aux humains. Elle ne servait pas à les rendre plus influençables ; le charme traditionnel suffisait.

Non, ces pilules avaient été conçues pour les vampires. Leur agressivité n'était pas causée par des ondes magiques, un virus ou une sorte d'hystérie collective, mais par une drogue qu'ils avaient apparemment eu la bêtise d'avaler. Peut-être les incitait-elle à la violence en abaissant leurs inhibitions, ou peut-être stimulait-elle leurs hormones. Quels qu'en soient les effets, c'était pour cette raison que les vampires de la rave s'en étaient pris à moi pour les avoir bousculés, et que la bagarre avait éclaté au bar pour quelques cocktails colorés… et il était possible que ces comprimés aient provoqué le meurtre de trois humaines à West Town, d'après ce qu'affirmait Seth Tate.

— Merci, soufflai-je en rouvrant les yeux, la main tendue.

Elle me donna l'enveloppe.

— Ça n'excuse rien, mais certains, pour rompre l'ennui de l'immortalité, font des choses qu'ils n'auraient jamais faites en temps normal, et recherchent le frisson, déclara-t-elle. Mais maintenant, ça circule au *Temple Bar*, et je n'ai pas envie que ce truc s'infiltre dans la Maison.

— Tu as bien fait. Est-ce que tu as déjà rencontré le vendeur ?

Elle secoua la tête.

— Les vampires se font passer ces pilules entre eux. À moins de vouloir se procurer une certaine quantité de drogue, ce qui n'est pas mon cas, on n'entre jamais en contact avec le dealer.

Encore un coup dans l'eau, mais au moins, j'avais éclairci quelques points. Quelqu'un vendait du V aux vampires Cadogan. Quelqu'un d'autre, ou peut-être la même personne, incitait les humains à se rendre aux raves.

J'ignorais qui tirait les ficelles, mais, qui que ce soit, il avait trouvé la recette idéale pour un cocktail explosif.

— Merci d'être venue me parler. Je vais informer Ethan de cette histoire de drogue afin que nous puissions y mettre un terme, mais je ne lui dirai pas qui m'a fourni ces renseignements.

En dépit du soulagement que je lus sur son visage, elle redressa aussitôt les épaules.

— Tu dois absolument découvrir qui nous a mis en danger en introduisant cette saleté ici, lança-t-elle.

— J'en ai bien l'intention, lui promis-je.

Lorsque je retournai dans la salle, les tables et les chaises avaient repris leur place initiale. Christine balayait les tessons de verre tandis qu'un autre Novice de notre promotion lui présentait un seau pour les y déposer. Derrière le comptoir, Colin essuyait l'alcool qui avait été répandu et rassemblait des bouteilles de bière brisées.

Des regards curieux convergèrent dans ma direction. Les vampires se demandaient sans doute ce que je savais à présent, et quel genre d'ennuis ce que j'avais appris allait leur attirer.

Question pertinente, d'ailleurs. À cet instant précis, je pensais à Ethan, à la Maison, et j'étais vraiment furax. Tant que je croyais qu'ils étaient victimes d'une sorte de folie contagieuse, j'avais fait preuve de tolérance envers les fauteurs de troubles, mais ils avaient choisi d'avaler ces comprimés, de leur plein gré. Les policiers, la mauvaise publicité que la presse ne manquerait pas de nous faire, l'exaspération de Tate, les raves : nous étions confrontés à tous ces soucis uniquement parce que des vampires avaient eu la bêtise de vouloir s'amuser en prenant de la drogue.

Ils avaient volontairement semé le chaos, ce qui m'irritait au plus haut point.

Je marchai à grandes enjambées jusqu'au comptoir, par-dessus lequel je bondis pour tirer la corde de l'immense cloche suspendue derrière. Elle servait d'habitude à marquer le départ de quelque facétie, la plupart du temps le jeu qui consistait à répertorier les tics d'Ethan.

Ce soir-là, je l'utilisai à des fins plus sérieuses.

Je secouai la corde jusqu'à ce que le carillon résonne dans toute la salle. Je pris ensuite un seau à glace sur une étagère et le posai en plein milieu du comptoir. Je scrutai la foule afin de m'assurer qu'aucun humain n'était resté dans le bar et, une fois que j'eus vérifié, je laissai libre cours à ma colère.

—Ainsi, c'est une histoire de drogue.

Je me sentis un peu mieux lorsque je vis la stupeur s'imprimer sur quelques visages. Au moins, ces vampires n'en avaient pas pris, mais ils constituaient une minorité.

—Certains d'entre vous savent parfaitement de quoi je parle, poursuivis-je. J'ignore pourquoi vous vous êtes drogués, et je ne suis pas sûre que ça m'intéresse. Vous n'auriez pas pu choisir plus mauvais moment. Darius est à Chicago, et Ethan a déjà de sérieux ennuis. Tate a Cadogan en ligne de mire, et ce qui vient de se passer ne va certainement pas arranger les choses.

Je laissai ces paroles produire leur effet, des murmures et des regards inquiets se propageant à présent dans l'assistance.

— Les temps changent, repris-je sur un ton plus doux. Notre Maison a traversé de dures épreuves récemment, et l'avenir ne s'annonce pas moins sombre. Je n'ai pas l'intention de dire à Ethan qui se trouvait ici ce soir. (Bon nombre de vampires parurent soulagés.) Mais ce que nous avons vécu ne doit plus jamais se reproduire. Nous ne pouvons pas, je ne peux pas, laisser le V circuler à Cadogan. De plus, étant donné que j'ai le devoir d'informer la police de cette histoire de drogue, il y a de grandes chances pour que nous soyons tous fouillés avant de partir. (Je soulevai le seau à glace afin de leur annoncer que nous allions passer aux choses sérieuses, puis le reposai.) Si vous avez des pilules sur vous, venez les déposer dans le seau. Je les donnerai moi-même aux policiers. Il est préférable que je m'en charge, plutôt que vous défiliez un par un devant eux. N'empirons pas la situation. Pour le bien de la Maison, faites le nécessaire.

Je pivotai face au mur, leur permettant ainsi de se débarrasser de la drogue en respectant leur anonymat. Il leur fallut quelques secondes pour réagir, mais je finis par entendre des bruits de pas et des grincements de chaises, puis le « ping » d'un comprimé ou le « pof » d'une enveloppe heurtant la paroi du seau.

Le son des consciences qui se libéraient.

Au bout d'un moment, Colin m'interpella.

— Je crois qu'ils ont terminé, souffla-t-il en me regardant.

Je hochai la tête, puis considérai la foule.

— Merci. Je ferai en sorte qu'Ethan sache que vous nous avez aidés et que vous avez assumé vos responsabilités. Et surtout, n'hésitez pas à venir me trouver si vous avez le moindre problème.

Sur ce, avec l'impression persistante de jouer à la harpie de service, je m'emparai du seau et me dirigeai vers la sortie. Je savais désormais ce qui se passait, pourquoi les raves semblaient plus importantes et plus violentes qu'auparavant. J'espérai avoir permis d'éviter que le même chaos s'installe dans notre Maison.

Je devais à présent débusquer le dealer, et mettre un terme au désordre qui régnait partout ailleurs.

Une fois à l'extérieur, je retrouvai Catcher, Jeff et mon grand-père, qui était assis sur le trottoir, l'air grave.

Il se leva à mon approche. Je le conduisis derrière l'un des véhicules de police, à l'abri des objectifs des paparazzis, puis lui tendis le seau.

—C'est du V, annonçai-je. La même substance que nous avions trouvée à la fête de Streeterville. Apparemment, ça a circulé du *Benson's* à la Maison Grey, puis au *Temple Bar*, où des vampires Cadogan ont eu la stupidité d'en prendre. (Je me tournai vers Catcher.) C'est pourquoi ils deviennent si agressifs. Ce n'est pas l'effet du charme ou de la magie…

— … mais de la drogue, termina-t-il avec un hochement de tête. Elle était destinée aux vampires, non pas aux humains.

—Vous avez sans doute raison, concéda mon grand-père en extirpant deux petits sachets en plastique transparent de la poche de sa veste.

Ils contenaient tous les deux des comprimés et des enveloppes.

—Où est-ce que tu as trouvé ça ?

— Par terre, dans le bar, avoua-t-il. Quelqu'un a dû les laisser tomber dans la bagarre. Peut-être que le «V» signifie «vampire». Ou «violence».

— Je ne sais pas, mais c'est de mauvais augure, répliqua Catcher. Le V doit circuler dans les boîtes de nuit, dans les fêtes, parmi les vampires.

Mon grand-père lança un regard en direction des paparazzis qui mitraillaient depuis l'extérieur du périmètre de sécurité, zoomant et dézoomant pour capter chaque détail de la scène.

— Je ne peux pas les empêcher de prendre des photos, mais j'essaierai de garder le secret du V aussi longtemps que possible. D'après ce que nous savons, cette drogue est destinée aux vampires, les humains ne sont pas directement concernés.

— Je t'en serais reconnaissante, et Ethan aussi, j'en suis sûre.

Un policier visiblement éreinté s'approcha de mon grand-père tout en me lançant des regards insistants. Le silence s'abattit sur notre groupe lorsqu'ils s'écartèrent pour échanger à voix basse. Au terme de leur conversation, mon grand-père confia le seau à l'officier, puis nous rejoignit. À ses sourcils froncés, je supposai que quelque chose de déplaisant m'attendait.

— Que penses-tu d'aller faire une déposition au commissariat?

Mon estomac se noua. Il m'accordait une faveur en me permettant de relater personnellement les événements, ce qui équivalait plus ou moins à me donner le contrôle de la destinée de la Maison, mais je n'avais pas une folle envie de me rendre au poste de police.

— Pour être honnête, ça ne m'enchante pas, et Ethan va piquer une crise.

— Pas si l'autre option consiste à envoyer un vampire Cadogan choisi au hasard, moins expérimenté et dévoué que toi. Nous avons besoin d'une déposition, et mieux vaut que ce soit toi qui la fasses.

Je soupirai. Non seulement j'allais devoir annoncer de mauvaises nouvelles, mais je devrais également jouer la taupe auprès de la police en leur rapportant tous les détails sordides. Mon grand-père avait cependant raison : avions-nous vraiment le choix ?

J'acquiesçai, soupirai, puis ressortis mon téléphone.

Je n'avais certes rien de réjouissant à annoncer à Ethan, mais je pouvais au moins lui donner un petit avertissement, en priant pour qu'il n'ait pas envie de m'arracher mon médaillon à la fin de la soirée.

Installée sur le siège passager de l'Oldsmobile, l'épuisement prenant le pas sur l'adrénaline, je m'apprêtai à affronter l'épreuve qui m'attendait. Au commissariat du Loop, mon grand-père se gara sur un emplacement qui lui était réservé et m'escorta à l'intérieur du bâtiment, une main dans mon dos afin de me soutenir. Compte tenu de la tâche que je devais accomplir, j'appréciai son geste.

Les locaux, relativement neufs, étaient austères. La peinture écaillée et le vieux mobilier en métal des feuilletons télévisés avaient été remplacés par des boxes, des distributeurs automatiques et du carrelage étincelant.

Comme il était presque 4 heures du matin, le silence régnait dans les bureaux quasi déserts à l'exception de quelques officiers en uniforme traversant les couloirs avec des prévenus menottés. Je rencontrai une femme épuisée vêtue d'une minijupe et de bottes montantes, un homme très agité au visage décharné portant un jean sale, et un adolescent trapu, dont les yeux étaient cachés par des mèches de cheveux raides et dont le tee-shirt gris trop grand pour lui était maculé de taches de sang. J'assistais à une scène lugubre, un instantané d'une nuit sans aucun doute atroce pour tous ces d'individus.

Je suivis mon grand-père dans une pièce bordée de petits bureaux, entre lesquels étaient alignées des rangées de tables et de chaises. L'ensemble ressemblait à un enclos à inspecteurs. Les policiers levèrent la tête sur notre passage pour saluer le Médiateur et me lancer des regards curieux, voire franchement suspicieux.

Après avoir traversé l'enclos, j'emboîtai le pas à mon grand-père dans un couloir menant à une salle d'interrogatoire occupée par une table de réunion et quatre chaises. La pièce, fraîchement rénovée, exhalait une odeur de neuf où se mêlaient les senteurs de bois vert, de plastique et de vernis aux essences de citron.

Sur l'invitation de mon grand-père, je m'assis. La porte s'ouvrit au moment où il s'installait en face de moi. Un homme de haute taille en costume rayé, au teint hâlé, franchit le seuil puis referma derrière lui. Il tenait un bloc-notes jaune et un stylo, et son insigne pendait à une chaîne passée autour de son cou.

—Arthur, salua mon grand-père.

Avant que ce dernier ait eu le temps de se lever, le policier tendit le bras.

—Restez assis, monsieur Merit, ne vous donnez pas cette peine pour moi, déclara-t-il en lui serrant la main avant de poser sur moi un regard soupçonneux. Caroline Merit, je suppose?

Caroline était mon vrai prénom, mais je ne l'utilisais jamais.

—Appelez-moi Merit, je vous en prie.

—L'inspecteur Jacobs fait partie de la brigade des mœurs depuis quinze ans, expliqua mon grand-père. C'est un homme dévoué et digne de confiance que je considère comme mon ami.

Les regards respectueux qu'ils échangèrent confirmèrent ses dires, mais il paraissait évident que l'inspecteur Jacobs se méfiait encore de moi. Bien entendu, je n'étais pas venue dans le but d'impressionner qui que ce soit. Je devais juste dire la vérité, ce à quoi je m'appliquai.

Il me fit rapporter ce que j'avais vu à la rave, ce que Sarah m'avait appris, et les événements auxquels j'avais assisté un peu plus tôt dans la soirée. Je me contentai des faits bruts, sans partager mon analyse ou mes soupçons. Rien ne justifiait d'ajouter nos démêlés avec Célina ou le PG dans cette affaire déjà bien assez grave.

L'inspecteur Jacobs m'interrompit de temps à autre pour me poser une question, croisant rarement mon regard, les yeux rivés sur son carnet alors qu'il prenait des notes. À l'image de son costume, son écriture était élégante et soignée.

J'ignorais si mon discours avait permis de dissiper sa défiance à mon égard, mais je me sentais mieux après lui avoir parlé. Il avait beau appartenir à la communauté des humains, il faisait preuve de prudence, de logique, et prêtait attention au moindre détail. Je n'eus pas l'impression qu'il lançait une chasse aux sorcières, mais qu'il s'efforçait de résoudre un problème comme les autres – sauf que des vampires s'y trouvaient impliqués par hasard.

Malheureusement, il ne disposait d'aucune information concernant le V ou son origine. Comme me l'avait affirmé Catcher, le trafic de stupéfiants n'avait rien d'exceptionnel à Chicago, troisième plus grande ville du pays.

L'inspecteur ne me fit pas non plus part de la suite qu'il comptait donner à son enquête. S'il avait l'intention de tenter une opération d'infiltration de son côté, il ne m'en dit rien. Il me laissa toutefois sa carte et me demanda de l'appeler si jamais je découvrais quoi que ce soit, ou si j'avais besoin de son aide.

À mon avis, Ethan ne verrait pas d'un bon œil que j'implique un agent expérimenté de la brigade des mœurs dans nos investigations.

Après tout, c'est mon travail de Sentinelle, pensai-je en glissant la carte dans ma poche.

Je trouvai Ethan assis sur une chaise en plastique dans le couloir, le dos courbé, les coudes sur les genoux, les mains jointes. Il tapait ses pouces l'un contre l'autre, ses cheveux blonds ramenés derrière les oreilles. Le genre de position adopté par quelqu'un de fatigué, tendu, attendant le verdict des médecins au sujet d'un proche dans un hôpital.

Il leva les yeux en entendant le claquement de mes talons sur le carrelage. Il se mit aussitôt debout pour s'avancer à ma rencontre.

— Tu vas bien ?

Je hochai la tête.

— Oui. Mon grand-père a pensé que ce serait mieux si c'était moi qui faisais la déposition.

— Ça m'a semblé être la meilleure solution, renchérit une voix derrière moi.

Je me retournai, pour voir mon grand-père traverser le couloir dans notre direction.

— Monsieur Merit. Merci pour votre aide.

Mon grand-père serra la main qu'Ethan lui tendait tout en secouant la tête.

— Remerciez plutôt votre Sentinelle. Elle représente dignement votre Maison.

Ethan me regarda, une lueur de fierté – et d'amour ? – au fond des yeux.

— Je suis d'accord avec vous.

— Je suis fatiguée et je n'ai pas de voiture, déclarai-je. Tu pourrais me ramener à Cadogan ?

— Bien sûr, affirma Ethan avant de se tourner de nouveau vers mon grand-père. Pouvons-nous vous être utiles à autre chose ?

— Non. Nous avons terminé pour l'instant. Passez une bonne fin de soirée, du moins autant que possible compte tenu des circonstances.

— Ça va être difficile, mais on va faire de notre mieux, dis-je en lui tapotant le bras.

Avant que nous ayons pu faire un pas en direction de la sortie, les portes s'ouvrirent au fond du couloir. Tate apparut, suivi d'un escadron d'assistants en costume. Ces derniers paraissaient exténués, et je compatis. Jouer la potiche en tenue d'apparat à 5 h 15 ne devait vraiment pas être marrant.

Tate marcha vers nous à grands pas, affichant une expression à la fois irritée et cordiale. Je supposai que la colère provenait de sa personnalité de stratège politique anticipant une publicité désastreuse au sujet du problème vampire, tandis que son côté play-boy et charmeur en toutes circonstances expliquait son air affable.

Il s'adressa tout d'abord à mon grand-père :

— Est-ce que la situation est maîtrisée ?

— Oui, monsieur le Maire. Nous avons géré la crise au bar, et Merit vient de fournir une déposition très détaillée qui va nous permettre de résoudre ce problème.

— Qui consiste en quoi, exactement ?

— Nous essayons encore de le déterminer. Je vous transmettrai mon rapport dès que je l'aurai tapé.

Tate hocha la tête.

— Merci, Chuck, répondit-il avant de considérer Ethan. Est-ce que ces événements sont liés à l'affaire que je vous ai demandé d'élucider ?

— Peut-être, dit Ethan, évasif. Merit se consacre presque exclusivement à cette enquête, et c'est ce sur quoi elle travaillait ce soir.

L'expression de Tate se radoucit et il reprit son amabilité de politicien.

— Inutile de vous dire à quel point je suis heureux de l'entendre.

Surtout si ça vous permet de gagner dix ou quinze points dans les sondages, pensai-je avec amertume.

Tate me salua, puis fit de même avec mon grand-père.

— Merit, restons en contact. Chuck, j'attends votre rapport avec impatience.

Il tendit le bras vers Ethan mais, au lieu d'une simple poignée de main, il se pencha et lui murmura quelques mots à l'oreille. Ethan raidit aussitôt les épaules et braqua le regard sur un point devant lui, le visage fermé, peinant à contrôler sa fureur, alors que le maire s'éloignait.

Ethan avait garé sa voiture dans un parking sécurisé à côté du commissariat. Je franchis péniblement la courte distance que nous avions à parcourir. Toutes ces histoires commençaient à avoir raison de ma force de vampire. J'étais épuisée. J'avais le cerveau embrumé, le corps perclus de courbatures, et l'impression d'être glacée, comme quand on couve une grippe.

Ethan m'ouvrit la porte, et la referma une fois que je me fus installée dans l'habitacle. Je consultai l'horloge du tableau de bord : il était presque 5 h 45, soit vingt minutes avant l'aube. Encore une longue soirée, et une nouvelle course contre la montre pour devancer le lever de soleil.

Sans un mot, Ethan monta dans le véhicule et démarra le moteur.

Pour la dernière fois de la nuit, je tentai de jouer le rôle de la Sentinelle dévouée.

— Tu veux que je te fasse un rapport maintenant ?

Il avait sans doute remarqué mon état de fatigue, car il refusa d'un geste.

— Luc m'a raconté l'essentiel, et les journaux télévisés parlent déjà de l'affaire. Repose-toi.

Je dus le prendre au mot, car je me rappelle avoir acquiescé et posé la tête contre le dossier tandis qu'il manœuvrait pour sortir du parking, puis plus rien. Lorsque je me réveillai, nous pénétrions dans le garage de Cadogan.

— Tu es vraiment épuisée, on dirait, déclara Ethan.

Je mis la main devant la bouche afin de cacher un bâillement.

— Le jour va se lever.

— C'est vrai.

On resta assis tous les deux un moment, mal à l'aise, comme un couple au terme du premier rendez-vous, chacun se demandant comment se comporter.

Ethan fut le premier à bouger. Il ouvrit sa portière et sortit. Je l'imitai, chancelai un peu en m'extirpant de la voiture, mais parvins néanmoins à maintenir mon équilibre. Je ressentais les effets anesthésiants de l'aube. J'avais les jambes flageolantes de fatigue, et mon corps réclamait à grands cris un endroit obscur et confortable où dormir toute la journée.

—Tu vas réussir à monter ? s'enquit Ethan.

—Oui.

Je me concentrai pour mettre un pied devant l'autre, clignant des yeux afin d'empêcher ma vue de se brouiller.

—Le soleil te fait vraiment de l'effet, fit remarquer Ethan en tapant le code sur le clavier numérique à côté de la porte, qu'il me tint ouverte.

Je franchis le seuil comme un zombie. J'étais cependant suffisamment consciente pour me rendre compte qu'il ne semblait pas aussi affecté que moi.

—Pas à toi ? demandai-je alors que nous empruntions l'escalier.

—Je suis plus âgé, expliqua-t-il. Ton corps ne s'est pas encore tout à fait adapté au changement génétique qui t'a fait passer à un métabolisme nocturne. En vieillissant, tu résisteras plus facilement. Tu ressentiras l'approche de l'aube davantage comme une subtile suggestion que comme un coup de massue.

Je ne fus capable de marmonner qu'un vague grognement d'approbation. Je réussis par miracle à atteindre le premier étage sans m'effondrer.

—Je te vois au crépuscule, déclara Ethan avant de se diriger vers l'escalier.

Je l'appelai, et lorsqu'il regarda en arrière, je lui demandai :

— Que t'a chuchoté Tate à l'oreille ?

— Il m'a dit : « Réglez cette histoire, bordel, sinon… »
Nous en reparlerons demain.

Il n'eut pas besoin de me le répéter.

15

Tout ce qui brille

Comme Ethan l'avait fait remarquer, depuis que je vivais la nuit, le soleil exerçait plus de pouvoir sur moi que je ne voulais bien l'admettre. D'un autre côté, je n'avais pas besoin de caféine pour me réveiller. Je somnolais peut-être quelques minutes, mais le brouillard s'estompait vite, me laissant pleinement consciente, et en général affamée.

Je commençai la soirée par un bol de céréales croustillantes à la cannelle et autant de sang que je pus avaler. Je m'étais beaucoup battue la veille, et mon niveau de stress était monté très haut. Rien ne m'ouvrait autant l'appétit que le combat et la tension.

Enfin, rien à part Ethan. J'avais déjà eu l'occasion de constater que l'hémoglobine en sachet n'arrivait pas à la hauteur de celle bue à la veine, même si elle permettait d'assouvir la faim. Se nourrir était une chose, mais le réconfort émotionnel avait son importance aussi.

Après m'être douchée, j'enfilai mon uniforme noir de Cadogan. J'ignorais ce que j'allais devoir affronter ce soir-là, mais j'étais persuadée qu'après les aventures de la nuit dernière Darius se dresserait sur mon chemin à un moment ou à un autre. Il valait donc mieux que j'apparaisse dans une tenue plus soignée que celle dans laquelle il m'avait vue la veille.

Je me brossai les cheveux jusqu'à ce qu'ils brillent, passai mon médaillon Cadogan autour du cou et mis mes escarpins vernis. Toutes ces histoires de vampires m'avaient tellement accaparée que j'avais oublié de rappeler Mallory. Avant de descendre au rez-de-chaussée, j'allumai donc mon téléphone. Je trouvai un message de mon père. Il insistait sans doute une nouvelle fois pour qu'on le laisse aider Cadogan. Joshua Merit était capable de se montrer particulièrement persévérant.

J'envoyai à Mallory un texto afin de prendre de ses nouvelles, et reçus presque aussitôt une réponse : « Vais mieux ce soir. Stage sortilèges de guérison. Super ! »

J'ignorais si son « super ! » était sarcastique, mais « sortilèges de guérison » semblait un thème plus engageant que la magie noire.

Mon téléphone vibra de nouveau juste au moment où je fermais la porte. Il s'agissait cette fois d'un message de Lindsey, et il ne me disait rien qui vaille : « Il faut qu'on parle. »

Je détestais entendre ce genre de phrase. Je m'empressai de taper une réponse : « Problème de Maison ? »

« Problème de mec », m'envoya-t-elle aussitôt. Mes épaules se dénouèrent. « Ma faute », ajouta-t-elle.

Je ne voyais pas vraiment comment elle avait réussi à rencontrer des problèmes, quels qu'ils soient. Elle avait passé toute la nuit dernière en ma compagnie, et le soleil s'était couché à peine une heure plus tôt. Je ne résistai pas à lui demander : « Comment peux-tu avoir un problème de mec si tôt dans la soirée ? »

« Viens me voir plus tard. Ce sont les détails qui tuent. »
N'est-ce pas toujours le cas ?

Une conversation potentiellement déprimante avec Lindsey désormais inscrite à mon emploi du temps, je me dirigeai vers le bureau d'Ethan, au rez-de-chaussée. Je trouvai la porte ouverte. Ethan, seul dans la pièce, rangeait les bibelots qu'il avait sauvés de la bataille sur ses nouvelles étagères.

— Tu commences la soirée par un peu de décoration intérieure ?

— J'aimerais de nouveau me sentir dans mon bureau.

— Il peut être très satisfaisant de retarder les échéances.

Il partit d'un petit rire triste.

— Comme tu me l'as fait remarquer, c'est une habitude sans doute très humaine, mais il y a quelque chose d'indéniablement agréable dans le fait de prétendre que tout va bien et que les problèmes se tiendront à distance jusqu'à ce qu'on soit prêt à les affronter.

— C'est un mécanisme de défense efficace, concédai-je. Je suis contente que tu l'aies adopté. Où est Darius ?

— C'est Scott qui a tiré le gros lot, ce soir : Darius est à la Maison Grey, annonça-t-il avant de se retourner vers moi. Dis-moi que tu as appris quelque chose, hier. Dis-moi que nous allons réussir à mettre fin à tout ce cirque.

— Qu'est-ce que je dois te révéler ? Je ne voudrais pas te mettre dans une position délicate face à Darius.

Ethan émit un grognement sarcastique.

— De toute évidence, tu n'as pas vu les informations régionales, la nuit dernière.

En effet, je ne les avais pas regardées et, à en croire le ton de sa voix, je préférais m'abstenir.

—C'était si désastreux que ça?

—Tellement désastreux que Darius ne m'a pas appelé.

J'esquissai une grimace. Avoir échoué au point de mériter l'indifférence de son patron était encore pire que subir ses hurlements.

Je décidai de ne pas édulcorer. Je n'avais pas besoin de tout lui dévoiler – je pouvais notamment passer sous silence le fait que certains vampires Cadogan avaient acheté et consommé de la drogue –, mais je n'avais pas l'intention de minimiser l'importance du problème.

—Le V est en cause, commençai-je. C'est une drogue destinée aux vampires, et non aux humains. Elle accroît leur agressivité. Les bars des Maisons, du moins dans le cas de Grey et Cadogan, ont été utilisés comme points de distribution. J'ignore ce qu'il en est de Navarre.

Je lui donnai le temps de digérer ces informations. Au vu de ses traits crispés, il en avait besoin. Il s'accouda à l'étagère, puis se massa les tempes d'une main.

—J'ai traversé beaucoup d'épreuves depuis que je suis Maître, dit-il. Malheureusement, les vampires ne sont pas plus immunisés que les humains contre la bêtise. (Il laissa retomber son bras et se détourna, de fines rides au coin des yeux trahissant sa déception.) Je pensais qu'ils avaient davantage de respect pour leur Maison – et pour moi.

—Je suis désolée, Ethan.

Il secoua la tête avant de passer à la suite.

—Que sais-tu au sujet du bar?

—Colin n'a rien remarqué d'anormal. J'ai demandé à Jeff d'extraire les vidéos de surveillance afin de découvrir comment la drogue est infiltrée au *Temple Bar*. Aucun doute, elle circule déjà là-bas, mais j'ai conseillé à tous ceux qui avaient des pilules sur eux de me les donner pour qu'ils ne les ramènent pas à la Maison.

—Ainsi, les policiers n'auraient rien trouvé s'ils les avaient fouillés.

—Exactement, confirmai-je. Mais comme mon grand-père en a ramassé par terre dans le bar, il a vite compris ce qui se passait. Je lui ai transmis la drogue que j'avais récupérée, puis il l'a confiée à l'inspecteur Jacobs.

—Quelle est ta théorie ?

—J'y réfléchis encore. En résumé, nous avons été confrontés à deux reprises à des vampires extrêmement agressifs, et à ces deux occasions, nous avons retrouvé du V. Quant au pourquoi du comment… (Je haussai les épaules.) Pourquoi faire circuler de la drogue ? Quelqu'un a-t-il intérêt à nous causer des ennuis ? Quelqu'un qui souhaiterait que les vampires détruisent eux-mêmes les Maisons ? Quelqu'un qui aurait pour objectif de nous éliminer à l'aide de ces pilules ?

—Ça ne ressemble pas vraiment à Célina, fit-il remarquer.

—À moins qu'elle n'ait décrété que tous les vampires doivent payer pour ses crimes. Morgan n'y croyait pas, mais à mon avis, elle n'en est pas incapable.

—Je ne rejoindrai ton point de vue que lorsque tu posséderas davantage de preuves. Et ce McKetrick ? Il a la ferme intention de nous expulser de Chicago. Peut-être a-t-il introduit le V au sein de notre communauté afin de semer le chaos et d'inciter Tate à nous bannir ?

—J'ai vu McKetrick près du bar, hier soir. Je l'ai montré à Catcher. Il est parti le prendre en filature pour recueillir des informations sur lui. (Je devrais penser à le rappeler plus tard.) Cela dit, même si McKetrick nous hait, rendre des vampires ultra-violents comporte de nombreux risques de dommages collatéraux. Je ne pense pas que ça fasse partie de son plan.

—Qu'importe l'identité de celui qui tire les ficelles, nous devons trouver le coupable et stopper ce trafic avant que la situation dégénère.

—Coïncidence, ce sont les deux priorités que j'avais inscrites sur ma liste.

—J'ai une troisième mission pour toi : un dîner à la Maison Grey ce soir, avec Darius et les autres Maîtres, à 1 heure. Darius a également invité Gabriel et Tonya. Nous partirons ensemble. Et il s'agit d'un repas officiel, bien entendu.

Étant donné que Darius semblait très attaché aux règles, cette dernière affirmation ne me surprenait pas outre mesure. En revanche, le fait qu'il ait convié Gabriel et sa femme m'intriguait. Les relations entre vampires et métamorphes avaient toujours été conflictuelles. Tandis qu'ils nous inspiraient méfiance et inquiétude, ils avaient tendance à manifester leur exaspération et à adopter une attitude de déni à notre égard.

—Pour quelle raison inviter Gabriel et Tonya ? m'étonnai-je.

—Si je voulais me montrer généreux, je dirais que Darius souhaite renforcer les liens entre surnaturels, mais franchement, il est plus probable qu'il tente de s'immiscer dans nos rapports avec les Meutes. Les Maisons de Chicago n'ont pas intérêt à se mettre les métamorphes à dos. Toutefois, dans l'esprit de Darius, il serait encore pire que nous devenions trop proches. Nous n'avons jamais établi d'alliance officielle avec eux. Si nous parvenions à en former une, notre influence s'en trouverait accrue.

Quand Ethan mentionna un potentiel accord avec les métamorphes, je détournai le regard. C'était la raison pour laquelle il avait décidé de rompre avec moi, ce qu'il regrettait à présent. Il avait en effet redouté que notre relation, ou notre future séparation, mettent en péril l'amitié que nous commencions tout juste à nouer avec la Meute des Grandes Plaines.

— Viens, ordonna brusquement Ethan en se dirigeant vers la sortie.

Émergeant de ma rêverie, je levai la tête.

— Où vas-tu?

— Dans la salle des opérations. Nous devrions être en bas depuis un quart d'heure.

Docile, je le suivis jusqu'au sous-sol. La porte du QG des gardes était ouverte. Luc, Juliet, Kelley, Malik et Lindsey étaient déjà installés autour de la table de réunion. Avec sa chemise en coton bleu délavé et son jean, Luc contrastait avec les autres membres de l'assemblée, tous vêtus de noir.

Ethan ferma derrière nous. Je m'assis sur une chaise libre, et il prit place à côté de moi.

Je jetai des coups d'œil furtifs en direction de Luc et Lindsey, essayant de trouver une explication à l'énigmatique message qu'elle m'avait envoyé. Elle affichait toutefois son expression habituelle, à la fois blasée et amusée, et Luc étudiait des documents étalés sur la table, une tasse fumante à la main. Rien n'indiquait qu'ils aient eu un différend, et je ne perçus aucune onde magique négative dans l'air.

— Ils daignent enfin nous rejoindre! s'exclama Luc avant de boire une gorgée.

En temps normal, Luc adorait faire toutes sortes de commentaires espiègles, mais cette fois, sa remarque sonnait comme un reproche. Ce genre d'attitude grincheuse ne lui ressemblait pas. Peut-être s'était-il réellement passé quelque chose entre lui et Lindsey.

— Nous étions en train de travailler, lui confia Ethan. Merit me parlait de l'enquête d'hier soir.

— Raconte, invita Luc.

— En résumé, toute cette violence est provoquée par le V.

Fronçant les sourcils, Luc se redressa et posa sa tasse sur la table, l'enveloppant de ses mains comme s'il avait besoin de la chaleur qu'elle lui procurait. Au début de mon existence de vampire, j'avais souffert du froid, et il m'avait fallu du temps pour me débarrasser de cette sensation. Nous étions cependant en plein mois d'août, et la température extérieure atteignait au moins les 30 °C. Je ne parvenais pas à comprendre les gens qui buvaient du café en plein été.

— Dans quel but je ne sais quel vaurien vendrait-il de la drogue à des vampires ? Et pourquoi essayer de rameuter du monde à des fêtes ? Quel est l'objectif ?

— Merit pense que McKetrick pourrait être impliqué dans cette histoire et qu'il s'agirait d'un complot visant à bannir les vampires de la ville, déclara Ethan.

Je levai la main.

— En fait, c'est Ethan qui a eu cette idée.

Je redonnais le mérite à qui de droit… ou la culpabilité, le cas échéant.

Luc inclina la tête pendant qu'il réfléchissait à cette hypothèse.

—En tout cas, c'est une idée qui n'est pas mauvaise, quoique fabriquer la drogue, la distribuer, organiser les fêtes et tout le reste représente beaucoup de travail rien que pour se débarrasser d'une frange de la population. Il existe des moyens plus faciles.

—Je suis d'accord, intervint Malik. Et au risque de donner l'impression de nous acharner sur notre ennemie préférée, notre principal témoin a rencontré une femme prénommée Marie. Qui vote en faveur de Célina?

—Mais nous n'avons pas entendu parler d'elle depuis, fis-je remarquer. Si elle joue un rôle là-dedans, elle prend garde à ne pas se faire repérer. Jeff Christopher est en train d'examiner les films de la caméra de vidéosurveillance du bar, donc si elle a rôdé dans les parages, ou si le vendeur s'est montré, nous le découvrirons.

Luc hocha la tête, puis s'empara d'une télécommande posée à côté de sa tasse.

—Dans ce cas, voici d'autres nouvelles réjouissantes pour égayer votre soirée.

Le bras tendu, il appuya sur les boutons jusqu'à ce qu'une image apparaisse à l'écran.

Il s'agissait d'un enregistrement des informations télévisées. Après un passage traitant de la guerre, un nouveau titre remplaça le précédent, annonçant : «Violences à Wrigleyville, les vampires en cause». La présentatrice, en tailleur impeccable à la teinte rubis, ses cheveux raides formant un casque autour de son visage, déroula l'histoire :

«À la une des informations locales ce matin, la vague de violence qui s'abat sur la ville semblerait être le résultat d'une drogue dénommée "V" qui circule au sein de la communauté vampire. »

Une main montrant une pilule blanche s'afficha à l'écran, suivie d'images du *Temple Bar.*

« Les derniers troubles en date se sont déroulés hier soir dans un bar de Wrigleyville lié à la Maison Cadogan. Nous nous trouvions en direct sur les lieux et avons interviewé un témoin de la scène. »

La télévision montra alors les deux étudiants du *Temple Bar.*

— Oh, les sales petits traîtres, marmonna Lindsey. Ce sont les humains avec qui Christine a parlé.

« C'était horrible, affirma le plus grand des deux jeunes hommes. *Les vampires se hurlaient dessus, comme s'ils étaient devenus fous. »*

« Avez-vous eu peur pour votre vie ? » demanda un journaliste invisible à l'écran.

« Bien sûr. Comment ne pas avoir peur ? Après tout, ce sont des vampires, et nous ne sommes que des humains. »

— Ce sont des humains qui ont inventé la bombe atomique, grommela Malik. Ce sont également des humains qui ont été à l'origine de la Seconde Guerre mondiale et de l'Inquisition.

De toute évidence, nous ne formions pas un public très réceptif à ce genre de journalisme racoleur.

« Les conseillers municipaux Pat Jones et Clarence Walker ont demandé ce matin l'ouverture d'une enquête afin de déterminer le rôle joué par les Maisons de Chicago dans cette affaire de drogue. Le maire, Seth Tate, a réagi sur ces événements à la sortie d'une réunion avec le Comité de croissance. »

Le programme passa des images de Tate serrant la main d'une femme boudinée dans un tailleur. À côté d'une bureaucrate à l'aspect quelconque, Tate n'en paraissait que plus séduisant. Avec ses yeux charmeurs, ses cheveux noirs et son sourire mutin, il ressemblait à un héros de feuilleton à l'eau de rose. Je me demandais combien d'électeurs avaient voté pour lui dans le seul but de pouvoir le contempler à loisir.

Lorsque les journalistes commencèrent à l'assaillir de questions au sujet de la rixe du bar, il leva les deux mains, un sourire avenant aux lèvres. Son expression frisait la condescendance, selon moi.

« J'ai rappelé aux Maisons de Chicago les responsabilités qui leur incombent, et suis persuadé que les Maîtres prendront toutes les mesures nécessaires pour mettre un terme au trafic de V et à ces épisodes de violence. Si ce n'est pas le cas, je ne manquerai pas de prendre les décisions qui s'imposeront, sans hésiter un seul instant. Nous avons travaillé dur afin que cette ville redevienne une source de fierté pour l'Illinois, et continuerons à faire en sorte que Chicago demeure paisible et prospère. »

La présentatrice apparut de nouveau à l'écran.

« La cote de popularité du maire est restée remarquablement élevée en dépit des récents événements violents. »

Luc brandit la télécommande et arrêta la vidéo.

Un silence lourd et angoissé s'installa dans la pièce. J'avais désormais une petite idée de la raison qui avait poussé mon père à m'appeler. Il devait mourir d'envie de m'abreuver de reproches pour être devenue une vampire et oser ainsi salir la réputation de ma famille, même si je n'avais pas eu mon mot à dire lorsque j'avais été transformée, et faisais de mon mieux pour garantir la paix à Chicago.

À moins qu'il n'ait eu un autre brusque changement d'attitude à ce sujet.

—Eh bien, finit par déclarer Ethan, je suis ravi de savoir que le maire n'a rien perdu de sa cote de popularité.

—Tate a dû fournir des informations aux journalistes, suggérai-je. Nous venons à peine de découvrir les causes de cette vague de violence, et mon grand-père m'a promis de ne rien révéler sur le V à la presse.

—Alors, Tate se ferait mousser aux dépens des vampires? proposa Luc. Je suppose que ce ne serait pas la première fois qu'un politicien profiterait d'une situation chaotique, mais ce serait mieux si ce n'était pas à nos frais.

—Et s'il n'avait pas un mandat d'arrêt sous la main, renchéris-je.

—C'est un moyen de montrer son attachement à la ville, avança Lindsey.

Luc adressa un regard préoccupé à Ethan.

—Tu as parlé à Darius?

—Silence radio pour l'instant.

—Ça ne va pas lui plaire.

—Une affaire de drogue et des comportements violents dans mon propre bar? Une histoire couverte par tous les paparazzis locaux et que la presse nationale ne va pas sans doute pas tarder à relayer, si ce n'est pas déjà fait? Non, à mon avis, ça ne va pas lui plaire, et il y a de grandes chances pour que la Maison en subisse les conséquences.

—Dis-lui le reste, intervint Kelley.

—Le reste? répéta Ethan, regardant tour à tour Luc et Kelley.

—Ce n'est pas tout, confirma Luc en appuyant de nouveau sur un bouton de la télécommande.

Cette fois, des images en noir et blanc d'une rue plongée dans la pénombre défilèrent à l'écran. Il s'agissait d'une vidéo en direct. J'avais déjà vu ce décor assez souvent lors de mes rondes pour le reconnaître.

—C'est à l'extérieur de la Maison Cadogan.

—Bien joué, Sentinelle, me complimenta Luc. Tu as raison.

Il appuya sur un autre bouton afin de zoomer sur une imposante berline dans laquelle se tenaient deux passagers en costume.

—Kelley est allée courir. Elle a remarqué la voiture en partant, et quand elle est revenue, ils n'avaient pas bougé.

—Quarante-deux kilomètres, ajouta Kelley. Ça m'a pris une heure et vingt-quatre minutes.

Pas mal pour un marathon. Vive la rapidité vampire.

—C'est un long moment à passer assis à ne rien faire devant la Maison, pour deux types en costume, déclara Ethan avant de se tourner vers Luc. C'est sans doute un véhicule de police banalisé.

—C'est ce que nous avons pensé. Ni la voiture ni les vêtements ne ressemblent à ceux de l'équipe de McKetrick, donc nous nous sommes dit que c'étaient des inspecteurs. Nous avons appelé l'Agence de médiation pour en avoir la confirmation, mais ils ne savaient rien.

Je marmonnai un juron.

—Ils ne savaient rien non plus de la fête dont a parlé M. Jackson. Tate ne joue pas franc-jeu avec eux, en ce moment.

—Manque de confiance ? s'étonna Ethan.

—Ou alors il craint que l'Agence n'entretienne des liens trop étroits avec Cadogan, suggérai-je. L'administration de Tate leur cache certaines informations, ce qui revient à mépriser le pouvoir de mon grand-père.

Lindsey esquissa une grimace.

—C'est une vraie gifle.

—En effet, confirmai-je. J'imagine que la présence de la voiture de police signifie que Tate manque également de confiance en nous, non ?

Ethan remua sur sa chaise.

—Étant donné qu'il a fait délivrer un mandat d'arrêt à mon nom, c'est ce que je dirais.

Mon téléphone vibra. Je le sortis de ma poche et vérifiai l'identité de mon correspondant.

—Quand on parle du loup… C'est Jeff. (Je répondis.) Salut, Jeff. Tu as quelque chose pour moi ?

Il gloussa.

—Bien sûr. Mais rien de déplacé. Tu sais, à cause de cette jeune demoiselle.

—Loin de moi l'idée de t'embarrasser ou de manquer de respect à tes proches. Dis donc, je suis dans la salle des opérations avec Ethan et tous les gardes. Je peux mettre le haut-parleur ?

—Fais-toi plaisir. Tout le monde sera sans doute intéressé d'entendre ce que j'ai à dire.

Je posai le téléphone au centre de la table, puis appuyai sur le bouton.

—Voilà, on t'écoute. Qu'est-ce que tu as de nouveau ?

—Oh mince, si seulement j'avais préparé un discours.

—Concentre-toi, gamin, intima la voix de Catcher en fond sonore.

—Il se trouve que les caméras de vidéosurveillance fonctionnaient, et Colin et Sean gardent les enregistrements, commença Jeff en pianotant sur son clavier. Ils sont conservés au bar sur un serveur dédié, et il existe également quelques copies au cas où les originaux seraient endommagés. En fait, j'ai été plutôt impressionné. Les bars respectent rarement un protocole de sécurité aussi poussé.

Au vu du bureau à la décoration d'un goût douteux, je n'aurais pas cru que le *Temple Bar* était le genre d'établissement à se munir d'un serveur dédié, même si en fait, j'ignorais la différence entre serveur dédié et non dédié.

— Enfin bref, j'ai retrouvé la vidéo, et je l'ai téléchargée.

Je me penchai en avant, les mains jointes sur la table.

— Dis-moi que tu as trouvé quelque chose, Jeff.

— J'y ai passé des heures, déclara-t-il. Les livreurs empruntent régulièrement la ruelle pour déposer leurs marchandises. Il y a aussi de temps en temps les camionnettes des fournisseurs du bar, des camions poubelle, des taxis, des voitures qui amènent des clients, etc. Mais depuis environ deux mois, tous les deux jours, généralement en pleine nuit, une Mustang Shelby de collection – une super bagnole – s'engage dans l'allée. Parfois, le véhicule reste quelques minutes, puis repart sans que rien se passe. Parfois, le chauffeur descend.

Mon cœur se mit à battre la chamade. Nous nous rapprochions du but, j'en étais sûre.

— À quoi ressemble-t-il ?

— Eh bien, j'ai été impressionné par l'enregistrement des vidéos, mais elles sont de qualité merdique. Elles ne sont pas nettes. J'ai tout de même réussi à tirer une image. Je te l'envoie.

— Utilise cette adresse, dit Luc avant de dicter un compte e-mail à Jeff et de s'emparer d'une des tablettes numériques posées sur son bureau. Comme ça, nous pourrons la projeter.

— C'est comme si c'était fait.

À peine Jeff avait-il prononcé ces mots que l'appareil de Luc émit un « bip » signalant un nouveau message. Il tapota sur le clavier, et une image s'afficha à l'écran.

Elle représentait un homme de petite taille, peut-être un mètre cinquante, d'âge mûr, avec des cheveux noirs raides et un visage bouffi. Ses traits n'avaient rien de remarquable, mais j'aurais juré l'avoir déjà vu quelque part.

— Est-ce que quelqu'un le connaît ? demandai-je.

Je ne reçus que des « non » en réponse.

Il avait beau ne rien évoquer à personne, j'étais persuadée que Sarah, elle, l'aurait reconnu.

— Il correspond à la description du type qui a abordé Sarah, l'humaine que j'ai rencontrée à la fête de Streeterville. Fais-moi plaisir, dis-moi que tu as réussi à relever le numéro de la plaque, Jeff.

— Comme je suis formidable, en faisant un arrêt sur image, j'ai obtenu le numéro, puis j'ai interrogé le service d'immatriculation des véhicules. La Mustang est enregistrée au nom d'un certain Paulie Cermak. (Jeff nous donna son adresse.) Il habite près du conservatoire de Garfield Park.

Je devrais rendre une petite visite à ce M. Cermak.

— Jeff, tu es un ange, le flattai-je en souriant.

— Ce qu'il y a de bizarre, poursuivit-il, c'est que, d'après les données, la voiture a été vendue récemment – il y a seulement quelques mois –, à M. Cermak. Mais je n'ai trouvé aucune information sur le propriétaire précédent ou l'endroit où il l'a achetée.

Je fronçai les sourcils.

— C'est étrange.

— Vraiment étrange, confirma Jeff. En général, quand un dossier de ce genre contient trop d'éléments, ça cache quelque chose, et quand il n'en contient pas assez, c'est que quelqu'un en a effacé une partie. Les ventes de véhicules sont normalement toujours enregistrées. Il n'y a aucune raison pour qu'elles ne le soient pas. Ce fichier a été trafiqué. Oh, et ce n'est pas tout.

— On t'écoute.

— Comme je suis plus que formidable et que je vaux mon pesant de paquets de chips – et des meilleures, aux épices ou un truc comme ça –, j'ai examiné le casier judiciaire de M. Cermak dans les données de Cook County. Je ne suis pas vraiment censé pénétrer leur réseau informatique sans autorisation, mais après tout, a-t-on le choix quand sa vampire préférée demande une faveur ?

— Tu es pardonné. Qu'est-ce que tu as appris ?

— Pas grand-chose de concret. Son dossier contient un seul acte criminel, mais il est scellé.

— Tu penses que quelqu'un a pu effacer des données, là aussi ?

— Pas nécessairement. Toutes sortes de raisons justifient de sceller un casier judiciaire : pour protéger la victime, parce que le criminel est mineur, ou alors un zombie fou furieux mangeur de cervelle jugé irresponsable d'un point de vue pénal...

— Que signifie « scellé » ? l'interrompit Ethan.

— Bon, en bref, ça veut dire que je ne peux pas accéder aux informations du casier. Ils arrivent vraiment bien à crypter le contenu des dossiers. Il me faudrait le code d'accès ou le mot de passe, ou bien obtenir une autorisation du tribunal.

— Donc, c'est mort de ce côté ?

— Ah ! Vous avez fait une blague. Mais oui, c'est mort. Comme les dinosaures, quoique, d'après *Jurassic Park*...

— Je crois qu'on a compris.

— Oh, une dernière chose.

Je l'entendis pianoter sur son clavier en fredonnant un air qui ressemblait à *Noël blanc*.

— Ce n'est pas un peu tôt pour les chants de Noël, Jeff?

— Ça ne fait pas de mal de se mettre dans une ambiance de fête, Merit. Bon, la vidéo n'est pas folichonne, et la ruelle du bar est plutôt sombre, mais de temps en temps, par pleine lune, la lumière brille juste assez… (Il se tut, et je l'entendis de nouveau tapoter sur les touches de son ordinateur.) OK, je vous envoie une autre image.

Celle-ci représentait une voiture floue en noir et blanc dans l'allée. Jeff avait raison, la photo manquait de netteté, mais on reconnaissait parfaitement une Mustang ornée de bandes blanches et de prises d'air. Et ce n'était pas tout.

Je plissai les yeux, tentant en vain de distinguer les détails.

— Est-ce que c'est une femme, sur le siège passager?

— On dirait, répondit Jeff. Ce n'est guère plus qu'une ombre, mais on dirait bien une femme, oui. D'après les courbes, vous voyez?

— On voit, déclara Ethan d'un ton sec.

— Bref, je m'intéressais à la silhouette de cette femme, donc j'ai fait tourner la vidéo au ralenti, et j'ai trouvé quelque chose d'autre. J'ai un zoom, je vous l'envoie.

La tablette émit un nouveau «bip», et une image en noir et blanc remplaça la précédente à l'écran.

Je la scrutai attentivement, mais, en dépit de mes facultés visuelles de prédatrice, je ne parvenais toujours pas à discerner les traits de la passagère assise dans la voiture. En fait, je ne voyais pas grand-chose d'autre que des pixels.

— Qu'est-ce qu'il y a d'intéressant ? demandai-je.

— Regarde au centre de l'image, juste en dessous de la tête, m'expliqua Jeff.

J'allais ouvrir la bouche pour protester que je ne distinguais rien quand j'aperçus un reflet lumineux autour de son cou.

— Jeff, ça ressemble à un médaillon.

Comme celui qu'arborait Célina le soir où elle était revenue à la Maison Cadogan.

— C'est ce que j'ai pensé aussi.

— Est-ce que tu peux agrandir ? s'enquit Ethan.

— Malheureusement, je ne peux pas vous donner plus de détails. La vidéo ne comportait pas d'autre plan. Mais c'est quelque chose, non ? Ça semble indiquer qu'un vampire affilié est impliqué dans cette histoire de drogue.

Malik et Ethan échangèrent un regard grave.

— On dirait, concéda Ethan, mais pour l'instant, n'en parlons à personne, d'accord ?

— C'est vous le patron, dit Jeff sur le ton de la plaisanterie.

— Merci, Jeff. Nous t'en sommes reconnaissants.

— En fait, j'ai aussi une mauvaise nouvelle à vous annoncer.

— À quel sujet ? l'interrogeai-je.

— Paulie Cermak constitue l'unique suspect dans le trafic de V. J'ai terminé de visionner la vidéo tard hier soir, et j'ai dû la transmettre à la police ce matin.

— Bien entendu, dis-je. Ces images intéresseront l'inspecteur Jacobs.

— Elles l'ont intéressé, en effet. Ils ont déjà envoyé des agents au domicile de Cermak.

Ethan fronça les sourcils.

— Est-ce qu'ils ont trouvé quelque chose ?

— Rien. Ni dans la maison ni dans la voiture. Ils procèdent encore à des analyses sur des objets qu'ils ont emportés afin de chercher des preuves, mais pour l'instant, rien ne le relie à la drogue ni aux raves. Jusqu'à maintenant, il n'est qu'un type lambda dans une ruelle publique. Il avait tout à fait le droit de se trouver là.

Mon instinct me disait que Paulie Cermak était davantage qu'un simple passant, et j'étais prête à parier qu'en questionnant tous les vampires Cadogan qui s'étaient rendus au *Temple Bar* au cours du mois qui venait de s'écouler ils l'auraient identifié comme l'homme qui rôdait dehors pour vendre du V. Bien entendu, il faudrait pour cela interroger les témoins un par un, et je ne voulais pas, du moins pas encore, mêler tous mes camarades à cette histoire.

— Merci, Jeff, dis-je. Quelqu'un a-t-il une objection à ce que je rende moi-même visite à ce M. Cermak ?

Ethan leva brusquement la tête mais n'émit aucune protestation.

— Chez nous, non, répondit Jeff. Et la police n'a pas besoin de le savoir. Oh, Chuck me bipe, je dois filer. Quelques fées lui ont demandé de faire la médiation dans le cadre d'un conflit de propriété, et je dois télécharger certains documents. On reste en contact.

— Merci, Jeff, conclus-je avant de raccrocher.

Le silence régna quelques instants dans la pièce.

Je jetai un regard aux vampires présents.

— Vous avez des suggestions, avant que j'aille chez notre vendeur de drogue présumé ?

— Tu es fermement opposée à la peine de mort, ou pas ? grogna Luc.

— Je préférerais ne pas m'emballer, répliquai-je. Cela dit, si vous avez des conseils à me donner en matière de stratégie ou de diplomatie, je suis tout ouïe.

Ethan me tapota le dos avec bienveillance.

— Brave Sentinelle.

16

SUSPECT N°1

Comme je voulais échanger mes escarpins pour des bottes et aller chercher mon sabre, je regagnai le premier étage, accompagnée de Lindsey. J'évitais d'habitude de porter mon arme en public, mais j'allais pénétrer sur le territoire d'un présumé trafiquant de drogue. Impossible d'accomplir cette mission sans acier.

Ce ne fut qu'une fois dans ma chambre, porte close, que Lindsey se décida à me faire sa confession, installée sur mon lit tandis que je vérifiais l'état de ma lame, assise par terre.

— On s'est embrassés, déclara-t-elle.

J'essuyai mon katana avec une feuille de papier de riz.

— Je ne me rappelle pas t'avoir embrassée.

— Je te parle de Connor.

Je levai la tête, incapable de dissimuler ma déception. Connor faisait partie de ma promotion d'Initiés. C'était un gamin sympa avec qui Lindsey flirtait depuis notre Recommandation. Il était mignon et plutôt charmant… mais il n'était pas Luc.

— Quand est-ce que ça s'est passé?

— Quand je suis revenue du *Temple Bar*, un petit groupe est resté à discuter dans le salon du rez-de-chaussée, puis tout le monde a commencé à partir se coucher. Sauf lui. De fil en aiguille…

Une fois la lame propre, je la glissai dans son fourreau.

— Tu as fini par embrasser un bébé vampire ?

— Faut croire que oui.

Ce qui m'étonnait, c'était qu'elle paraisse mal à l'aise. Lindsey n'était pas du genre angoissé, et cela ne lui ressemblait pas de regretter ses décisions. Peut-être le charme de Luc agissait-il sur elle, finalement.

J'inclinai la tête vers elle.

— Pourquoi tu fais cette tête ?

Les mains sur les genoux, les épaules voûtées, Lindsey détourna le regard, l'air coupable.

Repensant à l'irritation que j'avais perçue dans la voix de Luc un peu plus tôt, j'en devinai la raison.

— Luc l'a découvert ? (Elle hocha la tête.) Oh merde.

— Ouais, merde.

Lorsqu'elle se tourna de nouveau vers moi, une larme roula sur sa joue. Elle l'essuya d'un geste nonchalant, mais ses yeux emplis de remords la trahissaient.

— C'est sérieux, avec Connor ? ou c'était simplement parce que la nuit avait été longue ?

— Je ne sais pas. Et c'est là le problème. C'est juste que… je ne sais pas… je ne me sens pas prête à… (elle fit tournoyer ses mains en l'air) m'engager. Dans une relation durable, je veux dire.

— Pas prête ? Tu as plus d'un siècle.

— Ça n'a vraiment rien à voir. Écoute, Luc et moi, nous nous sommes rencontrés il y a très, très longtemps. Il avait une copine, j'avais un mec. Il est canon, ça d'accord.

Aucun doute. Mais nous sommes amis, et je préférerais que ça reste comme ça plutôt qu'on devienne des ennemis mortels.

Je lui lançai un regard dubitatif.

—Comment est-ce que tu pourrais devenir l'ennemie mortelle de Luc ? Je ne suis même pas certaine qu'il ait un seul ennemi mortel. Enfin, à part Célina. Et Peter.

—Peter, c'est sûr, renchérit-elle avant de hausser les épaules. Je ne sais pas. C'est juste que… l'immortalité, c'est long. Peut-être que je vais vivre encore un bail, et j'ai du mal à m'imaginer avec le même type pendant tout ce temps.

Mon sabre à la main, je me levai, m'approchai du lit, et m'assis à côté d'elle.

—En gros, tu n'as pas envie d'une relation sérieuse pour l'instant.

—C'est ça, confirma-t-elle d'une voix triste.

Je compatissais avec eux deux. Avec Lindsey car elle se sentait coupable, et avec Luc, car il serait extrêmement déçu.

—Qu'est-ce que tu vas faire ?

—Qu'est-ce que je peux faire ? lui briser le cœur ? lui dire que je ne veux pas m'engager ? (Elle se renversa sur le lit.) C'est pour ça que j'ai évité le problème pendant si longtemps. Parce qu'il est mon chef, et si jamais on essayait et que ça ne fonctionnait pas…

—Vous seriez mal à l'aise.

—Exactement.

Le silence régna entre nous quelques instants.

—Bon, quoi de neuf au sujet de tes Cubbies ? finit-elle par demander, s'efforçant de prendre un ton joyeux.

—Nomme-moi un joueur des Cubs.

— Euh, le gars craquant, là, avec de larges épaules et un bouc ?

— Voilà ce que j'endure à être l'amie d'une maudite fan des Yankees.

— Je suis vraiment nulle, marmonna-t-elle avant de se couvrir le visage avec un oreiller.

Un cri de frustration étouffé transperça l'étoffe.

— Tu n'es pas nulle. Hé, je te rappelle que tu fais partie des dix filles les plus canon de Cadogan. Je te classerais même dans les trois premières.

Elle souleva un coin de l'oreiller et repoussa ses cheveux en arrière.

— Sans blague ?

— Sans blague.

Elle esquissa un mince sourire.

— Tu es la meilleure Sentinelle de tous les temps.

Mouais, parfois, j'en doute.

Luc et Ethan me retrouvèrent au rez-de-chaussée.

— Tu gardes ton téléphone sur toi, au cas où tu aurais besoin de nous ?

— Oui, les rassurai-je en tapotant la poche de ma veste. Si la police n'a rien trouvé dans sa maison, il ne devrait pas tenter de se défendre, mais je n'hésiterai pas à vous appeler si les choses s'enveniment. Ne vous inquiétez pas…

— Elle a l'intention de rester en vie, termina Ethan.

— Exactement, confirmai-je avec un sourire.

— Fais attention, il se peut qu'il ait des complices, avertit Luc. Si on n'a rien découvert chez lui, c'est sans doute que quelqu'un fait le sale boulot à sa place. Ils sont certainement sur leurs gardes après la descente de police.

—Il est également possible qu'il ait changé de méthode, après ça, proposa Ethan.

—Je jetterai un coup d'œil aux alentours avant d'entrer. Il sait qu'on le suspecte, et ne devrait donc pas être surpris de me voir. La question que je me pose, c'est si je le rencontre, qu'est-ce que je fais? (Ethan arqua un sourcil, l'air suspicieux.) Je ne parle pas d'homicide, mais si les policiers n'ont rien trouvé, je ne peux pas vraiment l'accuser de but en blanc.

—Apprends tout ce que tu peux, et sois prudente, m'intima Ethan. Tu n'es pas obligée de l'interroger. Nous savons où il habite, nous le retrouverons.

—Du moins jusqu'à ce qu'il prenne la fuite, ajouta Luc.

—Et sois de retour à temps pour le dîner, me rappela Ethan.

—Ne t'en fais pas. Je serai même de retour à temps pour me laver et passer une tenue correcte.

J'étais bien obligée. Je devais assister à une réunion où seraient présents trois Maîtres et le directeur du PG. Impossible d'y aller sans me pomponner.

Ethan m'adressa un sourire.

—Je t'en serais reconnaissant.

Un bruit de pas nous parvint depuis l'escalier, attirant notre attention. Malik se tenait au bout du couloir, le visage blême.

—J'ai Darius au téléphone, annonça-t-il. Il aimerait nous parler.

Luc et Ethan échangèrent un regard qui me rendit nerveuse. Cela ressemblait à l'un de ces codes utilisés par les officiers de l'armée quand ils préfèrent éviter de prononcer des mots susceptibles d'angoisser les soldats.

— Dans mon bureau, ordonna Ethan avant de se tourner vers moi. Fais de ton mieux, Sentinelle, et mets fin à cette histoire.

Il suivit Malik dans le couloir.

— Tu m'accompagnes jusqu'à ma voiture ? demandai-je à Luc.

— Avec plaisir.

Je m'engageai dans l'allée qui menait au portail de Cadogan. Comme d'habitude, deux fées étaient en faction à la grille, mais cette fois, l'un des deux gardes était une femme. Elle avait les mêmes cheveux raides et foncés que les mercenaires masculins, et son visage émacié aux traits sculptés évoquait celui d'un top-modèle européen. Elle portait un uniforme identique à celui de ses collègues, et me gratifia elle aussi d'un regard indifférent lorsque je passai.

— Les mercenaires sont devenus favorables à la parité ? demandai-je à Luc tandis que nous longions la rue sans tenir compte des cris des manifestants.

Ils paraissaient plus nombreux ce soir-là, sans doute à cause du reportage diffusé aux informations télévisées du matin. Ils scandaient le désormais classique : « Vampires, décampez ! Vampires, décampez ! »

— Apparemment, l'équipe ne comportait que des hommes parce qu'aucune femme n'avait encore postulé.

— Comment s'appelle-t-elle ?

— Aucune idée, dit Luc. Je ne connais même pas les noms des autres mercenaires qui travaillent avec nous, alors qu'ils sont là depuis des années. Ils préfèrent entretenir avec nous des relations strictement professionnelles.

On dépassa une grosse berline garée en face de la Maison. Les deux hommes assis à l'avant étaient en train de manger des sandwichs. Des jumelles et des gobelets de café étaient posés sur le tableau de bord. Je supposai qu'il s'agissait de nos policiers.

—Ils ne font pas vraiment dans la discrétion, tu ne trouves pas? murmurai-je à Luc.

—Aussi discrets que des vampires qui ont pris du V.

—Aïe.

—C'est encore trop tôt pour ce genre de plaisanterie?

—Attends que nous ne soyons plus menacés d'inculpation. (Tant que nous parlions de sujets qui fâchent…) À propos de Lindsey…

—Elle va finir par me tuer, Sentinelle.

—Je sais. Je suis désolée.

—Je l'ai vue l'embrasser.

—Franchement, ça m'étonnerait qu'elle ait des sentiments pour Connor. Je pense juste qu'elle n'est pas prête pour une relation sérieuse.

Il s'immobilisa sur le trottoir et se tourna vers moi.

—Tu crois qu'elle changera d'avis un jour?

—J'espère, mais tu sais à quel point elle peut être têtue.

Luc eut un rire sans joie. Une fois devant ma voiture orange, il frappa doucement du poing sur le coffre.

—Je sais, Sentinelle. Je suppose que je dois décider si je l'attends ou pas. Je ne peux pas faire grand-chose de plus.

Je lui adressai un sourire compatissant.

—En effet.

—Au fait, est-ce que tu as l'intention de me dire quels vampires ont consommé du V? Il faudrait les interroger.

Je secouai la tête.

—Pas moyen. Je tournais le dos quand ils ont déposé la drogue et, de toute façon, je leur ai promis que s'ils

301

me la donnaient, je ne dévoilerais pas leur identité. Je ne romprai pas ma promesse. Tu ne sauras rien.

Je m'attendais à ce qu'il s'énerve ou me fasse la leçon sur la responsabilité que j'avais envers la Maison et ses vampires, mais il n'en fit rien. Il paraissait même presque fier.

— Bien joué, Sentinelle.

Je hochai la tête, ajustai mon sabre à ma ceinture et montai dans la voiture.

— Veille à ce qu'Ethan ne tue pas Darius en mon absence.

— Je ferai de mon mieux, affirma-t-il en s'apprêtant à fermer la portière. Bonne chance.

J'espérais ne pas en avoir besoin.

Je n'avais pas suivi la mode des GPS et, de toute manière, un tel appareil aurait semblé incongru dans la Volvo. Je trouvai donc le domicile de Paulie Cermak par les moyens traditionnels, grâce à son adresse postale et un itinéraire tiré d'Internet que Kelley avait imprimé à mon intention.

Conformément à ce que nous avait dit Jeff, Cermak vivait à proximité du conservatoire de Garfield Park. Si le conservatoire était un endroit extraordinaire, ce secteur avait sans doute connu des jours meilleurs. Quelques habitations avaient été démolies, ne laissant que des carrés d'herbe clairsemée jonchée de détritus. La plupart des bâtiments – d'imposantes résidences en pierre et des maisons datant de la Seconde Guerre mondiale – étaient décrépits.

Cermak possédait un petit pavillon ordinaire à un étage, au toit pointu et à la façade recouverte de bardeaux gris. En dépit du jardin bien entretenu et de la pelouse tondue, l'ensemble ne présentait aucune harmonie. Les lambeaux de papier d'un emballage de hamburger étaient disséminés dans l'herbe. Il avait sans doute été réduit en charpie par la tondeuse, et personne n'avait pris la peine de nettoyer.

Cermak avait de la chance sur un point : contrairement aux autres maisons de ce côté de la rue, la sienne était équipée d'un garage. Il ne faisait pas partie du bâtiment, mais lui permettait néanmoins d'éviter le calvaire que devaient affronter chaque jour des milliers d'habitants de Chicago, à savoir trouver une place de parking près de son domicile.

Je garai ma voiture à une centaine de mètres de chez lui, puis m'emparai de mon sabre et d'une petite lampe torche noire que je sortis de la boîte à gants. Une fois dehors, je passai mon katana à la ceinture et glissai la lampe dans ma poche. Je fermai ma portière à clé, jetai un regard circulaire aux alentours afin de repérer la présence éventuelle des sbires de McKetrick ou de véhicules de police banalisés, puis me mis en route.

J'occupais la fonction de Sentinelle depuis quelques mois. Même si je ne recherchais pas le combat, je m'y étais habituée. La partie qui me stressait le plus dans ce travail était l'approche. Je m'étais sentie nerveuse lorsque j'avais emprunté Michigan Avenue avec Jonah, mais, au moins, j'avais quelqu'un pour me tenir compagnie et me changer les idées. À cet instant, je me trouvais seule avec mes pensées dans un quartier silencieux et obscur.

Je haïssais ce moment de calme avant la tempête.

Je m'arrêtai à côté de la boîte aux lettres en plastique noir de Cermak. Le fanion rouge était dressé, et je dus résister à l'envie d'inspecter le courrier qu'il s'apprêtait à envoyer. J'avais déjà bien assez de problèmes sans ajouter un délit de violation de la vie privée à la liste.

Le garage de Cermak était plongé dans le noir, tout comme le premier étage de sa maison. En revanche, de la lumière filtrait par les fenêtres du rez-de-chaussée. La porte d'entrée était ouverte, mais doublée d'un écran moustiquaire qui, lui, était fermé.

— Commençons par le garage, murmurai-je avant de traverser la pelouse sur la pointe des pieds en limite de propriété.

L'allée qui menait au garage était couverte de deux bandes de bitume juste assez larges pour éviter de maculer de boue les pneus de la voiture. Je pris garde à rester dans l'herbe afin d'étouffer le bruit de mes pas. J'avais l'intention de frapper chez Cermak à un moment ou à un autre, mais avant, je voulais inspecter les lieux, ce qui requérait un minimum de discrétion.

Modeste et d'aspect ancien, la construction destinée à abriter le véhicule était munie d'une porte basculante et d'une rangée de fenêtres sur la façade. J'allumai ma lampe de poche et dirigeai le faisceau vers l'intérieur.

Un frisson d'excitation me parcourut l'échine.

Une Mustang rutilante était garée là, le même modèle que celui que nous avions vu sur les images de la caméra du bar : un magnifique coupé orné de bandes blanches et des prises d'air latérales typiques de ce modèle. Quels que soient les problèmes de Cermak, il ne manquait pas de goût en matière de voitures.

Je pris une photo à l'aide de mon téléphone. *Identification du véhicule : c'est fait. Prochaine étape : la maison.*

Je traversai la pelouse en direction de l'étroit perron en béton. À travers la moustiquaire, j'entendais la télévision beugler les dialogues ponctués de rires enregistrés d'un feuilleton des années 1980.

Lorsque j'atteignis l'entrée, je refermai la main gauche sur la poignée de mon sabre afin de me rassurer. J'aperçus par la porte ouverte la gazinière vert avocat et le réfrigérateur de la cuisine. Le mobilier, de style dépouillé, évoquait celui d'une chambre d'hôtel. Simple et économique, mais fonctionnel.

— Je peux vous aider ?

Je clignai des yeux : un homme venait de se matérialiser devant moi. Le même que celui de la vidéo du *Temple Bar*. Il portait un polo des Yankees qui avait déjà bien vécu et un jean élimé. Son sourire révélait deux rangées de dents blanches et régulières. Il avait beau habiter Chicago, il parlait avec un accent new yorkais.

Je décidai d'aller droit au but.

— Paulie Cermak ?

— C'est moi, répondit-il, la tête inclinée, observant mon visage… puis mon sabre. Vous êtes Merit.

Ma stupéfaction dut être visible, car il éclata de rire.

— Je vous connais, ma petite demoiselle. Je regarde la télévision. Et je devine la raison de votre présence ici. (Il souleva le loquet avant d'entrebâiller la porte moustiquaire.) Vous voulez entrer ?

— Non merci.

J'étais curieuse, pas stupide. Je préférais rester à l'air libre, où j'avais la possibilité de fuir, plutôt que pénétrer de mon plein gré dans l'antre d'un suspect.

Il referma la porte et, demeurant de l'autre côté, croisa les bras.

— Dans ce cas, ne tournons pas autour du pot. Vous me cherchiez, vous m'avez trouvé. Qu'est-ce que vous me voulez ?

— Vous êtes passé plusieurs fois au *Temple Bar*, ces derniers temps.

— C'est une question, ou une affirmation ?

— Étant donné que nous savons tous les deux que vous avez garé votre voiture près du bar, disons qu'il s'agit d'une affirmation.

Il haussa les épaules.

— Je ne suis qu'un petit commerçant qui essaie de faire des affaires.

— Dans quel secteur travaillez-vous exactement, monsieur Cermak ?

Son visage se fendit d'un large sourire.

— Le divertissement.

— Et vous divertissez exclusivement Wrigleyville ?

Paulie poussa un soupir blasé.

— Ma petite, j'ai des intérêts dans tous les quartiers de cette ville.

Avec toutes ces questions, je commençais à avoir l'impression de jouer à la fois au policier et au journaliste d'investigation, sans les références ni l'autorité adéquates.

— S'agit-il d'une coïncidence si, juste au moment où vous apparaissez dans les environs du *Temple Bar*, une nouvelle drogue se met à circuler dans la rue ?

— Au cas où vous ne le sauriez pas, les hommes et femmes en uniforme ont fouillé ma maison de fond en comble. Vous insinuez que je fais du trafic de drogue, mais vous ne croyez pas qu'ils auraient découvert quelque chose, si c'était vrai ?

Je le jaugeai un moment du regard.

— Vous voulez vraiment savoir ce que je crois, monsieur Cermak?

Un sourire de hyène s'épanouit sur son visage.

— En fait, ouais, j'aimerais bien le savoir.

— Vous avez pris la précaution de ne pas introduire le V dans votre maison, ce qui fait de vous un homme sans doute très intelligent et prudent. La question est: où entreposez-vous la drogue… et qui vous la fournit? Vous voudriez éclairer ma lanterne?

Paulie Cermak me dévisagea quelques instants, les yeux écarquillés, avant d'éclater d'un rire tonitruant qui se termina en quinte de toux.

Une fois qu'il eut repris son souffle, il essuya quelques larmes qui perlaient au coin de ses paupières avec des doigts étonnamment longs et délicats. Des mains de pianiste sur le corps courtaud et trapu d'un dealer.

— Oh, bon sang, dit-il. Je vais avoir une crise cardiaque à cause de vous, ma petite. Vous n'êtes pas triste, vous. Et vous n'êtes pas vraiment du genre timide non plus, hein?

— Je dois considérer ça comme un « non »?

— Le monde des affaires est très complexe. Il y a les dirigeants, les intermédiaires, et les petits vendeurs ordinaires.

— Comme vous?

— Exactement. Si j'attirais l'attention sur ceux qui se situent à des échelons plus élevés, je perturberais tout l'équilibre du système, et mes supérieurs ne seraient pas très contents.

— Est-ce que vous travaillez sous les ordres de McKetrick?

Il garda le silence un moment.

— Qui est McKetrick?

Même si je ne pouvais pas en être certaine, j'avais l'impression que sa confusion n'était pas feinte, et qu'il ignorait réellement de qui je parlais. De plus, il avait pratiquement avoué vendre de la drogue. Pourquoi commencerait-il à me mentir ?

Une pensée me traversa l'esprit, du genre de celles qui provoquent des insomnies. J'étais la petite-fille d'un policier, et une vampire liée à la Maison Cadogan. Pourquoi me dirait-il la vérité s'il n'était pas persuadé que les vampires ne pouvaient rien contre lui... ou contre la personne pour qui il travaillait, quelle qu'elle soit ? Et quelle femme le PG ne nous laisserait-il jamais toucher ?

Il fallait que je lui pose la question, mais mieux valait éviter d'éveiller sa méfiance – ou les soupçons de Célina.

— Vous agissez seul ? lui demandai-je.

— La plupart du temps, répondit-il avec prudence, comme s'il ne voyait pas où je voulais en venir.

— Parfois avec des vampires ?

— J'ai une carotide, ma jolie. Avec ce genre de commerce, je préfère rencontrer le moins de crocs possible.

— Vous avez été vu avec une vampire prénommée Marie.

Il me regarda droit dans les yeux sans rien dire. Il n'avait peut-être pas remarqué la caméra de surveillance.

Il avait beau se montrer loquace au sujet du V, Cermak ne semblait pas avoir l'intention d'avouer l'implication de Célina. J'ignorais ce que je devais en penser, ou si cela avait une quelconque importance. J'arrivais à court d'idées.

— Je sais ce que vous croyez, décréta finalement Paulie.

— Quoi ?

— Le « V ». Le nom de la drogue. Vous croyez que ça veut dire « vampire », non ?

Je marquai un temps d'hésitation, surprise par sa franchise.

— Ça m'a traversé l'esprit, admis-je.

Il pointa un doigt sur moi.

— Eh bien, vous avez tort. Ça veut dire *« veritas »*, un mot latin qui signifie « vérité ». La drogue a été baptisée ainsi parce qu'elle est censée rappeler aux vampires leur véritable nature. La vision vieille école : les chauves-souris, la Transylvanie, la soif de sang des films d'horreur. La véritable soif. Et l'envie de se battre. Elle sert à leur rappeler ce que ça fait d'être de vrais vampires, et pas des lavettes dociles qui mangent dans la main des humains. Le V est un cadeau pour les vampires. *Veritas*. La vérité. Personnellement, je trouve que ça sonne bien.

Voilà une explication fort philosophique.

— Et pourquoi une telle générosité envers les vampires ?

— Je ne suis pas généreux, ma petite. Je ne dis pas que j'ai quoi que ce soit à voir avec le V, mais si c'était le cas, ce ne serait pas par bonté. Je considérerais ça comme un moyen de gagner ma vie.

— Qui aurait envie de faire circuler le V, alors ?

Paulie grogna.

— À votre avis, qui serait assez motivé pour faire un truc pareil ? Rendre les vampires complètement fous, susciter la soif de sang pour les amener à agir selon leur véritable nature ? (Il haussa les épaules.) Tout ce que je peux dire, c'est qu'il faut vous intéresser à de plus gros bonnets que moi, ma petite.

Faisait-il allusion à Célina? ou à une personnalité des Maisons de Chicago? Je devais obtenir davantage d'informations.

— Vous ne voudriez pas être plus précis?

— Et risquer de me retrouver au chômage? Non merci.

La sonnerie d'un vieux téléphone retentit quelque part à l'intérieur. Paulie se retourna, puis me regarda de nouveau.

— Vous avez besoin d'autre chose? me demanda-t-il.

— Pas pour l'instant.

— Dans ce cas, au revoir. Vous savez où me trouver.

Il s'écarta pour refermer la porte, puis s'éloigna afin de décrocher le téléphone, faisant trembler le plancher sous ses pas.

Les yeux fermés, j'essayai de faire abstraction des bruits de la rue pour me concentrer sur la conversation téléphonique.

— Vous vous êtes trompé de numéro, l'entendis-je dire.

Un tintement résonna lorsqu'il reposa le combiné. Je descendis l'escalier, regagnai l'allée après avoir traversé la cour, et me retournai vers la maison. Je me mordis la lèvre tout en réfléchissant à ce que j'allais faire ensuite. L'obscurité ne suffisait pas à masquer les larges écailles de peinture qui se détachaient des bardeaux. Le toit paraissait délabré, et le bas de l'écran moustiquaire était déchiré.

Je jetai un coup d'œil vers le garage. La maison de Paulie était dans un état pitoyable, et malgré cela, il possédait une superbe Mustang de collection. S'il n'avait pas les moyens d'effectuer des réparations chez lui, comment avait-il pu s'offrir une telle voiture?

J'ignorais la réponse, mais cela valait la peine de creuser un peu. Je sortis mon téléphone de ma poche, et envoyai un message à Jeff: «Rien chez Cermak. Cherche encore infos sur voiture.»

Alors que je venais de monter dans ma Volvo, Jeff m'appela.

—Quelle rapidité! m'exclamai-je.

—Nous sommes sur la même longueur d'onde. Je me suis plongé dans nos bases de données après notre conversation de tout à l'heure, et je n'ai rien trouvé au sujet de la voiture. Si elle a bien été vendue, je veux dire si des billets ont changé de main, c'était au noir. La seule manière de remonter la piste, c'est de demander à Cermak à qui il l'a achetée, s'il est d'accord pour t'en parler.

—On peut toujours rêver. Je suppose que la Mustang ne nous apprendra rien, alors.

—À moins que tu ne tombes par hasard sur le type qui l'a vendue à Cermak.

—Dans une ville de près de trois millions d'habitants? Impossible.

Il m'avait toutefois donné une idée. Je ne pouvais peut-être pas aller voir Célina la bouche en cœur pour lui demander si elle fréquentait Paulie Cermak, mais je connaissais une personne susceptible de me renseigner.

Je consultai ma montre. Il était seulement 23 heures. J'avais le temps d'effectuer une petite excursion vers l'est… et de faire quelques exercices de relaxation préparatoires, car j'aurais besoin d'une bonne dose de patience.

—Jeff, tu peux me faire une faveur et m'envoyer par mail la photo de Cermak que tu as tirée de la vidéo?

—Tout de suite.

Une fois que j'eus reçu le fichier, je rangeai mon téléphone. J'avais hésité quelques instants à appeler Ethan afin de lui faire un compte-rendu, mais cette idée avait suffi à me nouer l'estomac. Il venait de parler avec Darius, et je n'avais aucune envie de savoir comment cette conversation s'était déroulée.

D'ailleurs, il n'aurait sans doute pas approuvé la prochaine étape de mon périple. Rendre visite au Maître de Navarre faisait partie de ces choses pour lesquelles il était plus facile de s'excuser après coup que de demander la permission au préalable, surtout lorsqu'un ponte grognon du PG se trouvait en ville.

Une fois ma décision arrêtée, je m'engageai sur la route. Il était temps de me rendre dans le quartier huppé de Gold Coast.

17

Deux Maîtres et un sacré culot

J' avais à peine parcouru la moitié du trajet qui me séparait de la Maison Navarre quand le téléphone sonna de nouveau. Constatant que l'appel provenait de Jonah, je décrochai et me coinçai le combiné entre l'épaule et l'oreille.

— Salut Jonah. Quoi de neuf?

— Je voulais juste avoir de tes nouvelles. Comment progresse l'enquête?

— Eh bien, nous avons réussi à identifier l'homme de petite taille que Sarah a vu devant le bar grâce à une caméra de vidéosurveillance. Il s'agit d'un certain Paulie Cermak. Je viens de lui rendre visite.

— Tu as découvert quelque chose d'intéressant?

— Pas vraiment. Il a une maison minable, et une splendide Mustang de collection. Il ne se montre pas particulièrement timide au sujet de son travail, mais, selon lui, il n'est qu'un maillon insignifiant de la chaîne. Il m'a dit qu'il obéissait à des ordres venant de plus haut. Étant donné que la police n'a trouvé aucun élément susceptible de l'incriminer, je suppose que nous ne réussirons pas mieux.

— Tu penses que McKetrick pourrait jouer un rôle là-dedans ?

— Il semble totalement ignorer qui est McKetrick. Il m'a également appris que le « V » signifie *« veritas »*.

— La vérité ?

— Exactement.

— C'est plutôt recherché, pour un dealer.

— Je me suis fait la même réflexion.

— En parlant de grands esprits, poursuivit-il d'un ton amusé, tu viens à la petite sauterie, tout à l'heure ?

— Oui. Et toi ?

— Je m'en réjouis d'avance, surtout que je serai obligé de porter un élégant costume italien.

— Estime-toi heureux de ne devoir le sortir que pour les grandes occasions, rétorquai-je. Vous avez le droit de mettre des maillots de sport, alors que nous, nous sommes condamnés aux costumes italiens tous les soirs.

— C'est vrai, reconnut-il en gloussant. Tiens, puisque tu évoques Ethan : ma version des faits, c'est que nous nous sommes rencontrés pour la première fois devant le *Temple Bar* après l'incident.

— Très bien. Est-ce que tu as déjà eu l'occasion de parler à Darius ?

— Pas encore. J'ai passé la soirée à m'entraîner avec les gardes. Pourquoi ?

— Je voulais juste te prévenir qu'il est plutôt du genre chiant.

Je regrettai ces paroles au moment même où je les prononçai. Certes, je devais à Jonah une fière chandelle, mais que savais-je de lui, au fond, à part qu'il était très séduisant et surdiplômé ?

—J'en ai bien l'impression, répondit Jonah. En fait, Scott et lui se sont déjà disputés au sujet des maillots. Darius trouve que c'est une tenue indigne des Maisons.

Je ne pus m'empêcher de rire.

—Ça ne m'étonne pas de lui. Je suppose que Scott a gagné la bataille ?

—Plus ou moins. Disons plutôt qu'il a refusé de céder et que Darius a fini par se désintéresser du sujet.

—C'est une stratégie risquée, face à un immortel qui a tout son temps pour polémiquer.

—Tu parles pour toi ?

—Qui ça, moi ? Bien sûr que non. Je ne suis pas du tout têtue. Au contraire, je suis d'une souplesse exemplaire.

—Menteuse, répliqua-t-il d'un ton malicieux. Bon, j'arrête de t'embêter. N'hésite pas à m'appeler en cas de besoin.

—D'accord. Merci.

Je glissai de nouveau le téléphone dans ma poche, légèrement troublée par cet appel. C'était attentionné de la part de Jonah de prendre des nouvelles. Il partait du principe que les vampires devaient faire front ensemble contre le V et tous s'impliquer plutôt que laisser la Sentinelle de Cadogan affronter seule le problème.

D'un autre côté, cette conversation m'avait semblé un peu trop… intime. Il paraissait s'inquiéter pour moi, m'avait demandé ce que j'avais prévu pour la soirée… Soit je me faisais des illusions, soit il avait succombé à mon charme légendaire et commençait sérieusement à m'apprécier. En tout cas, j'avais décelé dans sa voix une note romantique et chaleureuse que je n'avais pas remarquée auparavant… et que je n'étais pas tout à fait ravie d'entendre. Bon, d'accord, je me sentais flattée, mais je trouvais la situation déjà bien assez complexe comme ça.

J'étais également perturbée d'avoir fourni à Jonah des renseignements que je n'avais pas partagés avec Ethan. Je n'aimais pas les cachotteries, et dissimuler des choses à quelqu'un qui m'avait sauvé la vie par le passé ne me plaisait vraiment pas. Je savais pourquoi je ne lui dévoilais pas tout, mais cela ne diminuait en rien mon malaise.

Et dire que je m'étais insurgée contre Ethan parce qu'il m'avait caché des informations… Ça ne l'avait pas empêché de continuer, d'ailleurs, mais cette attitude avait le don de me mettre hors de moi. Et voilà qu'à présent je faisais la même chose. Mes raisons étaient-elles meilleures que celles d'Ethan ? Ma conduite se justifiait-elle davantage que la sienne ?

Même si nous ne sortions pas ensemble, ce manque d'honnêteté me troublait, comme si j'entamais la confiance que nous avions construite. Un genre de confiance qui allait bien au-delà de la relation entre Maître et Sentinelle. Je regrettais également de ne pas pouvoir parler avec Ethan de Jonah et de la Garde Rouge. S'il avait la capacité de faire preuve de neutralité, son opinion aurait été la bienvenue.

En tant que Maître, il ne pouvait cependant pas se montrer neutre. Même si cela me déplaisait, je devais continuer à naviguer à vue pour l'instant, sans avoir la certitude de prendre les bonnes décisions.

Je ressassai cette conclusion pendant un moment tout en poursuivant mon trajet, perdue dans mes pensées.

Le luxe ne rebutait pas les vampires, loin de là. Les chaînes, les crânes et la dentelle noire ne correspondaient pas vraiment à nos goûts en matière de décoration, et la Maison Cadogan n'avait rien d'un taudis. Elle regagnait progressivement l'élégance qui la caractérisait avant l'attaque.

Toutefois, la Maison Navarre atteignait un niveau inégalé en termes d'opulence. Tout d'abord, elle était située dans le quartier de Gold Coast, l'un des plus aisés de Chicago, où pullulaient les palaces appartenant aux célébrités et les demeures somptueuses construites durant les années fastes de la fin du XIXe siècle. De plus, l'intérieur était magnifique, avec de grands volumes, des œuvres d'art étranges, et le type de mobilier qui figurait dans les magazines de décoration – du genre qu'on trouve joli dans un musée, mais sur lequel on n'a pas envie de s'asseoir pour regarder un match un samedi après-midi.

Ai-je déjà mentionné le fait que Navarre disposait d'un bureau d'accueil ?

Je garai la Volvo et, après m'être recoiffée autant que possible en m'aidant du rétroviseur, je franchis le seuil, me préparant psychologiquement à affronter les trois femmes aux cheveux noirs qui contrôlaient l'accès à Navarre et à son Maître.

Ethan et moi les avions surnommées « les trois Parques », en référence à la mythologie grecque, car elles exerçaient un pouvoir similaire. En dépit de leur frêle silhouette, j'étais persuadée qu'au moindre mouvement suspect – ou au moindre pas non autorisé au-delà des limites de leur bureau –, elles n'hésiteraient pas à sauter à la gorge du visiteur.

Ce soir-là, elles paraissaient débordées. Le hall de la Maison grouillait de monde. Aucune des personnes présentes n'entrait dans une catégorie bien déterminée.

Je ne vis ni journaliste, ni vampire, ni aucun sbire de McKetrick en mission d'infiltration dans le camp ennemi. La plupart portaient de classiques costumes noirs évoquant davantage la rigueur du comptable que l'élégance des tenues de Cadogan. Ils avaient à la main des carnets ou des sacoches noires d'aspect quelconque.

Je me frayai un passage dans la foule jusqu'au bureau d'accueil, où j'attendis que la Parque de gauche m'accorde son attention.

Au bout d'un moment, elle leva les yeux vers moi tout en pianotant sur son clavier.

— Oui ? demanda-t-elle, l'air éreinté.

— Merit, Sentinelle de Cadogan. Je viens voir Morgan. Est-ce qu'il est disponible ?

Elle poussa un soupir avant de reporter le regard vers son écran sans cesser de faire courir ses doigts à toute allure sur les touches. Un homme surgit à côté de moi et s'adressa à elle :

— J'avais rendez-vous il y a un quart d'heure.

— Nadia travaille aussi vite que possible, monsieur. Elle vous recevra dans quelques instants. (Elle pointa l'un de ses interminables ongles en direction des bancs situés derrière le comptoir.) Asseyez-vous.

De toute évidence, le visiteur n'apprécia pas cette réponse, mais il ravala sa colère et disparut de nouveau dans la cohue.

Je me penchai légèrement en avant.

— Qu'est-ce qui se passe ici, aujourd'hui ? Je croyais que Tate avait interdit la présence d'humains dans les Maisons.

Elle leva les yeux au ciel.

— Il a accordé une exception à la règle. Nous sommes en train de sélectionner nos fournisseurs pour l'année prochaine. Le maire a accepté que Nadia reçoive les commerciaux humains des entreprises de la ville afin d'étudier leurs offres.

Nadia était la Seconde de Navarre, la vice-présidente de Morgan. Accessoirement, elle ressemblait à un top-modèle, un détail susceptible de provoquer un choc lorsqu'on entre pour la première fois dans la demeure de son ex-petit ami.

La Parque décocha un regard noir aux individus amassés dans le hall.

— Je doute fort qu'ils soient à la hauteur de nos exigences.

Je supposais que nous disposions de personnel pour s'occuper du ménage et de l'entretien du domaine, et je connaissais l'un des chefs cuisiniers de la Maison, mais il ne m'était jamais venu à l'esprit que les vampires avaient besoin de fournisseurs. Il fallait cependant bien que quelqu'un garnisse les étagères des cuisines, procure les dossiers et surligneurs de la salle des opérations, et s'assure que les carafes en cristal du bureau d'Ethan soient toujours remplies d'alcools fins. À Navarre, cette responsabilité incombait à Nadia et à une armée de vendeurs s'affrontant pour obtenir le privilège d'offrir leurs services.

Je me demandai si Malik se chargeait de cette tâche à Cadogan. Peut-être qu'il faisait passer des entretiens aux fournisseurs afin de considérer leurs propositions, étudiait leurs devis et relisait les contrats. Ce ne serait pas étonnant. Après tout, Malik était le bras droit d'Ethan, l'adjoint du PDG de la Maison.

Une blonde à la mise en plis soignée et aux yeux soulignés d'un épais trait d'eye-liner s'approcha du comptoir d'accueil.

— Est-ce que M. Greer est disponible ? Peut-être pourrais-je lui parler, si Nadia est trop occupée ?

La Parque se tourna vers moi, l'air morne.

— Vous vous rappelez comment aller à son bureau ?

— Je trouverai mon chemin, lui assurai-je avant de m'éloigner au son des piaillements de la femme que j'avais dépassée dans la file.

De toute manière, elle n'avait aucune chance.

Je traversai le gigantesque rez-de-chaussée jusqu'à l'escalier en forme d'arche qui menait au premier étage. Là était situé le bureau de Morgan, une suite moderne donnant sur le jardin. Comme la porte était fermée, je frappai.

— Entrez.

Je franchis le seuil… et eus le souffle coupé.

Devant moi se tenait Morgan, en pantalon noir… et rien d'autre. Alors qu'il passait un tee-shirt blanc par-dessus la tête, ses abdominaux saillants jouaient sous la peau de son ventre. Une fois habillé, il ramena en arrière ses cheveux noirs qui lui arrivaient aux épaules et les noua sur la nuque.

Ce ne fut qu'à cet instant qu'il m'accorda son attention.

— Oui ?

J'ouvris la bouche, puis la refermai, incapable de me souvenir du discours que j'avais préparé. Sans mentir, j'avais un trou de mémoire ; toute pensée cohérente m'était sortie de l'esprit à la vue de son corps à demi nu. Dieu sait que le problème entre nous ne venait pas de l'absence d'attirance physique. D'ailleurs, rien en Morgan ne posait problème. Le problème, c'était moi. Et Ethan.

Je dus secouer la tête afin de me ressaisir. Morgan afficha un air suffisant. Je supposai qu'il éprouvait une certaine fierté à l'idée de m'avoir cloué le bec.

— Tu ne t'attendais pas à recevoir de la visite, je présume ? finis-je par balbutier.

Il s'assit au bord d'une chaise pour mettre des chaussettes, et enfila une élégante chaussure à bout carré.

— Je termine tout juste une séance de sport, et le dîner est dans une heure. Qu'est-ce que tu veux ?

Me rendant soudain compte que je me tenais toujours sur le seuil, la porte entrebâillée, j'entrai et fermai derrière moi.

— Je suis venue te parler des avancées de l'enquête.

Alors qu'il avait entrepris de mettre la seconde chaussure, il stoppa net son geste et leva la tête vers moi. À ce moment, je remarquai les larges cernes qui soulignaient ses yeux. Il avait l'air épuisé. Ce ne devait pas être facile pour lui de succéder à Célina, surtout dans une période agitée comme celle que nous vivions. Je n'enviais pas sa position. Il avait été propulsé du jour au lendemain du statut de Second à celui de Maître… et c'était en partie à cause de moi.

— Eh bien, puisque tu es là, vas-y, je t'en prie.

Je retins un soupir exaspéré et lui répétai ce que nous avions découvert à Streeterville, ce que nous avions appris au bar, et ce que Paulie m'avait raconté. Lorsque je terminai mon récit, Morgan, à présent habillé, était appuyé contre le dossier de sa chaise, les mains croisées sur le ventre.

— Tu as traversé toute la ville pour ça ?

— J'aimerais que tu me dises si tu as déjà vu Paulie Cermak, le type qui vend le V aux vampires.

— Tu sais, je n'ai pas pour habitude de traîner avec des drogués.

Sa réaction ne m'étonnait pas outre mesure. C'était la raison pour laquelle j'avais demandé à Jeff de m'envoyer une photo : afin de baser cette enquête sur des preuves concrètes, et non sur des préjugés. Je sortis mon téléphone et affichai sur l'écran le portrait de Paulie.

— Ce n'est pas un drogué, mais un dealer, du moins d'après ce que je sais.

Je m'approchai pour lui montrer l'image tout en l'observant afin de m'assurer qu'il s'y intéressait vraiment.

Je m'attendais à ce que Morgan lève les yeux au ciel et m'affirme ne pas connaître Cermak, ou qu'il critique mon enquête sur un ton sarcastique.

Son expression abasourdie me surprit. Il se tendit, raidit les épaules, la mâchoire crispée. Il savait quelque chose.

— Tu l'as déjà vu, déclarai-je avant qu'il puisse nier ou feindre l'impassibilité.

Il lui fallut tout de même une minute pour me répondre.

— C'était il y a six mois. Célina n'autorisait jamais les humains à pénétrer dans la Maison, même avant que Tate en donne l'ordre. Je suis monté pour lui parler de quelque chose, je ne sais plus exactement quoi. Cet homme, Cermak, sortait tout juste de son bureau. Je lui ai demandé qui il était. Je trouvais sa présence à Navarre plutôt... étrange.

Ainsi, Célina avait reçu l'individu qui vendait le V dans sa propre Maison. C'était bien beau, mais cela ne prouvait rien du tout.

Cependant, Morgan paraissait sincèrement ébranlé et décontenancé par les liens qu'il commençait à établir.

Il ferma les yeux, se passa les mains sur le visage puis les croisa au-dessus de la tête.

—Ça m'énerve vraiment quand tu as raison.

—Je préférerais avoir tort, lui assurai-je. J'aimerais que mes hypothèses se révèlent absurdes. Je n'ai aucune envie que Célina rende ton travail – ou le mien – plus difficile qu'il ne l'est déjà.

Il grogna avant de détourner le regard, peu enclin à partager les éventuelles informations qu'il détenait. Afin de lui laisser de l'espace, je traversai le bureau et m'arrêtai devant une énorme fenêtre qui donnait sur une cour à l'architecture étudiée.

—Que t'a dit Célina à son sujet ? demandai-je au bout d'un moment.

—Qu'il faisait partie des fournisseurs de la Maison.

Les pièces du puzzle se mettaient en place.

—Et en tant que Second, c'était ton boulot de sélectionner les fournisseurs, non ?

Morgan se tourna vers moi avant de hocher la tête d'un air triste.

—C'est la deuxième raison pour laquelle sa présence m'a paru bizarre. J'ai supposé qu'il s'agissait d'un projet spécial. J'ai vérifié la comptabilité mais n'y ai rien trouvé d'anormal. Toutes les rubriques étaient renseignées, mais aucun nom de vendeur n'avait été ajouté à la liste.

—Donc, en fait, elle ne lui a rien acheté. Ou en tout cas, elle n'a pas noté la transaction dans les livres.

Morgan acquiesça.

—Pourquoi serait-elle entrée en contact avec Paulie Cermak ? Enfin, même s'ils sont tous les deux impliqués dans cette affaire, pour quelle raison voudrait-elle vendre de la drogue à des vampires ? pour l'argent ?

Morgan secoua la tête.

— En tant que membre du Présidium, elle a droit à une rente, et elle vit depuis très longtemps.

— Elle fait fructifier son capital, en somme ?

— Elle possède une petite fortune, oui, confirma Morgan.

Il fallait donc regarder ailleurs.

— Peut-être qu'elle s'intéresse à la drogue elle-même, suggérai-je. Cermak a affirmé que le V voulait dire *« veritas »*, ce qui, en latin, signifie « vérité ». D'après lui, cette substance est censée rendre aux vampires leur véritable nature.

Morgan réfléchit, les sourcils froncés.

— Célina a toujours été convaincue que les relations entre humains et vampires allaient aboutir à un cataclysme. Le truc, c'est qu'elle pensait en sortir avec les honneurs.

— Alors, elle se serait efforcée d'obtenir les faveurs des humains juste pour les conduire à leur propre fin ?

Il haussa les épaules.

— Peut-être, mais en ce qui concerne le V, je ne sais pas. Si elle désirait des vampires plus « vrais », pourquoi ne pas autoriser ceux de Navarre à boire à la veine ?

Parce que si elle l'avait permis, il lui aurait été impossible de diaboliser Cadogan, pensai-je. Peu importaient ses motivations ; nous pourrions toujours les découvrir plus tard. En revanche, ce dont nous avions besoin dès à présent, c'était de preuves.

Je gardai les yeux rivés au sol quelques instants, réfléchissant à ce qui aurait pu m'échapper. En dépit de mon désir de trouver des réponses à toutes mes questions portant sur le V, rien ne me vint à l'esprit. Lorsque je regardai de nouveau Morgan, je m'aperçus qu'il m'observait. Toute sévérité avait disparu de son visage.

—Qu'est-ce qu'il y a ? lui demandai-je.

Il m'adressa un regard maussade, sous-entendant qu'il n'avait pas oublié l'affection qu'il me portait – et que je ne partageais pas. Rien de tel que le présent pour mettre un terme à ce genre de pensées.

—Je dois filer, affirmai-je. Il faut que je me change.

—Tu viens accompagnée ?

—Quand est-ce que tu vas te décider à arrêter de me parler d'Ethan ?

—Quand ça ne t'énervera plus.

—Ça n'arrivera jamais.

—Voilà, tu as ta réponse.

Je restai debout à l'observer durant un moment, et perçus une ébauche de sourire sur son visage. S'il parvenait à surmonter sa colère, je devais pouvoir faire bonne figure, moi aussi.

Je me dirigeai vers la porte.

—Tu es un vrai comique, toi !

—Je fais de mon mieux, Merit.

—Au revoir, Morgan.

—À dans une heure, me rappela-t-il alors que je fermais le battant.

Au rez-de-chaussée, le hall grouillait toujours de fournisseurs impatients d'obtenir enfin un entretien avec Nadia. J'espérai qu'ils feraient preuve de plus de patience que moi envers le personnel de Navarre.

Lorsque je regagnai la Maison, Ethan et Luc m'attendaient.

Je me préparai à narrer de nouveau toute l'histoire à mon Maître. Franchement, le travail de Sentinelle consistait souvent à seriner le même discours. Comme je n'avais pas le choix, je rassemblai mon courage et remplis mon devoir.

— Paulie Cermak est sans doute impliqué dans le trafic de drogue, et il ne s'en cache pas vraiment. Il dit qu'il n'est qu'un pion dans cette affaire. Sa maison est dans un état pitoyable, et pourtant, il a une superbe Mustang de collection dans son garage.

Je faillis continuer sur ma lancée, mais m'arrêtai à temps pour adresser à Ethan un regard interrogateur. Pouvais-je lui raconter ? Après les remarques cinglantes que lui avait sans doute réservées Darius, était-il possible de lui faire part de mes soupçons portant sur un membre du PG ? Allais-je le mettre dans une position encore plus inconfortable ?

— Au point où nous en sommes, tu peux parler en toute franchise, déclara-t-il d'un ton calme.

— Dans ce cas… J'ai fait un tour à Navarre pour montrer la photo de Paulie Cermak à Morgan. Il y a six mois, il l'a vu sortir du bureau de Célina. Elle a affirmé qu'il s'agissait d'un « fournisseur ».

J'observai le visage d'Ethan, et j'ignore encore si j'y lus du soulagement ou de l'anxiété. La nouvelle était à la fois bonne et mauvaise : nous disposions d'un témoignage liant Célina à l'homme qui vendait le V, mais l'ancienne Maîtresse de Navarre était la protégée du PG.

Luc jeta un regard inquiet alentour avant de baisser le ton, comme s'il craignait de voir Darius surgir de nulle part en brandissant les documents formalisant la mise sous tutelle.

— Ainsi, Célina et Paulie se connaissent, dit-il. Nous pouvons en déduire qu'il est probable que Célina, la dénommée « Marie » qui a été vue par des humains et la femme dans la voiture ne sont qu'une seule et même personne.

— Mais nous ne sommes pas en mesure de le prouver, objecta Ethan en glissant les mains dans les poches. Bien que je n'aie aucune envie de l'admettre, le fait que Célina et Paulie se soient rencontrés il y a six mois ne signifie pas qu'elle soit directement impliquée dans l'organisation des raves ou dans le trafic de V.

— Et à mon avis, elle ne va pas venir nous voir pour nous en fournir la preuve sur un plateau, renchérit Luc.

— C'est vrai, concédai-je tandis qu'une stratégie commençait à prendre forme dans mon esprit. C'est pourquoi nous devons l'inciter à se démasquer.

Ethan braqua aussitôt le regard sur moi.

— Se démasquer ?

— Démontrer que Paulie et Célina sont liés. Nous devons contacter Célina par le biais de Cermak, la forcer à se montrer, et prouver qu'elle joue un rôle dans toute cette histoire.

— Et de quelle manière comptes-tu t'y prendre ? demanda Ethan. Quel appât serait susceptible d'attirer Célina ?

La réponse était facile.

— Moi.

Silence.

— Tu as vraiment fini par endosser ta responsabilité, fit remarquer Ethan d'un ton sec. Tu ne redoutes plus de courir des risques au nom de la Maison.

— Je sais qu'elle est capable de me botter le cul. Ça n'arrange rien, mais au moins, j'en suis consciente.

— Tu es plus forte que la dernière fois que tu l'as affrontée, affirma Ethan. Depuis, tu as battu des métamorphes.

— Elle m'a envoyée à terre d'un seul coup de pied dans la poitrine, lui rappelai-je, me remémorant la douleur qui m'avait vrillé les côtes. Mais ce n'est pas le sujet. Pour je ne sais quelle obscure raison, il semble que je l'obsède. Si Paulie lui dit que je l'attends, elle sautera sur l'occasion.

Ethan fronça les sourcils.

— Tu n'as sans doute pas tort.

— Il faut que je le fasse, insistai-je. Nous avons identifié Paulie, et savons qu'il connaît Célina, mais nous ne pourrons mettre un terme au trafic de V que lorsque nous aurons des preuves, au moins assez pour convaincre Tate. Nous ne sommes pas obligés d'en parler au PG. Tout ce dont nous avons besoin, c'est de fournir assez d'informations au maire pour que la police puisse coincer Paulie et Célina et clore l'affaire. Si nous ne pouvons pas compter sur le PG pour arrêter Célina, aidons Tate à le faire.

— Elle marque un point, patron, admit Luc avec calme. C'est le meilleur moyen de faire sortir Célina de son trou.

Au bout de quelques instants, Ethan hocha la tête.

— Très bien, mets ton plan en pratique, Sentinelle. (Il tapota sur le cadran de sa montre.) Mais avant, il faut que tu te changes.

Je venais tout juste de me rendre compte qu'il était déjà prêt pour le dîner, en costume noir ajusté avec cravate assortie. Ce qui signifiait qu'il devrait patienter un peu.

— Je file, affirmai-je.

Une fois que j'aurais regagné ma chambre, j'avais l'intention d'utiliser le numéro de téléphone que Jeff m'avait transmis pour envoyer un message à Paulie Cermak.

D'une manière ou d'une autre, je trouverais Célina. Au diable le PG, elle ne m'échapperait pas.

À ma grande surprise, je ne découvris aucune housse pendue à ma porte. Les dernières fois que j'avais dû apparaître en société en compagnie d'Ethan, il m'avait fourni des robes haute couture très raffinées, sans doute afin d'éviter que je ne fasse honte à la Maison avec mes jeans et débardeurs habituels. Au début, cette initiative m'avait vexée, mais même une fille qui s'était fait les crocs en jean et Puma était capable d'apprécier de temps à autre de mettre des vêtements chics.

Ce soir-là, je ne trouvai, accroché au battant, que mon petit panneau d'affichage, et ma penderie ne contenait rien d'autre que ma garde-robe ordinaire.

Bon, tant pis. Ça valait sans doute mieux ainsi. Je n'avais pas vraiment le temps de jouer à la princesse.

Comme je n'avais pas d'autre choix, après m'être douchée, j'enfilai l'une des tenues que m'avait procurées Ethan : une robe de soirée noire, composée d'un bustier aux plis horizontaux et d'une jupe volante qui arrivait au genou. Je glissai les pieds dans les talons aiguilles assortis, également offerts par Ethan, et ajustai le holster de cuisse contenant mon poignard. Je me contentai du médaillon Cadogan pour tout accessoire, et laissai mes cheveux dénoués, les mèches libres formant une frange sombre sur mon front.

Après m'être maquillée, j'envoyai un message à Paulie Cermak : « Dites à Marie que je suis prête à la rencontrer. »

Je glissai ensuite mon téléphone dans une petite pochette noire. C'était le moment de passer aux choses sérieuses.

18

« V » COMME « VALEUR »

E than m'attendait au rez-de-chaussée, à côté du pilier.
Il releva la tête lorsque je posai le pied sur la dernière
marche de l'escalier.

— Tu es ravissante.

— Merci, dis-je en lissant ma robe d'un geste timide.
Tu ne vois aucune objection à ce que je mette cette tenue
pour la deuxième fois ?

Ethan m'adressa un sourire espiègle.

— Ne me dis pas que tu espérais en recevoir une
nouvelle ?

— Ce serait ridicule. Je suis bien au-delà de
préoccupations juvéniles comme celle-ci.

Il prit une expression plus philosophique.

— Tu as le droit d'aimer ce que tu veux. Tu y prends
plaisir, et ne devrais jamais en avoir honte. La joie que
te procurent les choses simples comme la nourriture,
les vêtements ou l'architecture constitue une qualité
charmante.

Je me détournai de l'affection qui transparaissait dans
ses yeux.

— On y va ?

—Tu as ton poignard?

—Je quitte rarement la Maison sans.

—Alors en route pour la Batcave, Sentinelle.

Il paraissait d'humeur étrangement joviale et légère, ce qui me surprenait étant donné l'événement auquel nous étions sur le point de nous rendre. Les réceptions convenaient bien à Ethan : il portait les costumes avec élégance et savait captiver une audience. Cependant, ce soir-là, le public risquait de ne pas se montrer très réceptif.

Une fois dans la voiture, tandis que je mettais ma ceinture, nos regards se croisèrent.

—Tu crois que McKetrick va tenter de nous arrêter, aujourd'hui?

Il démarra le moteur en grognant.

—Vu notre chance, c'est possible.

Heureusement, il avait tort. Il parvint à nous conduire jusqu'à Lake Shore Drive sans autre incident qu'un énorme embouteillage qui imposait à tous les véhicules de rouler au pas. En dépit de l'heure tardive, les automobilistes curieux étaient toujours susceptibles de causer un bouchon en ralentissant pour observer une scène d'accident. Nul accrochage cette fois : juste quelques filles, pomponnées comme pour sortir en boîte de nuit, qui pestaient à côté de leur voiture pendant qu'un policier leur infligeait une amende.

Quelque part à proximité de Navy Pier, j'abordai le sujet qu'Ethan avait évité jusque-là.

—Est-ce que tu veux me parler de ce que Darius t'a dit au téléphone?

J'avais décidé que je préférais le voir frapper sur des troncs plutôt que ressasser des idées noires. Au moins, tant qu'il se déchaînait sur des arbres, je savais à quoi m'en tenir, tandis que son silence me laissait perplexe.

Il lui fallut un moment pour répondre.

—Inutile d'entrer dans les détails.

—Il est inutile de partager avec ta Sentinelle ce que le chef du PG pense de la Maison?

—Disons simplement qu'il a employé quelques termes bien choisis pour décrire ma façon de gérer Cadogan.

Je lui décochai un regard en coin.

—Et c'est tout ce que tu comptes me révéler? Tu n'as pas envie de te défouler?

—Il arrive parfois que la Maison soit touchée par des affaires politiques. C'est inévitable. Mais en tant que Maître, mon devoir consiste à te protéger de ces problèmes. Non pas des considérations stratégiques ou des possibilités d'alliances, mais de la pression que subit Cadogan. Tu dois continuer à te préoccuper des tâches qui relèvent de ta mission. Tu n'as à t'inquiéter ni de mon travail ni de Darius.

—Merci. Sauf que ça ne m'aide pas vraiment à me préparer aux coups bas que le PG ne va manquer de nous envoyer.

Il marqua une pause.

—Parfois, tu es trop intelligente pour ton propre bien, tu sais.

Je souris de toutes mes dents.

—C'est l'une de mes principales qualités.

Il poussa un soupir excédé.

—Bon, je t'épargne les détails sordides, mais, en bref, il est convaincu que l'enquête que nous menons au sujet des raves ne fait qu'empirer le problème, notamment en attirant l'attention. Il pense que c'est au PG de gérer cette affaire, et ils agiront s'ils le croient nécessaire, au moment qu'ils jugeront opportun.

— Super! m'exclamai-je d'un ton sarcastique. Pas du tout naïf et insensé.

— Le souci de la précision n'a jamais été le fort de Darius. Il a tendance à s'arrêter sur l'arbre qui cache la forêt. Je suppose qu'on peut mettre ce manque de clairvoyance sur le compte de l'immortalité. (Ethan tapota le volant du bout des doigts.) Je ne sais pas comment le convaincre qu'il a tort et lui faire comprendre la gravité de la situation.

— Peut-être que nous devrions arranger un rendez-vous entre Darius et McKetrick.

Il gloussa.

— Ce ne serait pas une mauvaise idée, quoique je me demande qui, du tyran anglais ou de l'américain, en sortirait vainqueur.

— Est-ce que tu imaginais ça possible il y a quatre mois?

Il me lança un regard interrogateur.

— Qu'est-ce que tu veux dire, Sentinelle?

Je réfléchis un moment aux termes appropriés à utiliser pour exprimer ma pensée.

— Dans les bons jours, je crois que nous nous rendons meilleurs. Dans le cadre du travail, m'empressai-je d'ajouter. Tu me rappelles la Maison, les raisons pour lesquelles nous nous battons.

— Et tu me rappelles ce que c'est d'être humain. (Je hochai la tête, me sentant à présent un peu stupide d'avoir partagé mon sentiment.) Nous formons une bonne équipe.

Je ne le contredis pas. Nous avions désormais une relation détendue. Nous semblions réussir à collaborer avec efficacité, comme si nous avions trouvé le fragile point d'équilibre entre amis et amants.

Je n'avais pas envie de faire partie de ces filles qui sont attirées par les choses qu'elles savent inaccessibles. Mais ce n'était pas tout à fait cela non plus. Contre toute attente – et démentant tous les conseils donnés par les mères et les épouses en termes de relations amoureuses au cours des siècles –, il semblait vraiment évoluer. Au lieu de profiter de l'alchimie qui existait entre nous, il me courtisait, me parlait avec respect et confiance.

Je ne m'attendais pas à cette attitude, ce qui ne la rendait que plus remarquable… et effrayante. En tant que jeune femme réfléchie, comment étais-je censée réagir face à un homme qui avait accompli l'impensable exploit de mûrir ?

Question épineuse. Alors que la perspective de nous remettre ensemble suffisait à me procurer d'agréables frissons, je ne me sentais pas encore prête. Le serais-je un jour ? Franchement, je n'en avais aucune idée. Mais comme Ethan me l'avait déjà dit, il avait toute l'éternité pour me convaincre.

Il se gara dans la rue en face de la Maison Grey. Il me semblait étrange de pénétrer pour la deuxième fois dans ce bâtiment tout en prétendant n'y avoir jamais mis les pieds. Je décidai de faire semblant d'être surprise et impressionnée, mais j'eus beau essayer de me rassurer, je savais pertinemment que je mentais à Ethan.

Mon Maître à mon côté, je franchis de nouveau le seuil de la Maison Grey. Charlie, l'assistant de Darius, se tenait devant la végétation luxuriante de l'atrium. Il portait un pantalon bleu marine et une veste kaki sur une chemise bleu pâle, ainsi qu'une paire de mocassins, sans chaussettes. Sa tenue détonnait pour un mois d'août à Chicago, mais ce style officiel lui allait bien.

— Darius aimerait vous parler.

Au moins, Charlie ne s'embarrassait pas de politesses inutiles.

J'échangeai un regard avec Ethan.

— Où ? demanda-t-il.

Le visage de Charlie se fendit d'un large sourire.

— Scott nous a proposé d'utiliser son bureau, déclara-t-il avant de tendre le bras. Par ici.

Il nous fit traverser l'atrium et nous conduisit à l'une des portes situées sous la passerelle – menant à l'une des pièces qui, selon Jonah, n'étaient pas essentielles. Il nous maintint le battant ouvert tandis que nous franchissions le seuil.

Le bureau était gigantesque, presque autant qu'un terrain de football. Le plancher usé, les murs en brique peints et le plafond à la charpente apparente lui donnaient un aspect industriel. Plusieurs tables meublaient l'espace. Je supposai que Scott partageait cette pièce avec son équipe.

Cependant, en cet instant, ses collaborateurs étaient absents. Darius était installé dans un canapé bas de style moderne à côté de Scott. Tous deux portaient un costume. Jonah, debout derrière son Maître, me salua d'un léger signe de tête… et, du coin de l'œil, il me sembla le voir me détailler avec insistance. Je pensai tout d'abord que mon imagination me jouait des tours, mais lorsque je rencontrai son regard, il tourna brusquement la tête, comme s'il avait été pris en flagrant délit.

Quand je disais qu'il fallait s'attendre à des complications…

Morgan se tenait légèrement à l'écart, les bras croisés, vêtu de la tenue dans laquelle – et sans laquelle – je l'avais vu un peu plus tôt. Il leva les yeux à notre entrée, mais évita notre regard.

Mon estomac se noua. Je savais ce qui allait se passer. Je me risquai à établir un contact télépathique avec Ethan.

—*Prépare-toi*, l'avertis-je. *Je crois que Morgan a parlé de Paulie Cermak à Darius.*

Charlie sortit, fermant la porte derrière lui. À ce moment, Darius prit la parole.

—M. Greer m'a confié que vous meniez une enquête au sujet de Célina.

Cette fois, j'activai la connexion mentale qui m'unissait à Morgan. Nous n'étions pas censés disposer de ce genre de lien, étant donné qu'il ne m'avait pas transformée, mais c'était vraiment pratique pour adresser des reproches en toute discrétion.

—*Je t'ai fait confiance*, lui assenai-je. *J'ai partagé des informations avec toi, et tout ce que tu trouves à faire, c'est vendre la mèche à Darius?*

Il se contenta de secouer la tête sans répondre. Un geste lâche… ou puéril. En tout cas, sa réaction ne permit pas d'atténuer ma colère.

Peut-être Ethan avait-il été surpris par la dernière offensive de Darius, mais cette fois, il était préparé à l'assaut.

—Comme vous le savez, Monseigneur, le *Canon* nous impose de nous plier aux lois de la ville abritant notre Maison. Le maire a exigé que nous enquêtions sur cette nouvelle forme de raves, et nous lui avons obéi.

—Vous accusez un membre du Présidium.

—Nous avons suivi la piste là où elle menait.

—Et elle menait à Célina?

Lentement, Ethan tourna son regard glacial en direction de Morgan.

—Je crois que c'est monsieur Greer lui-même qui a confirmé le lien entre Célina et l'homme suspecté de faire circuler le V dans Chicago.

Morgan regarda Ethan dans les yeux, les lèvres retroussées, et la magie emplit aussitôt la pièce, signe que la fureur s'emparait de lui.

La réaction d'Ethan ne se fit pas attendre. Ses iris devinrent argentés, ses crocs surgirent, et sa propre magie – plus froide et vive que celle de Morgan – se répandit dans l'air. Ethan fit un pas en avant, le regard brillant d'un éclat menaçant, et je restai consciencieusement derrière lui.

J'avais déjà vu Ethan hors de lui – notamment face à Morgan –, mais jamais à ce point.

—Souviens-toi de ton rang, l'admonesta Ethan, lui rappelant qu'il exerçait la fonction de Maître alors que Morgan n'était pas encore né.

Mince, j'avais moi-même été transformée en vampire avant que Morgan prenne la tête de Navarre, et ça ne remontait pas à si longtemps que ça.

Cette fois, Morgan ne se laissa pas impressionner. Il s'avança et se frappa la poitrine du doigt.

—Mon rang? Ma Maison est la plus ancienne d'Amérique, Sullivan. Ne l'oublie pas. Ce n'est pas moi

338

qui embarrasse tout le monde en remuant des histoires qui ne me regardent pas.

— Tu es stupide, ou quoi ? s'écria Ethan. Tu ne comprends pas ce qui se passe en ce moment ? les problèmes, les risques auxquels sont confrontées les Maisons à cause de ce que Célina a fait ? ou à cause de ses agissements actuels ?

— Assez ! lança Darius en se levant brutalement. Ça suffit. Vous êtes des Maîtres, et vous vous comportez comme des enfants. Cette conversation est une honte pour toutes les Maisons d'Amérique et le PG, sans la générosité duquel elles n'existeraient pas, soit dit en passant.

Là, tu pousses le bouchon un peu loin, tout de même.

— À partir de maintenant, conduisez-vous comme des Maîtres dignes de leur fonction. Comme les princes que vous êtes censés être. Cessez de vous disputer à la manière de petits humains. (Darius me transperça d'un regard sévère.) Votre Sentinelle doit arrêter de courir les rues. Qu'elle mette un terme à cette enquête au sujet de je ne sais quelle affaire inventée par votre maire.

Ethan écarquilla les yeux, éberlué.

— Et s'il exécute le mandat d'arrêt contre moi ?

Darius considéra de nouveau Ethan.

— Le maire de la ville de Chicago est certainement assez intelligent pour savoir qu'une prison conçue par des humains ne vous retiendra pas. Cela l'amuse sans doute beaucoup de vous menacer d'incarcération pour vous contraindre à résoudre ses problèmes à sa place, mais c'est à lui de les régler. D'ailleurs, l'un de vous a-t-il la moindre preuve que les trois femmes qu'il a mentionnées sont vraiment mortes ? Avez-vous la certitude que trois personnes ont été portées disparues à Chicago ?

Catcher m'avait promis de se renseigner à ce sujet, mais il ne m'avait encore fait part d'aucune information. Toutefois, ce n'était pas parce que le crime n'avait pas été élucidé qu'il n'avait pas été commis.

Je pris la parole.

— Un témoin affirme avoir assisté au meurtre. La scène qu'il a décrite correspond à ce que nous avons pu constater : des vampires agressifs, violents, enclins à se battre.

— En d'autres termes, reprit Darius d'un ton extrêmement hautain, il a vu des vampires se comporter comme tels ?

La voix d'Ethan résonna dans mon esprit :

— *Abandonne, Sentinelle. Tu ne peux que perdre contre six cents ans de conviction inébranlable.*

— *Il a tort*, protestai-je.

— *Peut-être, mais notre combat concerne Chicago, pas Darius West, quel que soit son pouvoir. Ne gaspille pas ton énergie dans une bataille perdue d'avance. Tiens-toi tranquille pour l'instant.*

Il avait de nouveau adopté son ton péremptoire de Maître vampire.

— Et que fait-on au sujet de ces raves de plus en plus importantes et violentes ? interrogea Ethan.

— Les vampires agissent comme ils l'ont toujours fait. Si quelques égarés enfreignent les règles de leur ville, à la ville de s'en charger.

— Et si ça ne suffit pas ?

— Dans ce cas, le PG en discutera, et interviendra s'il le juge nécessaire. Contentez-vous de reprendre le contrôle de votre propre Maison, Ethan, et laissez le PG faire son travail. Ne vous occupez plus de ce problème.

Un silence pesant s'abattit sur la pièce.

Scott finit par le rompre :

— Monseigneur, on m'a informé de l'arrivée de nos invités. Maintenant que vous avez donné vos consignes, peut-être qu'Ethan pourrait les accepter, afin que nous allions dîner ?

Darius inclina la tête vers Ethan d'un geste plus canin que vampire.

— Ethan ?

Ce dernier s'humecta les lèvres, et je sus qu'il bouillait intérieurement. En entendant le baratin qu'il sortit ensuite, je compris pourquoi.

— Monseigneur, j'agrée vos directives et… agirai selon vos ordres.

Il aurait tout aussi bien pu croiser les doigts dans le dos, vu la rébellion que reflétait sa posture. Cependant, il avait fourni une réponse irréprochable. Ses mots et son ton exprimaient une totale soumission.

La phrase qu'il venait d'énoncer, probablement une relique d'un quelconque rituel féodal, parut convenir à Darius, car il hocha la tête.

— Alors, allons boire et manger.

Il s'avança vers Ethan, le bras tendu. En un mouvement que j'avais déjà vu mon Maître adopter avec Malik, Ethan imita Darius et, s'empoignant mutuellement l'avant-bras, ils échangèrent une demi-accolade virile. Ils se murmurèrent ensuite à l'oreille des mots que je ne parvins pas à discerner.

Le cérémonial accompli, Ethan et Darius sortirent du bureau. Morgan les suivit, puis Scott. Je fus la dernière à franchir le seuil, mais j'eus à peine le temps de faire quelques pas avant que Morgan surgisse dans le couloir et m'arrête en m'agrippant par le bras.

— Elle était ma Maîtresse. J'étais obligé de le lui dire. Je me libérai.

— Non, chuchotai-je. Tu n'étais pas obligé du tout. Tu savais très bien que nous nous occupions de cette affaire, que nous poursuivions notre enquête. Apparemment, ce que tu t'es senti obligé de faire, par contre, c'est me jeter en pâture aux loups, et Cadogan avec, uniquement parce que notre relation n'a pas fonctionné et que tu ne l'as pas encore digéré. (Il écarquilla les yeux, mais n'émit aucun commentaire.) C'est fini, je n'essaierai plus de t'aider. Nous nous battons pour tenter de sauvegarder les Maisons et la ville. Je croyais que je pouvais te considérer comme un allié, c'est pourquoi j'ai partagé ces informations avec toi. Je pensais que ce serait plus facile si nous étions tous impliqués. Apparemment, j'ai eu tort. Tu as préféré agir en adolescent colérique plutôt qu'en adulte.

— Je suis tout de même Maître, affirma-t-il en bombant légèrement le torse.

— En ce qui concerne Navarre, ça reste à prouver, car tu laisses Célina contrôler ta Maison. (Je me penchai un peu en avant.) Et tu n'es pas mon Maître, à moi.

Je tournai les talons, un sillon de magie flottant dans mon sillage.

Lorsque Morgan avait pris la tête de Navarre, j'avais pensé qu'au moins nous n'aurions plus affaire à un ennemi, quelqu'un qui manipulait les gens sans scrupule. Mais, comme sur tant d'autres sujets depuis que j'étais devenue vampire, je m'étais trompée.

19

RED, RED WINE [1]

Le dîner avait lieu dans une autre pièce accessible par l'atrium, une salle aussi vaste que le bureau et qui semblait réservée aux occasions spéciales. Ce soir-là, une table rectangulaire trônait au centre, entourée de chaises au style moderne.

Gabriel Keene, le chef de la Meute des Grandes Plaines, se tenait à côté de la table avec sa femme, Tonya. Les Maîtres s'installaient déjà, ayant apparemment terminé les salutations et me laissant ainsi les deux métamorphes.

Je me dirigeai vers eux sans tenir compte du vampire qui me suivait ni de ceux qui m'avaient précédée. Je n'aurais pas qualifié Tonya et Gabriel d'amis proches, mais ce dernier faisait preuve de davantage de clairvoyance que Darius, ce que je ne pouvais qu'apprécier.

— Il me semble que les félicitations sont de rigueur, dis-je en leur adressant un sourire.

Imposant, musclé, avec des cheveux couleur fauve et des yeux aux reflets d'ambre, amateur de Harley et de

---

1. Chanson de Neil Diamond (littéralement, « vin rouge ») écrite en 1968, reprise notamment par le groupe UB40. (*NdT*)

cuir, Gabriel était aussi viril que possible, mais son visage rayonnait de fierté paternelle.

— En effet, nous avons un magnifique petit garçon à la maison, confirma-t-il. Merci.

— C'est gentil de vous joindre à nous ce soir, déclarai-je d'un ton espiègle. Je suppose qu'en temps normal vous préférez la compagnie de votre fils à celle des vampires.

Gabriel décocha un regard suspicieux à Darius et aux autres. Je comprenais ce qu'il ressentait.

— Dans la vie, il y a une part de devoirs et d'obligations, quoique, à mon avis, nous partirons assez tôt.

Tout sourires, Tonya sortit de sa pochette un minuscule porte-carte.

— Qui pourrait accepter de rester loin de cette frimousse bien longtemps ?

Elle me montra la photo d'un adorable bébé en body bleu. Gabriel sourit à la vue du portrait. Il était visiblement fou de son fils.

Malgré la fierté et l'amour qui illuminaient son regard, lorsqu'il leva les yeux vers moi, je perçus également un soupçon de peur. La peur qui naît quand on tient tellement à quelqu'un qu'on se sent chargé d'un fardeau, presque anéanti par la force de cet amour. La peur de perdre l'être aimé, d'avoir le cœur brisé, d'échouer à veiller sur ce qu'on a eu tant de mal à construire.

Je supposai qu'il s'agissait d'une crainte toute parentale, renforcée par le fait que la position de Meneur de Meute se transmettait de manière héréditaire. Connor, de par sa filiation, était un prince parmi les loups. Il était né sous le sceau du pouvoir, mais portait également une responsabilité qu'il n'était même pas encore capable de concevoir. C'était sans doute très dur pour Gabriel de savoir qu'un jour le poids de son statut pèserait sur les épaules de son fils.

— Tu y arriveras, murmurai-je.

Formulation peut-être peu éloquente, mais qui exprimait ma pensée. Le léger hochement de tête de Gabriel me confirma que j'avais dit ce qu'il fallait.

— Comment ça va, à part ça ?

— Eh bien, personne ne nous a encore utilisés à des fins d'expérimentation scientifique, répondit Gabriel d'un ton sec. C'est une petite victoire.

En annonçant l'existence des métamorphes, Gabriel redoutait notamment que les siens deviennent des cobayes pour la recherche militaire ou médicale – le genre de chose que l'on voit dans les films d'horreur et les séries de science-fiction. Cette perspective n'avait rien d'agréable, et j'étais soulagée d'entendre que rien de tel n'avait eu lieu.

— Je pense toujours que les humains nous considèrent comme une menace, ajouta-t-il, mais, pour le moment, ils ne savent pas exactement ce qu'ils vont faire de nous.

Les métamorphes avaient la réputation d'être les plus puissants des surnaturels, du moins parmi les créatures que je connaissais. Pour moi, le fait que les humains ignorent ce détail constituait un avantage.

— Et au sujet des métamorphes qui ont attaqué la Maison ?

Il se rembrunit aussitôt.

— Ils passent en jugement, comme n'importe quels criminels humains ordinaires.

Alors que je grimaçais, Scott frappa des mains.

— Bienvenue à tous dans la Maison Grey. Je vous remercie d'être venus, et espère que cette soirée représente un pas de plus vers l'amitié. Mettons-nous à table, si vous le voulez bien.

Avant que nous puissions lui répondre, une armée d'hommes et de femmes portant des vestes et des toques blanches de cuisinier, les bras chargés de plateaux argentés garnis de cloches, pénétra dans la pièce. Je m'installai à côté d'Ethan tandis qu'ils posaient leurs trésors devant nous. Deux vampires faisaient le tour de la table avec des carafes d'eau citronnée et des bouteilles d'un vin rouge foncé, remplissant les verres à la demande des invités. Je fus l'une des seules à opter pour le vin, avec Ethan et Jonah. Je suppose que nous avions davantage besoin d'un remontant que les autres.

De nouveaux serviteurs soulevèrent les cloches, révélant une série de plats qui aurait pu être baptisée «le délice des prédateurs». Longes, rôtis, côtelettes, saucisses, steaks, filets étaient présentés avec une perfection artistique. Oh, et bien entendu, ils n'avaient pas oublié les accompagnements : de petites pommes de terre sautées, du maïs, et une salade contenant des graines que j'étais incapable d'identifier. Sur une assemblée exclusivement composée de vampires et de métamorphes – des carnivores en bonne et due forme –, la viande exerçait un attrait irrésistible.

Mon estomac choisit ce moment pour émettre un grondement qui sembla résonner dans toute la pièce.

Alors que le rouge me montait aux joues, tous les regards convergèrent vers moi. J'ébauchai un sourire contrit.

Gabriel me rendit mon sourire puis, quand les cuisiniers eurent disparu, il leva son verre d'eau.

— Merci, monsieur Grey, de nous avoir invités à partager avec vous ce dîner. Ce geste signifie beaucoup pour nous, et nous espérons que nos familles continueront à cohabiter en paix dans les années à venir.

— De bien sages paroles, ajouta Darius en levant à son tour son verre. Nous sommes désormais voisins dans cette belle ville et espérons que tous nos conflits sont derrière nous, et que nous travaillerons ensemble dans la paix et la loyauté durant le prochain millénaire.

Gabriel hocha poliment la tête et trinqua de nouveau, sans toutefois rien promettre quant à la loyauté dont venait de parler Darius. Les vampires collectionnaient les alliances comme des cartes de base-ball, tandis que les métamorphes, eux, n'étaient pas emballés par ce principe.

— Comme je préférerais que Merit porte son attention sur son assiette plutôt que sur moi, cessons les discours et mangeons, lança-t-il avec un clin d'œil dans ma direction.

Mais bien entendu, les choses ne se déroulèrent pas aussi simplement.

J'ignore pourquoi je fus surprise par le festin offert par Scott. Il adorait les Cubs, il avait transformé un entrepôt en une magnifique Maison, et possédait le *Benson's*. Les ingrédients étaient réunis pour en faire un excellent Maître.

La nourriture ne fit pas exception. Les pièces de viande étaient des morceaux de choix que mon père, pourtant particulièrement exigeant, aurait été ravi de servir à ses invités. La chair était presque trop tendre pour nos couteaux, et la cuisson était parfaite. Scott n'aurait pu faire mieux, surtout pour un groupe de prédateurs.

Franchement, si j'avais été un homme, j'aurais terminé mon assiette, me serais calée contre le dossier de ma chaise et aurais défait le bouton de mon pantalon. Des plats aussi délicieux méritaient une paisible digestion.

Malheureusement, ce ne fut pas le cas.

Je venais de boire une deuxième gorgée de vin – et grimaçais encore tellement il me paraissait sec – quand la porte du fond s'ouvrit à la volée. Cinq vampires entrèrent en trombe. Trois d'entre eux étaient vêtus de noir, et les deux autres portaient des maillots de hockey bleu et jaune annonçant « GREY » en lettres majuscules sur la poitrine. Ils avaient tous un sabre à la main et un air mauvais.

— Voilà comment tu nous traites ? s'écria le vampire Grey portant le numéro 32. Tu nourris comme des rois un sale métamorphe et sa pute ?

— Et le PG, en plus ? renchérit son compagnon, le numéro 27. C'est la merde aux États-Unis, et on sert du steak à un Anglais ? Ça ne te choque pas ?

En un éclair, je dégainai mon poignard. Je ne fus pas la seule à réagir aussi vivement.

Scott bondit de sa chaise et marcha avec détermination jusqu'au bout de la table.

— Matt, Drew, barrez-vous. Lâchez vos armes et sortez d'ici.

Les vampires Grey semblèrent hésiter, sans doute victimes d'une sorte de sortilège que leur jetait leur Maître. Toutefois, les autres membres de la bande ne paraissaient pas le moins du monde ébranlés.

Je me levai prudemment et m'avançai vers eux en faisant tourner mon poignard dans ma paume, en proie à une excitation croissante. Les cinq intrus vacillaient un peu, leurs gestes étaient désordonnés, et ils ne cessaient de balayer la pièce d'un regard nerveux. En me rapprochant, je compris ce qui causait leur étrange attitude : leurs iris ressemblaient à deux disques argentés.

— Scott, ils ont pris du V, l'avertis-je.

— Tu as une solution simple pour les maîtriser ? me demanda-t-il.

— Il nous faudrait un sorcier, lui répondis-je. Nous n'avons plus qu'à les calmer à la manière traditionnelle.

— Alors allons-y, intervint Ethan qui apparut à mon côté, un couteau de table à la main.

— C'est gentil de ta part de te joindre à nous, Sullivan, le taquinai-je sans quitter des yeux les importuns qui avaient formé une ligne, prêts à en découdre, quel qu'en soit le prix.

Et avec Darius, un Meneur et trois Maîtres dans la salle, il serait élevé…

— Alors, vieux, lança le numéro 32. Tu as envie de te battre contre tes propres vampires ? Tu préfères prendre son parti plutôt que le nôtre ?

— Sire, intervint Jonah, en tant que Capitaine de la Garde, je vous demande de vous mettre en sécurité.

— Tu peux me demander ce que tu veux, Poil de carotte, lui rétorqua Scott avec un sourire dépourvu d'humour. Tu ne m'empêcheras pas de remettre ces petits cons à leur place. Ce sera leur punition pour avoir pris du V.

— *Je suis d'accord avec lui, Sentinelle*, m'informa Ethan.

Je supposai qu'il signifiait par là que cela ne servirait à rien que je lui conseille de ne pas s'en mêler.

Les vampires Grey paraissaient tout aussi avides de se battre.

—Va te faire foutre, lança le numéro 27.

—D'accord, mais seulement si tu m'accompagnes, répliqua Scott sur le ton de la plaisanterie.

Une fraction de seconde plus tard, la situation dégénéra. Jonah et Scott se ruèrent sur les vampires Grey, tandis que Gabriel, Darius et Tonya s'écartaient. Ethan, Morgan et moi devions donc nous répartir les Solitaires.

—Je prends celui du milieu, criai-je.

—On se charge des deux autres, annonça Ethan. Greer, occupe-toi de celui de gauche.

On s'élança aussitôt. J'évitai la mêlée Grey pour me diriger sur le Solitaire à l'air furieux qui se trouvait juste derrière, les yeux aussi argentés que ceux de ses collègues. Il avait une stature imposante, et des gouttelettes de sueur perlaient à son front sous l'effet de la drogue. Ce type ne se souciait cependant pas de savoir si son agressivité était nourrie par la rage ou le V. Il retroussa les lèvres et s'avança.

Je devais reconnaître qu'il se montrait plus rapide que je ne l'aurais cru au vu de son corps massif. Il bougeait un peu comme une araignée, déplaçant son poids grâce à de petits pas agiles.

Il trancha l'air de son sabre avec la dextérité d'un combattant aguerri. Je bloquai son coup à l'aide de mon poignard, mais j'avais sous-estimé sa vitesse et sentis la morsure douloureuse de sa lame sur ma main. L'odeur de mon propre sang parvint à mes narines, attisant encore mes instincts de vampire.

Baissant les yeux, je vis une fine ligne écarlate, d'une longueur de quelques centimètres à peine, et peu profonde. Il ne m'avait infligé qu'une blessure superficielle, mais ce constat n'atténuait en rien la brûlure qu'il m'avait causée.

— Pas très sympa, fis-je remarquer en tournoyant, le poignard à la main.

Je déchirai le devant de sa chemise. Il marmonna un chapelet de jurons de son cru en reculant d'un bond. Je conservai une attitude offensive afin de le déstabiliser et de le déséquilibrer tout en demeurant attentive à la moindre occasion de frapper.

— Tu te crois meilleure que les autres ? gronda-t-il, brandissant son sabre au-dessus de sa tête avant de l'abattre.

Je sautai en arrière afin d'esquiver son assaut, mais mon talon resta coincé entre deux lattes de plancher. Je trébuchai et me rattrapai d'une main à l'un des énormes piliers en bois qui se dressaient dans la pièce.

La voix inquiète d'Ethan retentit dans mon esprit.

— *Sentinelle.*

— *Ça va*, le rassurai-je en me débarrassant de mes chaussures.

Les talons aiguilles étaient superflus, de toute manière.

Une fois que je me fus redressée, je raffermis ma prise sur mon poignard et dirigeai de nouveau le regard sur mon adversaire.

— Tu disais ?

— Salope ! s'écria-t-il en imprimant à son sabre un mouvement croisé maladroit qui aurait davantage été adapté à une large épée qu'à une fine lame japonaise. Je grimaçai pour cet affront à la beauté du katana tout en me baissant, et sentis la colonne vibrer lorsque son arme la percuta, pour y rester plantée. Quel gâchis.

Je surgis devant lui alors qu'il relâchait la poignée de son sabre, et il se mit à reculer, les yeux écarquillés, comme s'il s'était soudain rendu compte que la Sentinelle de Cadogan l'avait pris pour cible.

Peut-être les effets de la drogue commençaient-ils à s'estomper.

— Je vais t'accorder une faveur, déclarai-je en écartant le bras qui tenait le poignard. Je vais lâcher ça pour qu'on puisse poursuivre un combat d'égal à égal.

Je vis un éclair de soulagement traverser son visage quand je jetai mon arme. Lorsqu'il détourna les yeux pour suivre le mouvement de l'acier, je bondis et lui décochai un coup de pied circulaire qui l'atteignit à la tête. Il s'effondra au sol comme un sac de pommes de terre à crocs, puis, après avoir rebondi et roulé quelques instants, il s'immobilisa.

D'accord, lancer ce genre d'attaque en robe de soirée n'était pas particulièrement féminin, mais ça s'avérait tout de même très efficace.

Mon Solitaire désormais hors d'état de nuire, je me tournai vers Ethan. Il était en train de balancer son adversaire à terre grâce à une sorte de prise de judo. En chutant, le vampire fit trembler le plancher, et Ethan le mit aussitôt KO en lui assenant un coup de coude dans la gorge.

Son assaillant maîtrisé, il leva les yeux vers moi, puis remarqua que j'étais venue à bout de mon agresseur.

— *Coup de pied circulaire ?* demanda-t-il par télépathie.

— *Un classique*, répliquai-je avec un coup d'œil alentour.

Les autres intrus avaient été vaincus. Les cinq hommes gisaient à présent à terre, immobiles.

Jonah parcourut la salle du regard puis s'arrêta sur moi.

— Tu vas bien ? articula-t-il en silence.

J'acquiesçai. Son inquiétude semblait toute personnelle. Presque intime.

— Scott ! s'écria Darius. C'était quoi, ce cirque ?

Avant que le Maître de Grey puisse répondre, je m'empressai d'éclairer la lanterne de Darius.

— Avec tout le respect qui vous est dû, Monseigneur, ce sont quelques-uns de vos « égarés ».

Les gardes de Scott, y compris Jeremy et Danny, les amis de Jonah, firent aussitôt irruption dans la pièce et sortirent les importuns inconscients. Ils laissèrent toutefois le katana planté dans la colonne en signe d'avertissement à l'intention de ceux qui se montreraient assez stupides pour consommer du V.

Gabriel et Tonya nous saluèrent avant de quitter la Maison dès la fin de l'incident, ce que nous pouvions tout à fait comprendre. Scott escorta les autres invités dans l'atrium tandis que les domestiques nettoyaient la salle à manger, emportant les restes du dîner. Charlie et Darius étaient ensemble, silencieux. Morgan se tenait à l'écart. Je me trouvais près d'Ethan lorsque Scott et Jonah s'avancèrent vers nous.

Scott nous regarda tour à tour.

— Merci pour votre aide.

Ethan hocha la tête avec bienveillance.

— Malheureusement, ça arrive aux meilleurs d'entre nous.

— Comment vont les vampires ? demandai-je.

— Ils n'ont toujours pas repris connaissance. Pour le moment, ils sont à l'infirmerie, sous surveillance. Lorsqu'ils se réveilleront, nous aurons une longue conversation au sujet de la drogue et de leurs responsabilités.

— Tu les connaissais bien ?

— Je sais juste qu'ils sont affiliés à la Maison, me répondit Scott. Ils sont relativement nouveaux, de jeunes Initiés.

— Que signifie « nouveau » pour un immortel ? m'étonnai-je à haute voix.

Un sourire apparut sur les lèvres de Scott.

— Moins d'une décennie.

Ce qui faisait de moi un bébé vampire.

Ethan glissa un regard en direction de Darius, qui semblait à présent donner des instructions pendant que Charlie tapait sur une tablette numérique.

— Tu crois qu'il va prendre la menace plus au sérieux, maintenant ?

— Le PG a une attitude étrange face à ce type de situation, répondit Scott. Je ne suis encore pas persuadé qu'il nous considère autrement que comme des fauteurs de troubles. Des agitateurs qui l'empêchent de s'occuper des affaires importantes qui l'attendent en Angleterre.

— Tu comptes mener une enquête ?

Scott poussa un soupir.

— Difficile à dire. Cet incident s'est produit dans ma Maison. Je dois gérer le problème.

— Et si tu découvres que Célina a quelque chose à voir là-dedans ?

— Alors nous n'avons jamais eu cette conversation, mais les Maisons de Chicago ont convenu de tirer cette histoire au clair en toute discrétion.

Scott et Ethan échangèrent un regard entendu, puis se serrèrent la main, signalant qu'ils avaient conclu un marché.

Scott fit un geste vers son bureau.

— Je vais m'entretenir quelques instants avec mes gardes. Je suppose que Darius voudra nous parler avant que vous partiez.

— Nous attendons ici, affirma Ethan. Je crois que Luc avait raison, ajouta-t-il une fois qu'ils se furent éloignés. Je ne devrais plus t'emmener quand je sors.

— Je viens de mettre à terre un vampire, alors que je porte une robe de soirée et des talons aiguilles vertigineux. Je pense que je mérite quelques compliments.

— Vraiment?

Ce fut à cet instant que je le sentis. Un grondement provenant du plus profond de mon être, m'avertissant que quelque chose clochait. Néanmoins, je n'en tins pas compte et défiai Ethan.

— Oui, rétorquai-je, têtue. Tu as eu de la chance que je sois là pour t'aider.

— De la chance? Il me semble que je suis venu seul à bout de mon adversaire, Merit. Peut-être devrais-tu me remercier, moi, de t'avoir apporté mon aide. (Il me détailla de la tête aux pieds.) Je peux te suggérer un moyen de me montrer ta gratitude.

Mon sang se mit à marteler dans mes oreilles et un courant de chaleur me parcourut la peau. Je me doutais que mes yeux étaient devenus argentés, mais je m'en fichais. Je glissai un doigt dans un passant de sa ceinture afin de l'attirer vers moi.

— Qu'est-ce que tu avais en tête?

Ses pupilles se contractèrent jusqu'à être réduites à deux points noirs au centre de l'argent tourbillonnant de ses iris. Il s'avança, me forçant à reculer, et ne s'arrêta que lorsqu'il m'eut plaquée contre le mur en briques de l'atrium.

Avant que je puisse émettre la moindre objection, il caressa mon visage de ses mains et m'embrassa avec fougue et avidité.

Dans un recoin de mon cerveau, il me sembla étrange qu'Ethan agisse ainsi dans une autre Maison que Cadogan. Pourtant, mon sang commença à s'échauffer et bouillir d'une excitation que je n'avais jamais connue. Un frisson m'électrisait la peau, et l'adrénaline courait dans mes veines comme si je me battais encore avec les vampires Grey.

— Ethan, réussis-je à articuler en guise d'avertissement.

Pourtant je le laissai m'embrasser là, en plein milieu de la Maison Grey. Changeant de tactique, il adoucit ses baisers, se faisant plus lent, plus sensuel, avant de rouvrir les yeux pour les plonger dans les miens. Je lus dans son regard qu'il me demandait de lui pardonner.

— Quelque chose n'est pas… normal.

J'acquiesçai. Ce n'étaient pas seulement l'amour ou le désir qui nous poussaient à agir, mais une force différente. Malgré tout, cette pensée demeurait noyée sous la fièvre qui s'était emparée de nous.

Une fièvre impitoyable.

Féroce.

J'inclinai la tête sur le côté et battis des paupières, m'offrant à lui.

— Tu attends quelque chose de moi ? susurra-t-il d'une voix grave qui m'évoqua le grondement d'un tigre sur le point de passer à l'attaque.

Je déglutis… et fis « oui » de la tête. J'avais l'impression d'être une adolescente partageant sa première danse. Je ne connaissais ni la musique ni les pas, mais les émotions que je ressentais étaient si primitives, si pressantes, qu'il paraissait impossible de se tromper.

Ethan effleura mon cou de sa main, et je manquai de défaillir au léger contact de ses doigts sur ma peau. Avant que j'aie le temps de lui demander de quoi il souhaitait s'excuser, il m'embrassa avec fermeté, insistance et voracité. Il se rapprocha, m'enlaça et son baiser redoubla d'ardeur tandis qu'il se pressait contre moi, son érection plaquée contre mon ventre.

J'aurais dû me sentir choquée, lui rappeler que ce n'était ni le moment ni le lieu appropriés, que nous savions que la situation pouvait facilement dégénérer.

Cependant, à chaque grognement qui vibrait dans sa gorge, nos ondes magiques s'entremêlaient. J'étais submergée par la magie, par ce baiser, par ses caresses appuyées. Je tirai sur les passants de sa ceinture afin de l'amener encore plus près de moi, et me hissai sur la pointe des pieds pour lui rendre son baiser. J'avais autant faim d'Ethan que je pouvais avoir faim de sang, mais cette envie-là, impérieuse, nécessitait d'être assouvie sur-le-champ.

L'amour est la pire des drogues.

Oh, mon Dieu. C'était ça. Ethan n'obéissait pas aux exigences de l'amour, du désir, ou de la prise de conscience – digne d'un roman-feuilleton – qu'il devait absolument me posséder, là, tout de suite. Il m'avait sauté dessus sans raison, avec une agressivité qui ne différait que légèrement de ce que nous avions vu auparavant…

— Ethan, je crois que nous avons été drogués.

Sans tenir compte de ce que je venais de lui révéler, il gronda et enfouit ses doigts dans mes cheveux. Mon cœur eut un soubresaut, non pas du fait de l'excitation, cette fois, mais de la peur, car le son qui provenait de sa gorge avait changé, était devenu plus menaçant.

Optant pour une nouvelle stratégie, je lui intimai par télépathie un ordre qui, je l'espérais, serait capable de traverser le brouillard provoqué par la drogue et atteindrait la partie de son cerveau encore susceptible de fonctionner.

—*Ethan, arrête.*

Il releva la tête, et je vis dans ses yeux le conflit intérieur qui le déchirait. Son esprit le poussait à se calmer, alors que son corps l'entraînait à poursuivre. Les deux disques d'argent que formaient désormais ses iris le prouvaient.

—Comment ? demanda-t-il.

—Je crois que nous avons été drogués. Quelqu'un nous a fait prendre du V. Peut-être par le biais de la nourriture ?

Une vague de fureur incandescente déferla en moi. Je fermai les yeux très fort et serrai les poings, enfonçant les ongles dans ma paume jusqu'à ce que la douleur atténue le tourbillon qui m'embrumait le cerveau.

—La colère s'est exprimée différemment, fit-il remarquer d'une voix rauque. Il est possible que ce soit un effet de la dose qui nous a été administrée. Dans la viande, peut-être ?

Je secouai la tête.

—Le vin, décrétai-je. À mon avis, c'était dans le vin. Il avait un goût étrange. Très très amer.

—Qui d'autre en a bu ?

J'essayai de me souvenir. J'avais pris du vin, de même qu'Ethan. Et la seule personne qui avait choisi cette boisson à part nous, c'était Jonah. Mais je n'eus pas besoin de le dire à Ethan.

Jonah fit soudain irruption, émergeant du feuillage juste devant nous. Ses yeux, déjà argentés, s'éclairèrent d'une lueur féroce quand il toisa Ethan avec un air de défi.

— Tu pourrais partager, ce n'est pas très sympa de tout garder pour toi.

Un grondement sourd émana de la gorge d'Ethan, un avertissement.

— Je ne partage pas.

Jonah fit claquer sa langue.

— Tu devrais, pourtant. Tu ne crois pas que la vie serait bien plus intéressante si nous avions tous le droit de goûter aux bonnes choses ?

J'avais entendu parler de femmes ravies de voir des hommes se battre pour elles, mais personnellement, je n'aimais pas être considérée comme un objet.

— Je n'appartiens à personne, lançai-je.

— Tu pourrais avoir tellement mieux, rétorqua Jonah.

— *C'est uniquement l'effet du V*, rappelai-je à Ethan. *Il a bu du vin, lui aussi.*

— Peu importe, il n'a pas à dire des choses pareilles, grommela Ethan, les dents serrées.

Il décocha un regard mauvais à Jonah en montrant les crocs. Tous deux étaient de carrure semblable. Même si Ethan était plus expérimenté, ils constitueraient deux adversaires de force égale, sauf que, compte tenu de la position d'Ethan, Jonah pâtirait forcément des conséquences d'un tel combat.

— Jonah, l'avertis-je en me redressant. Recule.

Au lieu de m'obéir, il retroussa les lèvres, révélant à Ethan ses canines acérées, et siffla afin de prévenir qu'il n'avait aucune intention d'abandonner la proie qu'il visait.

J'ignorais d'où provenait le subit intérêt que me portait Jonah, mais ne pensais pas en être la cause directe. Il avait sans doute été attiré par la magie qu'Ethan et moi avions diffusée dans la salle. Comme il fallait s'y attendre avec le V, il s'était aussitôt emporté, sans raison particulière.

— Jonah, reprends-toi, lui intimai-je. Recule. Il vaudrait mieux que tu ne t'attaques pas à un Maître, surtout avec Darius dans la Maison.

À mon ton suppliant, il me glissa un regard en coin. Ses sourcils froncés se rejoignaient presque sur son front, comme s'il s'efforçait de se rappeler pourquoi il se trouvait dans l'atrium, prêt à se battre pour une fille qu'il ne respectait que depuis peu, et qu'il commençait seulement à apprécier.

Toutefois, Ethan n'avait pas dû remarquer la réflexion intérieure à laquelle se livrait Jonah, car il fit un pas en avant, l'air menaçant.

— Elle est à moi.

Jonah perdit alors le peu de raison qui lui restait, et soutint le regard d'Ethan.

— C'est à elle de le dire, et j'ai l'impression qu'elle ne s'est pas encore décidée.

— Aucune chance qu'elle te choisisse, toi, grommela Ethan.

Jonah leva le bras. J'obéis à mon instinct, qui me dictait de protéger mon Maître en priorité.

— Recule, Jonah, répétai-je.

De toute évidence, il ne parvenait pas à surmonter les effets du V. Il se prépara à porter un coup. Alors que je m'élançais sur lui pour le retenir, il tournoya et frappa à l'aveuglette. Comme si le temps s'était soudain ralenti, j'observai son poing se rapprocher de moi, sentis l'imminence de l'impact…

Tout devint noir.

20

LA GUEULE DE BOIS

J e battis des paupières et attendis que la pièce arrête de tourner autour de moi. Je voyais un plafond industriel et, du coin de l'œil, des feuilles et des frondes de fougères. Je me trouvais certainement encore à Grey House.

Une paire d'yeux verts apparut devant moi.

—Comment va ta tête ?

—J'ai mal.

Je commençai à me relever, mais Ethan me posa une main sur l'épaule.

—Tu es restée inconsciente plusieurs minutes. Prends ton temps.

—Que s'est-il passé ?

—Tu as essayé d'empêcher Jonah de me frapper, et il t'a envoyé un coup de poing sans le faire exprès.

Les souvenirs revenaient. Je m'étais interposée entre Jonah et Ethan, ce qui me valait mon état actuel.

—Donne-moi la main, me dit Ethan.

Il passa son autre bras dans mon dos et je m'assis, fermant les yeux jusqu'à ce que la sensation de vertige s'atténue.

Quand je finis par les rouvrir, Ethan me souleva le menton et observa mes iris.

—Regarde à gauche, m'intima-t-il.

J'obtempérai, puis regardai à droite à sa demande.

—Il m'a sonnée, affirmai-je en touchant délicatement du doigt la bosse qui s'était formée à l'arrière de mon crâne.

À la vitesse à laquelle guérissaient les vampires, elle ne resterait pas bien longtemps, mais, en attendant, la douleur irradiait dans ma tête.

—En effet, concéda Ethan.

—Où est-il?

—Jonah? Scott le garde enfermé jusqu'à ce qu'il soit assuré que la drogue n'agit plus. C'était bien le vin. Les vampires Grey ont dit s'être procurés le V au *Benson's* où, généreux, ils l'ont partagé avec un groupe de Solitaires.

—Sans doute au nom de l'entente entre Maisons, raillai-je.

—Sûrement. Les vampires Grey ont répété que Darius dînait ici ce soir. Ensuite, ils se sont monté la tête en énumérant les injustices que leur fait subir le PG.

—Les Solitaires n'ont dû avoir aucun mal à trouver des arguments pour ce genre de discussion, fis-je remarquer. Surtout après avoir pris du V.

Ethan hocha la tête.

—Ils sont revenus à la Maison avec l'intention de dire ce qu'ils pensent à Darius. Ils en ont profité pour se faufiler à la cuisine afin de verser une dose de drogue dans le vin. Ils voulaient qu'il ait l'occasion de vivre la sensation d'être un vrai vampire.

—Ironique que Darius n'ait bu que de l'eau.

— Très. Au moins, il est parfaitement au courant des effets provoqués par le V, maintenant.

Une grande ombre s'étendit sur moi, puis une voix à l'accent britannique s'éleva :

— Comment va-t-elle ?

Je levai les yeux. Darius se tenait à côté de moi.

— Elle s'en remettra, assura Ethan, bien qu'à mon avis ce serait une bonne idée qu'elle passe le reste de la soirée au lit, à se reposer.

— Je suis d'accord avec vous, confirma Darius. Quelques verres de sang permettraient également d'accélérer le processus de guérison.

Ethan acquiesça.

— Et au sujet de notre enquête sur le V ?

— Il me semble que j'ai été très clair quant à la position du PG sur ce point.

— Monseigneur…, commença Ethan, aussitôt réduit au silence par un geste impérieux de Darius.

— Il y a des choses plus importantes à considérer que le jeu auquel vous vous livrez avec votre maire. Occupez-vous de votre Maison, et laissez messieurs Greer et Grey prendre soin des leurs. Le reste ne vous concerne pas, et j'y inclus les membres du PG. Me suis-je bien fait comprendre ?

Ethan tressaillit, mais parvint néanmoins à acquiescer.

— Bien entendu, Monseigneur.

Darius hocha la tête de manière solennelle, puis me gratifia d'un mince sourire.

— Soignez-vous bien, Merit.

Il s'éloigna, Charlie sur les talons.

— J'aimerais rentrer à la Maison, dis-je doucement.

—Je partage ce sentiment, approuva Ethan, observant son maître politique disparaître dans la jungle artificielle. Allons-y.

Ethan insista pour me porter jusqu'à la voiture, ce qui me parut à la fois ridicule et romantique. J'étais résolument indépendante, et je n'appréciais guère de me faire transporter comme un enfant. Mais d'un autre côté, Ethan m'avait transformée en vampire, et nous étions unis par un lien indéfectible. Son parfum, son contact me rassuraient, et je réussis à apprécier le trajet dans ses bras en dépit de la pointe de culpabilité qui accompagnait ce plaisir.

Une fois à la Maison, je protestai tellement qu'il m'autorisa à remonter seule jusqu'à ma chambre, mais insista pour que j'y reste. Tandis qu'il allait chercher du sang à la cuisine, j'échangeai ma robe pour un pantalon de yoga et un tee-shirt des Cubs puis m'allongeai sur le lit, une pile d'oreillers sous ma tête douloureuse.

Ethan reparut avec une énorme tasse en plastique munie d'une anse, qui aurait tout à fait convenu à un chauffeur routier désireux d'embarquer avec lui sa dose de caféine quotidienne.

—C'est le plus petit récipient que tu as pu trouver ?

—Je préfère diminuer les probabilités de te voir devenir vraiment grincheuse, ironisa-t-il en s'asseyant au bord du lit avant de me tendre la tasse.

Je poussai un soupir dédaigneux, mais l'acceptai et commençai à boire en utilisant la paille en plastique rigide insérée dans le couvercle. Au bout de quelques gorgées, je m'arrêtai.

—Il y a du chocolat, dans ce sang ?

Ses pommettes rosirent.

—Comme tu ne te sentais pas bien, j'ai pensé que ça te requinquerait.

Malheureusement, le cacao et le sang ne se mariaient pas bien, mais Ethan s'était donné tellement de mal que je n'avais pas envie de le décevoir.

—Merci, dis-je avant de prendre une nouvelle gorgée du liquide réconfortant. C'est très gentil de ta part.

Il hocha la tête puis me regarda boire en silence. Je ne m'arrêtai que lorsque la faim qui me tenaillait s'atténua, puis posai la tasse sur la table de chevet. Je fermai les yeux et me rallongeai en m'appuyant sur les oreillers. Dès que je cessai de bouger, l'épuisement me submergea.

—Je suis fatiguée, Ethan.

—Tu as encore eu une dure soirée.

Je secouai la tête, juste un peu afin de ne pas raviver la douleur.

—Ce n'est pas seulement le choc. C'est ce travail. Je n'ai jamais eu l'intention de faire un boulot de flic. Je ne suis pas sûre de vouloir de ma mission, à cet instant.

—Et tu passerais à côté de toutes ces parties de rigolade ? Tu te priverais du plaisir de visionner en boucle un enregistrement de vidéosurveillance ou de combattre des vampires complètement drogués ?

—Et de mettre le chef du PG hors de lui, ne l'oublie pas.

—Ah oui. Qui aurait pensé, en te voyant préparer tes diplômes universitaires, que moins d'un an plus tard, ta vie ressemblerait à ça ?

—Certainement pas moi, affirmai-je. (J'ouvris de nouveau les yeux et les posai sur lui.) Nous allons terminer cette enquête, ou bien lui obéir ?

— Je ne sais pas. Bien entendu, je préférerais ne pas mettre mon destin entre les mains de Tate. (Ethan soupira et roula des épaules.) Il a appelé en notre absence. Il a dit à Malik qu'il commençait à s'impatienter, et qu'il nous accordait quarante-huit heures avant de faire exécuter le mandat d'arrêt contre moi.

— Génial, marmonnai-je.

Il se tourna vers moi, les yeux brillants comme deux émeraudes.

— Nous devrions parler de ce baiser.

Cette fois, ce fut mon tour de rougir.

— Pour en dire quoi ? Nous n'étions pas dans notre état normal.

Il me dévisagea d'un air entendu ; je détournai la tête.

— Admets au moins que la drogue n'était pas seule en cause, déclara-t-il doucement.

Évitant de croiser son regard, je me mordis la lèvre et considérai l'ironie de la situation : j'avais embrassé Ethan, et il souhaitait discuter de notre relation. Nous avions inversé les rôles.

— D'accord, ce n'était pas que la drogue, finis-je par reconnaître. Mais tu sais ce que je ressens.

— Et tu n'es toujours pas convaincue de ma sincérité ?

Je commençais à l'être, mais comment le lui avouer ? Comment me confesser sans paraître cruelle de ne pas lui accorder mon entière confiance, et sans risquer mon cœur en lui disant qu'il m'avait à demi persuadée ?

Un silence gêné flotta entre nous. Grâce au ciel, Ethan changea de sujet.

— Si tu étais à ma place, que déciderais-tu au sujet du V ?

— Je ne suis pas à ta place.

— Essaie de t'y mettre, insista-t-il. Suppose que tu doives assurer la protection d'une Maison et de ses vampires. Suppose qu'un bureaucrate ait décidé de t'interdire de résoudre un problème urgent menaçant ta Maison par peur d'attirer l'attention sur ledit problème.

Je me redressai pour m'asseoir en tailleur.

— Tu viens de répondre tout seul à ta question, non ? Tes vampires se trouvent en danger immédiat, et un souci politique se profile à l'horizon. Occupe-toi du danger immédiat. Au lieu de demander la permission avant, présente tes excuses après.

— Et si la conséquence est la mise sous tutelle de la Maison ?

— Alors, espérons que le curateur aura davantage de bon sens que le chef du PG.

Ma remarque arracha un demi-sourire à Ethan. Je ressentais le besoin impérieux d'alléger son fardeau, de lui rendre sa gaieté, lui procurer le même soulagement qu'il avait tenté de m'apporter – sans succès, malheureusement – avec du sang au chocolat.

— J'ai une idée, annonçai-je.

— Quoi ?

Je marquai une pause afin de préciser ma pensée avant de m'expliquer.

— Viens me retrouver dans cinq minutes dehors, près de la fontaine.

Il arqua un sourcil, l'air perplexe.

— Parce que ?

— Parce que je te le demande. Fais-moi confiance.

Il hésita un moment, puis acquiesça.

— Très bien. Dans cinq minutes. (Il se leva, se dirigea vers la porte et se retourna avant de franchir le seuil.) Je te fais confiance, Merit. N'en doute jamais.

Sur ces mots, il disparut. Je m'extirpai du lit et me mis au travail, mon mal de tête commençant à se dissiper.

Le parc de la Maison Cadogan, avec son sentier idéal pour la course à pied, son foyer de barbecue en briques et son jardin à la française aménagé derrière le bâtiment, était spectaculaire. Au centre du jardin était installée une fontaine dont les vampires pouvaient admirer les jets d'eau bouillonnants depuis les bancs qui l'entouraient.

J'ôtai mes chaussures après avoir traversé la terrasse dallée située derrière la Maison, fermant les yeux afin de mieux savourer la sensation de l'herbe moelleuse et fraîche sous mes pieds.

— *Tes cinq minutes arrivent à échéance*, m'avertit Ethan.

Je me dirigeai à pas feutrés vers la fontaine, le sourire aux lèvres.

— *Ce n'est pas toi qui me vantes sans arrêt les mérites de la patience ?*

— *Une vertu surfaite*, répliqua-t-il avec une pointe de sarcasme.

Je le trouvai étendu sur l'un des bancs. Il était le seul vampire à la ronde, et se délectait visiblement de ces instants de solitude. Les yeux fermés, il était confortablement installé sur le siège, un pied sur le banc, l'autre à terre. Il avait passé un bras sur le dossier, et une main reposait sur son ventre. Avec sa chemise blanche et son pantalon noir, il ressemblait davantage à un jeune libertin de l'époque victorienne qu'à un Maître vampire.

Peut-être revivait-il l'histoire.

Je m'assis en tailleur à côté de lui, une boîte sur les genoux.

—Qu'est-ce que tu as là? demanda-t-il sans prendre la peine de regarder.

—Donnant-donnant, répondis-je. Du chocolat contre du chocolat. Mais il y a un prix à payer.

—Est-ce que le jeu en vaut la chandelle? s'enquit-il d'une voix grave et amusée.

—Bien entendu, affirmai-je du même ton malicieux.

Nous savions pertinemment tous les deux qu'un flirt au milieu du jardin ne portait pas à conséquence; ce n'était qu'un agréable moment, rien de plus.

Erhan gloussa.

—Dans ce cas, Sentinelle, je t'écoute.

—Quelle époque as-tu préférée?

Il sembla surpris par cette question. Il ouvrit les yeux, remua un peu sur le banc puis s'immobilisa, perdu dans ses pensées.

—J'admire la technologie sans pareille à laquelle nous avons accès, de nos jours. Les humains sont sur le point de faire des découvertes capitales grâce à des moyens qui étaient inimaginables il y a à peine vingt ans. Et pourtant…

—Pourtant? l'encourageai-je après quelques secondes de silence.

Il poussa un soupir.

—J'ai vécu des périodes dangereuses, mais stimulantes. J'ai eu la chance d'être aux premières loges pendant nombre de scènes historiques. La naissance de cette république, avec des débats vigoureux, et la ferveur des hommes convaincus qu'il existait un système meilleur que la monarchie. La guerre de Sécession, au cours de

371

laquelle des hommes et des femmes, alors qu'ils couraient un grave danger, ont fait preuve d'un courage sans faille, nous rappelant ce dont l'humanité est capable. Le jour du débarquement de Normandie, à Londres ; l'avenue Whitehall bondée d'une foule laissant libre cours à sa joie... et à son chagrin. L'immortalité donne l'occasion d'observer l'histoire en pleine élaboration, d'être témoin des victoires des hommes comme de leurs actes les plus cruels. Le poids de ce savoir constitue à la fois un lourd fardeau et un don inestimable. (Il se tourna légèrement, appuya le menton sur son poing et baissa les yeux vers moi.) Maintenant que nous avons remonté le cours de mon existence, Sentinelle, quelle est ma récompense ?

Je soulevai la boîte afin de lui dévoiler son contenu, et m'enchantai de la consternation qui s'imprima sur son visage.

— Tu plaisantes.

— Je ne plaisante jamais avec des Mallocakes. Redresse-toi.

Sans se départir de son air suspicieux, il m'obéit et se décala sur le banc afin de me laisser une place à son côté. Cependant, je préférais rester par terre. La distance nous permettait de poursuivre un échange détendu, et je pouvais ainsi prétendre que les barrières émotionnelles que j'avais érigées entre nous tenaient bon... même si je l'interrogeais sur sa vie au beau milieu de la nuit et m'apprêtais à lui faire goûter de la génoise fourrée à la guimauve.

Mais quand le déni constitue l'unique filet de sécurité à disposition, il faut s'en contenter.

J'ôtai le plastique qui entourait la boîte et sortis deux gâteaux emballés. Je lui en tendis un et, après avoir posé la boîte à côté de moi, tins délicatement le mien dans ma paume.

— Bénit soit ce divin mariage de génoise et de crème.

Ethan paraissait peu enthousiaste devant le tas de graisse et de sucre que je lui avais mis dans la main.

— Franchement, Sentinelle.

— Fais-moi confiance, tu ne le regretteras pas, insistai-je en ouvrant mon paquet. Plusieurs théories s'affrontent au sujet de la meilleure méthode à adopter pour manger un Mallocake.

Le coin de ses lèvres commença enfin à se relever.

— Vraiment ?

— Notre sorcière préférée, Mallory Carmichael, aime les tremper dans le lait. Ce n'est pas mal, mais ça les rend spongieux, et cette texture me répugne.

— Tu m'étonneras toujours.

— Personnellement, je suis une adepte de la multiplication des pains. Regarde bien. (Je brisai le Mallocake dans le sens de la longueur, puis lui montrai les deux morceaux.) J'ai deux fois plus de gâteaux !

— Tu as tendance à raconter n'importe quoi, tu le savais ?

— C'est l'une de mes principales qualités, répliquai-je en mordant dans la pâtisserie.

Comme si la génoise au chocolat faisait l'effet d'une drogue, je me sentis aussitôt plus sereine.

Ethan prit à son tour une bouchée.

— Pas mal, Sentinelle.

— J'ai un certain nombre de défauts, mais mon goût en matière de nourriture n'en fait pas partie.

Le silence s'installa pendant que nous mangions nos Mallocakes.

— Je t'ai dit un jour que tu étais ma faiblesse, mais également ma force, reprit-il. Juste avant de trahir ta confiance. Je sais que je t'ai blessée, et j'en suis sincèrement désolé. (Il marqua une pause.) Que dois-je faire pour te convaincre de m'accorder une autre chance ?

Sa voix n'était qu'un murmure, mais elle vibrait d'une émotion si intense que je dus détourner le regard, au bord des larmes. Il posait une question légitime, mais j'ignorais comment y répondre. Que fallait-il pour que je lui accorde de nouveau ma confiance ? Pour que je croie qu'il m'avait choisie, pour le meilleur comme pour le pire, en dépit des éventuelles répercussions politiques ?

— Je ne suis pas sûre que tu puisses me convaincre. J'apprends trop vite.

— Et je t'ai appris que je te trahirais si j'en avais l'occasion ?

Cette fois, je soutins son regard.

— Tu m'as appris que tu te soucierais toujours des conséquences de tes actes, des apparences, de la tactique à adopter et des alliances à conclure. Tu m'as appris que je ne serais jamais certaine que tu m'aimes pour ce que je suis, et pas simplement parce que je te permets de parvenir à tes fins, ou parce que ça t'arrange d'une façon ou d'une autre. Tu m'as appris que je ne pouvais pas être sûre que tu ne changes pas d'avis si jamais rompre avec moi te donnait un avantage stratégique.

Le sourire d'Ethan s'estompa et, pour la première fois, il sembla envisager la possibilité que ses actes aient causé des torts irrémédiables.

— Tu ne me crois pas capable d'évoluer ?

J'adoucis le ton de ma voix.

—Je crois qu'une relation est condamnée d'avance si on doit demander à l'autre d'évoluer. Tu n'es pas de mon avis?

Il se détourna puis poussa un soupir désespéré.

—J'ai l'impression de mener une bataille que je ne peux pas gagner.

—L'amour ne devrait pas ressembler à une bataille.

—Pourtant, quel serait l'intérêt si on n'avait pas envie de se battre pour ça?

Le silence régna suffisamment longtemps pour que les grillons se mettent à chanter dans le jardin.

—Il n'y a rien que tu aimerais me dire au sujet de Jonah?

Sa question faillit me faire sursauter, et mon cœur s'emballa soudain à l'idée qu'il ait pu découvrir mon secret.

—Non, affirmai-je. Pourquoi?

—Il paraissait s'intéresser à toi. Tu le connais bien?

Heureusement, je disposais d'une partie de réponse toute prête.

—Nous nous sommes rencontrés devant le *Temple Bar* la nuit de la bagarre.

L'absolue vérité.

—Et c'est tout?

Il me regardait avec suspicion, me dévisageant comme s'il essayait d'évaluer ma sincérité.

—Oui.

—Ne me mens pas, Merit.

—Est-ce que tu me demandes ça en tant qu'ami, ancien amant, ou Maître?

Il parut surpris par ma question.

—J'attends ton honnêteté pour ces trois raisons.

— Tu es en droit d'attendre ma loyauté. Ce qui ne signifie pas la même chose.

Cette fois, il plissa les yeux.

— Que se passe-t-il ? Qu'est-ce que tu me caches ?

— Rien que je puisse partager pour l'instant.

Et voilà. Je ne lui avais peut-être pas parlé de la Garde Rouge, de la proposition qu'ils m'avaient faite, ou du rôle de Jonah dans cette organisation, mais j'avais confessé ne pas avoir été franche avec lui. Il savait désormais que je ne lui avais pas dit toute la vérité.

Il cligna des yeux, abasourdi.

— Tu disposes de certaines informations que tu ne veux pas partager avec moi ?

— Je dispose de certaines informations que je ne peux pas partager avec toi, nuance. Ce n'est pas à moi de te les confier. Elles concernent d'autres personnes. J'ai appris certaines choses par un concours de circonstances, et je ne trahirai pas ces gens en prenant la décision de dévoiler ce que je sais, alors qu'ils ont choisi de ne pas le faire.

Il réfléchit, me jaugea du regard et, au bout de quelques instants, hocha la tête.

— Très bien.

Alors que sa capitulation constituait une victoire pour moi en tant que Sentinelle, j'avais l'impression d'avoir perdu quelque chose, d'avoir brisé le lien qui nous unissait. J'avais privilégié ma mission aux dépens de notre amitié, de sa confiance.

Exactement ce que je lui avais reproché.

Ethan se leva et roula le cellophane en boule dans sa paume avant de me contourner pour regagner le chemin. Il s'immobilisa puis me jeta un coup d'œil par-dessus son épaule.

—Il est difficile de faire passer les autres avant ses propres désirs, n'est-ce pas ?

Ne supportant pas qu'il souligne mon hypocrisie, je détournai le regard.

Lorsque je reportai les yeux sur le sentier, Ethan était parti.

Mon humeur ne s'était pas améliorée lorsque je regagnai le premier étage. Ma tête me lançait de nouveau, pour une raison différente, cette fois. Je rangeai la boîte de Mallocakes dans la cuisine puis me dirigeai vers ma chambre. Je m'apprêtais à tourner la poignée quand j'entendis une voix s'élever derrière moi.

—Il n'est pas aussi insensible qu'il le laisse paraître, vous savez.

Je me retournai. Charlie, l'assistant de Darius, se tenait dans le couloir, les bras croisés.

—Pardon ? m'exclamai-je.

Il esquissa un geste en direction de la porte.

—Est-ce que nous pourrions entrer ?

—Euh… oui, bien sûr, dis-je avant de pousser le battant.

Charlie franchit le seuil. Je le suivis, puis refermai derrière moi.

Il s'assit au bord de mon lit et joignit les mains sur ses genoux.

—Darius se consacre entièrement aux Maisons, et il ne s'intéresse pas moins aux affaires qui se déroulent ici aux États-Unis qu'à celles dont il s'occupe en Angleterre. Le problème, c'est qu'il croit fermement en la hiérarchie. Pour lui, les Maîtres doivent diriger leurs Maisons.

Les difficultés qui les dépassent concernent le PG, et uniquement le PG.

J'appréciais l'honnêteté de Charlie, mais n'avais aucun doute quant à la cause qu'il défendait.

— Peut-être, mais le Présidium n'a pris aucune mesure afin de contrôler Célina, ou de garantir la paix à Chicago. Nous faisons de notre mieux pour assurer la sécurité de cette ville et la protéger des agissements de Célina.

Charlie secoua la tête.

— Vous est-il déjà venu à l'esprit que vous jouez son jeu ? Qu'en reconnaissant son pouvoir et en mettant au jour ses activités, au lieu de ne pas tenir compte de ses pitreries, vous finissez par lui donner exactement ce qu'elle veut ?

— C'est-à-dire ?

— De l'attention. Celle des Maisons, du PG, des humains, des médias. Célina désire être vue et entendue. Elle estimait ne pas bénéficier d'une considération suffisante en tant que Maître, alors elle a saboté sa mission afin d'obtenir autre chose : l'intérêt des humains. Lorsqu'elle a compris qu'ils ne l'idolâtraient pas, elle a de nouveau fait des siennes. Chaque fois que vous la cherchez, que vous ripostez, vous lui donnez une raison de revenir.

— Vous êtes en train de me dire que nous lui facilitons la tâche ?

Il se contenta de me regarder d'un air de défi sans répondre à ma question. Je lus sans peine l'interrogation muette dans ses yeux : « Pas vous ? »

Je secouai la tête, bras croisés, et m'adossai à la porte.

— Selon votre théorie, si nous nous désintéressions de Célina, elle n'agirait pas. C'est totalement faux. Dès que la situation se calme à Chicago – par exemple, après qu'on lui a soutiré une confession sur son rôle dans les meurtres du parc et qu'on l'a envoyée à l'étranger –, elle reparaît. Croyez-moi, Charlie, elle nous force à réagir.

Cette fois, il secoua la tête.

— Je suis désolé, Merit, mais nous ne partageons pas votre avis. En tout cas, je ne le partage pas. (Il fronça les sourcils puis porta son regard sur moi.) Je regrette de devoir vous le dire, de lancer ainsi cette accusation. Darius ne l'aurait pas fait – ce n'est pas son rôle –, mais je pense que ce constat mérite réflexion.

— Quel constat ?

— Toutes ces histoires ont commencé lorsque vous avez rejoint la Maison Cadogan.

Mon cœur s'emballa.

— Pardon ? m'écriai-je.

Il leva la main.

— Écoutez-moi. Pour on ne sait quelle raison, Célina semble faire une fixation sur vous. Vous devenez une vampire Cadogan, lui soutirez des aveux, et apparemment, elle décide de vous prendre pour cible – vous, et peut-être Ethan.

Je me contraignis au silence en me mordant la lèvre. De toute évidence, Ethan ne lui avait pas fait part du fait que Célina avait tenté de me tuer, et qu'il m'avait transformée parce qu'un Solitaire qu'elle avait engagé n'avait pas terminé son travail. J'ignorais les raisons qui expliquaient son choix, mais n'avais pas l'intention de révéler cette information au PG. Après tout, je préférais que le Présidium en connaisse aussi peu que possible à mon sujet.

379

— Nous sommes au courant de l'affaire Breckenridge, et savons qu'elle vous a attaquée devant la Maison, reprit-il. Niez-vous constituer l'une de ses cibles de prédilection ?

— Non.

Il était impossible de le nier. D'un autre côté…

— Mais je ne suis pas l'unique cible, poursuivis-je. Elle vise également la Maison Cadogan. Chicago.

Une série de « bip » aigus retentit, lui épargnant la peine de répondre. Il souleva son poignet, révélant une montre calculatrice qui devait dater des années 1980.

Après avoir tapoté sur les touches, il ébaucha un sourire contrit.

— Quand ce modèle est sorti, j'ai été épaté par sa technologie, et je n'ai rien trouvé de mieux depuis. C'est simple et efficace.

— Génial, dis-je en essayant d'étouffer le sarcasme sous-jacent.

Comme il avait terminé son discours, Charlie se leva et s'avança vers la porte.

— J'espère que je ne vous donne pas l'impression de vous accuser ou de rejeter la faute de Célina sur vous. C'est sans conteste une femme qui agit de son propre gré, et qui est tout à fait capable de prendre des décisions pour elle-même. Considérez cependant la possibilité que les démarches que vous entreprenez en tant que Sentinelle, avec toutes les responsabilités que cette mission implique, influencent ses actes. (Je m'écartai afin de le laisser passer.) Nous souhaitons sincèrement le meilleur pour Cadogan. Nous voulons que toutes les Maisons d'Amérique connaissent le succès et la prospérité.

— Je ferai part de cette opinion à Ethan, déclarai-je poliment.

Les pensées que je nourrissais étaient beaucoup moins courtoises que mes paroles, comme ce serait certainement le cas pour Ethan lorsque je lui annoncerais la théorie de Charlie.

—Très bien. Bonsoir, Merit.

—Bonsoir, Charlie.

Il sortit d'une démarche légère, un sourire satisfait sur le visage. Il laissa dans son sillage... un nuage de doutes.

Avait-il raison? Avions-nous encouragé Célina à perpétrer ses forfaits en réagissant comme nous l'avions fait? Des vampires se droguaient-ils et des humains avaient-ils été tués parce que nous l'avions poussée à agir, à se rebeller contre la Maison Cadogan comme une adolescente susceptible?

Je trouvais injuste de reporter la responsabilité des agissements de Célina sur nous. Nous avions essayé d'intervenir pour le bien de Cadogan et de Chicago et, en fin de compte, c'était elle qui avait commandité l'assassinat d'humains, nous avait fait chanter, et était sans doute à l'origine du trafic de drogue auquel nous étions actuellement confrontés. Ces décisions n'appartenaient qu'à elle.

Pourtant... Les insinuations de Charlie me rongeaient de l'intérieur. Même si elle avait commis ces crimes, il n'était pas inconcevable de supposer qu'elle avait voulu en partie nous provoquer, Ethan et moi, nous agacer dans le but de gagner la partie d'échecs façon vampire qu'elle avait engagée.

Cette idée me répugnait. Je haïssais imaginer que nous puissions avoir une part de culpabilité dans les combats que nous menions chaque jour, en dépit de nos louables intentions.

D'un autre côté, qu'aurions-nous pu faire? Nous ne pouvions décemment pas la laisser semer le chaos à Chicago afin d'assouvir son besoin puéril d'attention. Même si nous l'avions voulu, nous n'aurions pas pu négliger la tentative de chantage ou les menaces de Tate. Nous ne cherchions pas les ennuis pour le plaisir.

Bien entendu, nous souhaitions la paix. Nous aurions préféré nous réveiller sereins le soir, et passer notre temps à nous entraîner, nous instruire et travailler afin d'assurer le succès de la Maison, au lieu de défendre notre château contre les maraudeurs qui se pressaient à la grille.

Quels que soient les drames qu'elle causait, quelles que soient ses motivations, je ne voyais qu'une solution pour nous débarrasser du problème Célina: la bannir de Chicago une bonne fois pour toutes.

21

BROCHETTE DE DÉMENTI PANÉ

J'avais besoin d'une pause loin des vampires, et n'avais pas pris de nouvelles de Mallory depuis un certain temps. Il fallait y remédier. Ainsi, une fois levée et habillée, je lui envoyai un message ; elle me répondit que Catcher et elle s'entraînaient au gymnase. Traduction : j'aurais l'occasion de voir Catcher torturer quelqu'un d'autre que moi, et pourrais assister à une représentation de magie de Mallory.

Je n'allais pas manquer ça. Je quittai la Maison et pris la direction de Near North Side, là où se trouvait la salle de sport qu'utilisait Catcher, dans un ancien entrepôt. Il faut croire que convertir des usines désaffectées en terrains de jeux pour vampires était la nouvelle mode, à Chicago.

Je n'eus même pas besoin de faire preuve d'une discrétion exagérée pour sortir de Cadogan. Étant donné que Darius nous avait interdit d'enquêter sur le V, je n'avais pas grand-chose à faire à la Maison. De plus, la conversation que j'avais échangée la veille avec Ethan avait soulevé, au sujet de mon hypocrisie, de désagréables questions que je ne me sentais pas prête à affronter. Je savais que nous finirions par en parler ; nous pourrions difficilement l'éviter. Toutefois, rien n'imposait de le faire tout de suite.

J'avais beau adopter une stratégie d'évitement, je ne me montrai pas immature au point de ne pas emporter mon bipeur. Je mis également mon poignard et mon sabre dans la voiture. Même si mon enquête était au point mort, il n'était pas impossible que Paulie ait transmis mon message à « Marie ». Si celle-ci avait envie de me rendre une petite visite improvisée, autant se tenir prête.

J'accomplis le trajet en un temps record au vu de la circulation habituelle à Chicago – je parcourus Lake Shore Drive sans subir le moindre ralentissement –, mais ces quelques minutes me permirent néanmoins de réfléchir et prendre un peu de recul. Je ne trouverais certes pas une solution miracle en passant quinze minutes au volant ou quelques heures loin de la Maison, mais j'avais besoin d'air. Il fallait que je recharge mes batteries auprès de personnes qui me connaissaient en tant que Merit… et pas uniquement en tant que Sentinelle.

La chance qui m'avait permis d'échapper aux bouchons fut éphémère : un nouveau bar avait ouvert en face du gymnase de Catcher, et le quartier grouillait de filles aux jambes interminables et de garçons arrosés d'eau de Cologne qui s'apprêtaient à flirter en sirotant des margaritas hors de prix. Je trouvai finalement une place où me garer trois rues plus loin. Je regagnai le gymnase à pied, puis entrai.

Le bâtiment était aménagé en forme de « T ». La salle d'entraînement où Catcher m'avait enseigné à me servir d'un sabre était située au bout du couloir central. Je sentis l'électricité qui vibrait dans l'air dès que je parvins à proximité de la porte. Me frottant les bras afin de me débarrasser de ce désagréable picotement, je jetai un coup d'œil à l'intérieur.

Catcher portait ses nouvelles lunettes branchées, un pantalon de survêtement et un tee-shirt tandis que Mallory était en pantalon de yoga et brassière de sport, ce qui couvrait davantage de peau que les bouts de tissu qu'il m'avait imposé de revêtir lors de nos séances. La veinarde.

Cela dit, elle pratiquait des exercices d'un tout autre genre que les miens. J'avais eu l'occasion de constater que Catcher maniait le sabre avec brio, et que les sorciers, en plus de plier l'univers à leur volonté, étaient capables de projeter des boules de ce qui ressemblait à du feu magique. Cependant, je n'avais encore jamais rien vu de tel.

J'assistais à une sorte de jeu de handball surréaliste. Chacun à un bout du gymnase, ils se lançaient des globes aux couleurs flamboyantes qu'ils tentaient d'esquiver. Lorsque Catcher envoyait une boule en direction de Mallory, soit elle essayait de l'éviter, soit elle ripostait. Parfois, les projectiles se rencontraient en l'air et explosaient, formant une pluie d'étincelles. De temps en temps, ils allaient éclater contre le mur dans un grondement de tonnerre.

Je compris pourquoi je ressentais cette vibration électrique : chaque fois qu'une balle explosait, elle libérait un nuage de magie qui envahissait la salle. Ce picotement était le prix à payer pour observer des sorciers s'entraîner.

Mallory se tourna vers moi et m'adressa un rapide salut de la main avant de renvoyer une boule de feu bleu en direction de Catcher.

— Salut !

Cherchant l'endroit d'où provenait cette voix, je découvris Jeff installé dans une chaise en plastique de l'autre côté de la porte, un bol de pop-corn sur les genoux.

— Assieds-toi, m'invita-t-il en tapotant le siège voisin du sien. J'allais justement t'appeler.

— Tu n'as plus besoin de le faire, dis-je en prenant place sur la chaise après avoir plongé la main dans le maïs.

Je me réjouis de constater qu'il s'agissait de pop-corn sucré salé, une variété que j'adorais et qui ne nuirait sans doute pas autant à ma santé qu'une boîte de Mallocakes.

— Bon, j'ai fouillé un peu dans le casier judiciaire de notre ami Paulie Cermak.

— Je croyais qu'il était scellé.

Jeff lança un grain de pop-corn en l'air avant de le rattraper avec les dents.

— C'est vrai, mais « scellé » et « plus dans le système » sont deux choses différentes.

— Tu penses vraiment que c'est le moment de me faire un cours sur les techniques de piratage informatique ?

— Si tu veux que je te donne l'information que j'ai découverte, oui.

Je devenais de moins en moins attachée aux règles.

— D'accord, raconte-moi tout.

— Pour faire court, le casier a bien été scellé par le système judiciaire, mais une image de son contenu a été enregistrée par la mémoire cache juste avant qu'il soit fermé. C'est là que j'ai trouvé les données. Je n'y ai découvert qu'une seule interpellation : Cermak a reçu une citation au tribunal pour avoir frappé quelqu'un au visage. Une simple agression, en fait.

J'essayai de fouiller dans ma mémoire. Je pensais avoir déjà vu Paulie Cermak, mais où ? à la télévision ? Son forfait avait peut-être été mentionné aux informations. Je ne me rappelais rien de précis.

— Qui était la victime ?

— Aucune idée. Le type n'a jamais porté plainte, et son nom a été retiré du fichier avant qu'il ait été scanné.

Je soupirai.

— Donc Paulie Cermak frappe un homme, la police intervient, la victime n'entame aucune poursuite, mais, malgré tout, le casier est scellé.

— Bien résumé.

— C'est bizarre. Pourquoi interdire l'accès à son dossier si aucune plainte n'a été émise ?

Jeff haussa les épaules puis lança un nouveau grain de pop-corn dans les airs. Celui-ci rebondit sur sa lèvre et tomba au sol – ou du moins, serait tombé au sol s'il n'avait pas ricoché sur une onde de magie qui traversait la salle. Le maïs demeura quelques instants suspendu à quelques centimètres au-dessus du plancher avant d'exploser en miettes.

Imitant Jeff, je me baissai pour échapper aux projectiles puis levai les yeux sur Catcher. Les mains sur les hanches, il nous observait avec ironie.

— Du pop-corn ? Sans blague ?

— Eh bien quoi ? rétorqua Jeff d'un ton espiègle. C'est le meilleur match de tennis que j'aie jamais vu. Un casse-croûte s'impose.

Catcher retroussa les lèvres et propulsa vers nous une boule bleue qu'on évita en se tassant sur nos chaises. Elle percuta le mur derrière nous et éclata en une pluie d'étincelles. Je me redressai et me passai une main fébrile dans les cheveux afin de me débarrasser des éventuels résidus enflammés.

— Hé! Je suis venue vous soutenir. Ce serait sympa de ne pas me balancer ta magie à la figure.

— C'est vrai, Catch, renchérit Mallory. Elle est venue nous soutenir.

Elle lui envoya un globe qu'il évita d'un bond en proférant un chapelet de jurons.

— Bien fait! m'exclamai-je en levant les pouces à l'intention de Mallory.

— Bon, quand cette brute m'a interrompu, j'étais sur le point de te dire qu'il est peu courant de sceller un dossier alors qu'aucune plainte n'a été déposée, mais de nombreuses raisons peuvent l'expliquer, poursuivit Jeff. Le plus probable, c'est que Paulie Cermak ait des amis haut placés.

Cette hypothèse le fit glousser, et j'émis un grognement sarcastique.

— Paulie n'a pas vraiment l'air d'être du genre à fréquenter le beau monde. Peut-être qu'il a tabassé quelqu'un à la demande de Célina.

— C'est une hypothèse. Je vais continuer de chercher.

— Tu fais du bon travail, affirmai-je en lui donnant un petit coup d'épaule. Je te remercie de tes efforts.

Les joues de Jeff s'empourprèrent un peu.

— Même Catcher m'a dit que je me débrouillais vraiment bien avec cette enquête.

— Catcher a toujours une opinion sur tout. En parlant de ça, vous avez du nouveau au sujet du V? Je suppose que la police procède à des analyses.

— Oui, et ils n'ont pas terminé. Il s'avère que la structure chimique du V s'apparente à celle de l'adrénaline.

— Ce qui explique que ça excite à ce point les vampires.

Jeff hocha la tête.

—Exactement. Mais il y a encore plus intéressant. Catcher a mis son nez de sorcier là-dedans et pense avoir détecté un autre ingrédient : de la magie.

Je fronçai les sourcils.

—Qui aurait pu ajouter de la magie ?

—C'est ce qui l'inquiète.

Tu m'étonnes. Alors que nous croyions Célina et Paulie coupables du trafic de V, nous étions désormais confrontés à un inconnu qui semait joyeusement sa magie. En parlant d'énigmes…

—Tu as fini par apprendre quelque chose au sujet de l'agression à laquelle M. Jackson aurait assisté ?

—Pas plus que ce que tu sais déjà. Il n'y a rien eu de nouveau, à ma connaissance. À mon avis, cette affaire ne sera jamais élucidée.

Je me demandais s'il n'aurait pas été préférable d'avoir retrouvé des corps. Mon téléphone vibra, me tirant de ma réflexion. Je le sortis de ma poche, m'attendant à trouver un message d'Ethan, du genre « où es-tu ? ».

Je ne reconnus pas le numéro, mais répondis tout de même aussitôt.

—Allô ?

—Ma petite, j'ai quelque chose pour vous.

Impossible de se méprendre, avec cet accent de New York.

—Paulie. Qu'est-ce que vous voulez ?

—Une certaine personne souhaite vous rencontrer.

—Une certaine personne ?

—Marie, précisa-t-il. Vous avez demandé un rendez-vous, et il se trouve qu'elle n'est pas hostile à cette idée.

Tiens donc. Nous étions persuadés que Célina ne laisserait pas passer cette chance, et même si cette

« Marie » était une autre femme, une rencontre permettrait certainement de répondre à quelques-unes de nos interrogations.

—Où et quand ?

—Au festival, ce soir, à côté du chapiteau du *Town*.

Le *Town*, un café branché du Loop, arrivait régulièrement en tête de tous les classements. Les célébrités s'y retrouvaient pour voir et être vues et, pour obtenir une place, il fallait réserver des semaines à l'avance, à moins de connaître quelqu'un… ou d'être la fille de Joshua Merit.

Du carpaccio de bœuf ? Oui, merci.

Je n'imaginais certes pas Célina participer à Street Fest, mais le *Town* correspondait parfaitement au genre d'endroit susceptible de lui plaire.

—À quelle heure ?

—Vingt-trois heures.

Je consultai ma montre : 21 h 45. Étant donné que le festival se terminait à 1 heure, le rendez-vous aurait lieu en pleine période d'affluence, au milieu des groupes de musique, de la profusion de nourriture, et des habitants de Chicago imbibés d'alcool.

—Je suppose que je n'ai pas besoin d'accrocher une rose rouge au revers de ma veste pour qu'elle me reconnaisse ?

Paulie partit d'un rire qui ressemblait davantage à une quinte de toux.

—Elle vous trouvera. Vingt-trois heures précises.

Lorsqu'il raccrocha, je rangeai mon téléphone et me mordillai le pouce tout en réfléchissant.

Célina – ou du moins quelqu'un qui, selon moi, ne pouvait être que Célina – désirait me rencontrer dans un lieu public. Et pas n'importe lequel : des milliers d'humains grouilleraient au festival. Espérait-elle que la foule lui procure un certain anonymat, ou avait-elle l'intention de semer la panique en pleine cohue ?

Elle avait sans doute un plan. Peut-être s'agissait-il d'un piège. Il suffisait de le deviner, ou alors de parer à toute éventualité.

Quand je relevai les yeux, Catcher, Jeff et Mallory avaient le regard braqué sur moi.

— C'était Paulie Cermak, leur expliquai-je. « Marie » veut me retrouver à Street Fest ce soir.

Catcher et Mallory se rapprochèrent.

— Et tu comptes y aller ?

— Est-ce que j'ai le choix ? Darius est furieux contre nous, et Tate aussi. (Je roulai des épaules afin d'évacuer un peu de la tension causée par la magie combinée au stress.) Nous pourrions prétendre que cette affaire ne nous concerne pas, mais le V ne disparaîtra pas par miracle, et il faut que nous protégions notre Maison.

— Pourquoi hésiter à accepter ce rendez-vous, alors ?

— Hormis le fait qu'elle est susceptible de me tuer ? Darius nous a ordonné, à Ethan et moi, d'abandonner l'enquête.

Catcher me dévisagea avec incrédulité.

— Pour quelle raison ? Des vampires se battent en public. Comment pourrait-il nier qu'il existe un réel problème ?

— Oh, il sait très bien ce qui se passe. (Je leur racontai nos aventures à la Maison Grey.) Darius pense simplement que c'est à Tate de gérer la situation. Il semble convaincu que nous contribuons à nous créer des ennuis. Il affirme que Célina agit uniquement parce que nous nous intéressons à elle.

— Ce Darius m'a l'air un peu borné, fit remarquer Mallory.

— Tu m'étonnes, renchéris-je.

— Est-ce que je vous dérange ?

Toutes les têtes se tournèrent vers l'entrée, où un mignon jeune homme en jean et tee-shirt nous souriait.

— Qui est-ce ? murmurai-je.

— C'est Simon, expliqua Mallory avec lassitude. Mon professeur.

Pour être honnête, quand elle m'avait parlé de son professeur, je m'étais imaginé un vieil intellectuel voûté à force de rester plongé dans ses livres, éventuellement affublé de lunettes épaisses comme des culs de bouteilles.

Musclé et sexy sans être extravagant, Simon était très éloigné de ce stéréotype, et ne semblait même pas équipé d'un stylo. Il avait des cheveux coupés ras, et des yeux bleus perçants sous un front volontaire.

— Pas mal, soufflai-je à Mallory.

— Tu ne dirais pas ça s'il te forçait à faire léviter cent kilos de plomb pour la soixante-septième fois. (Elle plaqua néanmoins sur son visage un sourire poli.) Salut, Simon.

— Salut, Mallory, lança-t-il avant de se tourner vers Catcher. Ça fait un moment qu'on ne s'est pas vus.

Catcher resta impassible. Il n'avait visiblement aucune envie de se montrer chaleureux envers un membre de l'Ordre.

— Simon, qu'est-ce qui t'amène en ville ?

Ce dernier esquissa un geste en direction de Mallory.

— Nous allons rendre visite aux fantômes.

Je jetai un regard en coin à mon amie.

— Sans blague ?

D'accord, Mallory s'intéressait aux phénomènes occultes. Après tout, c'était elle qui faisait une fixation sur Buffy, mais elle avait toujours refusé mes propositions d'aller voir les fantômes, prétextant que c'était une activité « faux-culte ».

—Simon, déclara Mallory en agitant la main avec désinvolture, je te présente Merit et Jeff. C'est une vampire, mais je reste tout de même amie avec elle parce que je suis extraordinaire, et lui, c'est un crack en informatique qui travaille avec Catcher.

Simon m'adressa un sourire plus froid que ce que j'attendais.

—Alors comme ça, c'est toi, la Sentinelle de Sullivan.

—Je suis la Sentinelle de la Maison Cadogan, corrigeai-je poliment.

—Bien entendu, dit-il d'un ton indiquant qu'il n'était pas convaincu par la précision que je venais d'apporter.

—Vous allez vraiment voir les fantômes? demanda Jeff. C'est pour une sorte de recherche magique?

—En un sens, oui, répondit Simon. Les maisons hantées n'existent pas que dans les histoires. Certaines résidences sont bel et bien infestées par des esprits. Ce soir, le travail de Mallory consistera à distinguer la réalité de la fiction. Ça fait partie de son stage.

Mallory fronça les sourcils.

—C'était prévu pour aujourd'hui? Il me semblait avoir noté cette sortie pour demain.

—Tu préférerais reporter? Je peux profiter de mon passage en ville pour m'occuper d'autres choses.

Mallory balaya sa proposition de la main.

—Non, ça ira. C'est au programme de l'examen, mieux vaut étudier ça dès maintenant.

— Oh mon Dieu, mais tu es Harry Potter, en fait ! m'exclamai-je en pointant un doigt sur elle. J'en étais sûre !

Elle leva les yeux au ciel puis s'adressa à Catcher :

— Je crois que je ferais mieux de prendre une douche avant de filer.

Catcher fronça les sourcils, de toute évidence contrarié à l'idée de laisser Mallory se promener en ville avec Simon. J'ignorais si son animosité était dirigée contre l'Ordre, ou s'il y avait une autre raison.

— Tu peux nous accorder quelques minutes ? demanda Catcher à Simon.

— Bien sûr, affirma ce dernier après une hésitation. J'attends dans la voiture. Jeff, content de t'avoir rencontré. Merit, nous devrions prendre le temps de discuter, la prochaine fois. J'adorerais en apprendre davantage sur la Maison Cadogan.

Je lui réservai un sourire évasif.

— Il a l'air plutôt sympa, dis-je à Mallory et Catcher une fois que Simon eut disparu.

— Il fait partie de l'Ordre, rétorqua Catcher d'un ton grave. Ils sont toujours « plutôt sympas », jusqu'au jour où ils t'accusent d'être un fauteur de troubles avant de t'exclure.

— On dirait que l'Ordre et le PG ont des points communs, conclus-je.

Catcher grogna son assentiment.

— Simon est… correct, ajouta Mallory. Mais au sujet du PG, il faut que tu agisses. (Elle écarta les bras pour m'étreindre.) Comme tu me l'as conseillé, fais ce que tu as à faire. Tu sais discerner le bien du mal. Aie confiance en ton instinct, il ne te trompera pas.

— Et si je n'y arrive pas ?

Elle recula, une expression farouche sur le visage.

— Si tu y mets toute ta volonté, tu peux tout réussir. Il te suffit de t'en convaincre. Va retrouver Célina Desaulniers, et, cette fois, botte-lui le cul.

Pourvu que ça se termine ainsi.

Lorsque je rentrai, je trouvai une limousine garée devant la Maison, et rencontrai l'habituelle troupe de manifestants. Je reconnus deux ou trois de ceux qui campaient là nuit après nuit, la haine qu'ils nourrissaient à notre égard prenant apparemment le pas sur toute autre activité.

Je supposai que la voiture de luxe devait appartenir soit à Tate, soit à Darius, deux possibilités qui ne m'enchantaient guère. Aucun des deux hommes ne faciliterait la tâche que j'avais à accomplir. Je me garai en double file avant de me faufiler discrètement à l'intérieur de la Maison, où je me dirigeai vers le bureau d'Ethan sur la pointe des pieds.

Pas d'Ethan en vue. En revanche, Malik, debout au centre de la pièce, était plongé dans la lecture d'une liasse de documents. Assis dans le coin salon, Darius était au téléphone.

J'adressai un sourire poli au chef du Présidium et m'avançai vers Malik. Il releva la tête à mon approche, et sembla remarquer mon trouble.

— Qu'est-ce qui se passe ?

Je glissai un regard en direction de Darius.

— Étant donné les directives du PG, je pensais prendre ma soirée pour aller à Street Fest avec des amis.

Malik demeura perplexe quelques instants avant qu'un éclair de compréhension n'illumine son visage.

—Je me demandais si Ethan voulait que je lui rapporte quelque chose. Tu sais à quel point il aime les petits plats bien gras. Il ne se lasse jamais de la friture.

Malik me gratifia d'un sourire entendu.

—C'est vrai, Sentinelle. Je crois qu'il est dans ses appartements. Darius a rendez-vous avec lui dans quelques minutes, mais je pourrais le faire patienter pendant que vous parlez du menu, qu'est-ce que tu en dis?

Lorsque je hochai la tête, Malik se dirigea vers le coin salon. Darius avait sans doute fini de téléphoner, car, alors que je m'apprêtais à franchir la porte, j'entendis Malik lui demander:

—Monseigneur, avez-vous déjà eu l'occasion de visiter la propriété? Les jardins sont magnifiques, à la fin de l'été.

Bien joué, pensai-je en montant les marches quatre à quatre jusqu'au deuxième étage.

Ethan allait sortir de sa suite quand j'arrivai. Sans prendre la peine d'attendre son autorisation, je pénétrai à l'intérieur. Lorsque je me retournai, il se tenait toujours sur le seuil, un sourcil levé.

—Malik s'occupe de Darius. J'ai besoin de te parler cinq minutes.

—J'ai le pressentiment que ces cinq minutes ne vont pas me plaire.

—C'est plus que probable.

Malgré tout, il ferma la porte, nous isolant du couloir, puis croisa les bras.

—Cette soirée s'annonce délicate, commençai-je.

—Parce que?

—Parce qu'elle est susceptible de semer le chaos dans un lieu public.

Il relâcha les bras, l'air inquiet.

—Où ?

—À Street Fest.

Ethan garda quelques instants les yeux fermés.

—Est-ce qu'on a quelqu'un capable d'intervenir ?

—Ta Sentinelle dévouée.

Il ouvrit brusquement les yeux, s'apprêta à protester, puis se ravisa.

—Sage décision, vu que je suis la seule personne à pouvoir faire quoi que ce soit en ce moment, le complimentai-je.

—Ce ne serait pas un piège ?

—Fort possible. Et du genre à se refermer sur nous en public. Mais je vais faire en sorte d'éviter ça, ou du moins, de m'assurer qu'on ne nous fera pas de mauvaise publicité.

Le silence régna entre nous tandis qu'il réfléchissait.

—Je suppose que tu ne m'en diras pas plus ?

—Pour notre bien à tous les deux, non. Comme ça, tu auras toute liberté d'affirmer que tu n'étais au courant de rien. Garde-toi une possibilité de démenti, Sullivan.

—Je crois que je te préférais en étudiante plongée dans ses livres.

—Tu ne m'as pas connue en étudiante plongée dans ses livres, lui rappelai-je. En tout cas, pas quand j'étais consciente.

Techniquement, il m'avait connue en étudiante évanouie, étant donné qu'il m'avait nourrie durant les trois jours qui avaient suivi ma transformation en vampire. Personnellement, je ne me souvenais de rien.

—Bref, si tu as une meilleure idée, je t'écoute.

Il m'observa un moment, le front barré d'une ride éloquente.

—Malheureusement, je n'en ai pas.

—Ta confiance fait plaisir à voir, Sullivan.

Il me décocha un regard morne.

—Tu sais très bien ce qu'il en est, Merit. Je te fais entièrement confiance, même si tu ne me dis pas tout. Si je doutais de toi, je ne te permettrais pas de quitter la Maison. Pas alors que tout le monde est à cran.

—C'est sûr que ce serait plus simple si tout le monde était à crocs. Ha ha. (Le voyant froncer les sourcils, je grimaçai.) Désolée. Quand je suis nerveuse, je plaisante.

—Et tu es nerveuse ?

Je soupirai et croisai les bras.

—Nous parlons de Célina. Est-ce que je suis plus forte qu'avant ? Oui. Mais elle a toujours des centaines d'années de plus que moi, et j'ai à peine entrevu ce dont elle est capable. De plus, nous nous trouverons en public. Même si j'arrive à me défendre, comment assurer la protection de toutes les personnes présentes ?

—Nous pourrions faire surveiller le festival par des gardes, suggéra Ethan.

—Non, répliquai-je. Ce serait trop risqué pour la Maison. Si Darius découvre où je suis allée, tu pourras affirmer que j'ai agi seule, sur un coup de tête. En fait, j'ai un plan.

J'avais déjà appelé Jonah à l'aide. Si Cadogan devait rester en dehors de cette histoire, peut-être que Noah serait d'accord pour que quelques membres de la Garde Rouge s'infiltrent dans la foule.

—Tu peux m'en révéler une partie, ou pas ?

Je lus de la curiosité dans son regard, mais aucun reproche. Même s'il avait envie de savoir ce que j'avais à l'esprit, il me laissait décider si je souhaitais lui en parler.

— Et ta possibilité de démenti, alors ? lui rappelai-je. Toi, tu diriges la Maison, et moi, je fais le nécessaire.

Ethan poussa un soupir avant de me caresser la joue.

— Je ne te l'ai pas dit assez souvent, mais je suis vraiment fier de la vampire que tu es devenue. Je voulais que tu le saches.

Il appuya son front contre le mien. Je fermai les yeux pour mieux m'imprégner de ses effluves suaves d'eau de Cologne.

— Sois prudente.

— Je ferai attention. Je te le promets.

Lorsque je m'écartai, je vis une pointe de culpabilité ternir son regard, et secouai la tête.

— Tu fais ton travail, lui assurai-je. Laisse-moi faire le mien.

Je priai pour que tout se passe bien, cette fois.

Il était illusoire d'espérer trouver une place de parking à proximité du festival, et je n'avais pas le temps d'attendre le métro. Tandis que je faisais un résumé de la situation à Luc, Lindsey m'appela un taxi, m'affirmant qu'elle déplacerait ma voiture plus tard. Ils étaient tous au courant des directives de Darius relatives à mon enquête et avaient néanmoins accepté de m'aider. À certaines occasions, il fallait agir, quelles qu'en soient les conséquences, et ce soir-là, ils étaient tous avec moi.

Une fois dans le véhicule, j'envoyai un message à Noah afin de lui demander des renforts. Il me donna presque aussitôt son accord et me précisa que je reconnaîtrais les membres de la GR à leurs vêtements : des tee-shirts faussement rétro portant l'inscription « Université de minuit ».

Le petit malin.

J'hésitai à appeler Jonah mais, étant donné que nous nous rendions dans un lieu public, il risquait de dévoiler son appartenance à la Garde Rouge et se retrouver dans la même position que moi, à subir les foudres de Darius West. Non, merci.

Le chauffeur me jetait sans cesse des coups d'œil furtifs dans le rétroviseur, comme s'il craignait que je mette en pièces l'écran de plastique qui nous séparait pour lui mordre le cou.

Je l'admets, l'idée de le taquiner me traversa l'esprit. Mais je ne m'appelais pas Célina. J'avais une conscience, une tâche à accomplir, et chatouiller le chauffeur de taxi avec mes crocs ne faisait pas partie du programme.

—Vous pouvez vous arrêter ici, déclarai-je en glissant quelques billets par la petite porte aménagée dans le plastique, une fois qu'il eut atteint la limite sud de Grant Park.

Je sortis de la voiture et, comme le chauffeur continuait à me dévisager avec insistance par la vitre, je lui fis signe de s'en aller.

—Ces humains, marmonnai-je en me dirigeant vers les chapiteaux et la foule.

La zone du parc où je me trouvais était quasi déserte, ce qui me permit de me préparer psychologiquement… et de commencer à paniquer.

J'étais assez bien entraînée pour faire bonne figure auprès d'Ethan, Luc et Malik, mais je devais être honnête : j'avais peur. Célina était plus puissante que moi, pourtant j'avais accepté de la rencontrer à ses propres conditions, à l'endroit et à l'heure qu'elle avait choisis. Elle menait le jeu, et j'avais peu de chances de gagner… ou de m'en tirer en un seul morceau.

J'avançai entre les arbres, le poignard caché dans ma botte, l'estomac noué en dépit des effluves de nourriture qui s'intensifiaient.

J'arrivai face à une barrière en vinyle orange qui délimitait le festival. Je sautai par-dessus puis me joignis à un groupe de fêtardes passablement ivres qui célébraient un enterrement de vie de jeune fille. Elles se dirigeaient vers l'allée principale, et je profitai ainsi d'un premier aperçu de mon champ de bataille. Des kiosques blancs étaient alignés le long de Columbus Drive. Les gens déambulaient dans le large passage entre les tentes, nourriture et boissons à la main. L'air était empli d'odeurs de friture, de bière, de transpiration et d'ordures auxquelles se mêlaient les parfums des participants. Le bourdonnement de milliers de conversations, le grésillement de la viande en train de cuire et le groupe de musique country qui jouait sur scène s'ajoutaient aux puissantes exhalaisons, saturant presque mes sens.

Je m'écartai de la cohue, m'arrêtai devant un stand et fermai les yeux jusqu'à ce que mon vertige s'atténue et que le monde autour de moi se réduise de nouveau à une clameur diffuse.

— Vous voulez des bons ?

J'ouvris un œil.

Une femme, portant sur sa hanche un bébé aux joues roses en train de pleurer, me tendait un carnet de tickets.

— Nous en avons trop, il se fait tard, et Kyle pique une crise. Il faut que je m'en aille. (Elle esquissa un sourire penaud.) Vous ne voudriez pas les acheter, par hasard ? Ils sont encore valables.

— Désolée, répondis-je poliment. Je n'ai besoin de rien.

Visiblement déçue, elle soupira puis s'éloigna d'un pas lourd, au rythme des hurlements de son bébé.

— Bonne chance, criai-je.

Elle abordait déjà quelqu'un d'autre. Ce n'était pas toujours à moi de jouer le rôle du sauveur.

Je contournai le kiosque pour rejoindre le flot de la foule, et me sentis presque aussitôt submergée. Mon estomac gronda, réveillé par toutes ces odeurs. Un vampire ne peut pas maîtriser sa faim bien longtemps. Je me promis de m'accorder un Snickers frit et une barquette de beignets de pommes de terre à l'issue de cette soirée, si j'en sortais indemne. D'accord, le menu laissait à désirer d'un point de vue nutritionnel, mais, de toute manière, j'avais peu de chances de voir ce souhait se réaliser.

Je m'approchai d'un panneau sur lequel figurait un plan des tentes. Après y avoir trouvé l'emplacement de celle du *Town*, je consultai ma montre. Presque 22 h 50. Plus que dix minutes avant l'heure fatidique.

Une main se referma sur mon bras. Je sursautai, m'attendant à rencontrer Célina, mais j'eus un autre genre de surprise. J'ignorais si c'était mieux ou pire.

— Bonjour, dit l'homme à mon côté.

Il s'agissait de McKetrick, qui avait échangé sa tenue de camouflage pour un jean et un tee-shirt noir. Pour passer inaperçu plus facilement, sans doute. Son visage se fendit d'un large sourire. Il aurait pu être séduisant, mais il me donnait la chair de poule.

Je retirai mon bras.

— Si vous êtes intelligent, partez tout de suite vous occuper de vos affaires.

—Merit, je dois m'occuper de vous. Vous êtes une vampire, et je suis prêt à parier que vous portez une arme ici même, dans ce lieu public. Ce serait irresponsable de ma part de vous laisser poursuivre votre chemin, vous ne croyez pas?

En tout cas, ça m'aurait bien arrangée, car je ne voyais pas comment lui expliquer que j'avais besoin d'être seule. Il péterait les plombs s'il apprenait que j'étais venue rencontrer Célina. D'ailleurs, l'heure tournait; il fallait que j'aille au kiosque du *Town*.

—Ce serait responsable de votre part de poursuivre votre propre chemin, rétorquai-je.

Il inclina la tête.

—Vous semblez préoccupée. Vous ne préparez pas un mauvais coup, j'espère? Ce serait vraiment malheureux.

—Je ne fais jamais de mauvais coup, lui assurai-je.

Bon, en revanche, les incidents avaient tendance à survenir quand j'étais dans les parages. Son apparition constituait d'ailleurs un parfait exemple.

—Étant donné que je m'occupais de mes affaires avant que vous m'interrompiez, c'est vous qui causez des problèmes, poursuivis-je.

—Si vous vous occupiez de vos affaires, vous seriez chez vous avec ceux de votre race.

Des éclats de voix me parvinrent, m'épargnant la peine de répondre à ces propos emplis de préjugés stupides. Je levai la tête. Un homme et une femme se chamaillaient en marchant, visiblement très énervés l'un contre l'autre.

—Vraiment, Bob? s'exclama la femme. Tu crois franchement que c'est intelligent de dépenser une semaine entière de salaire en tickets pour de la bouffe? C'est ce que tu penses ? Tu as envie de manger des kebabs et des frites pendant cinq jours ? Je ne devrais pourtant pas être surprise. C'est tout à fait le genre d'ineptie dont tu es capable.

— C'est ça, Sharon, remets-en une bonne couche ici, en public, où tout le monde peut nous entendre ! (L'homme, qui ne se trouvait qu'à quelques mètres de moi, tourna sur lui-même, bras levés.) Est-ce que vous avez tous bien entendu ma femme chérie ?

Les gens qui nous entouraient se mirent à rire nerveusement, se demandant s'ils devaient intervenir dans cette scène de ménage ou faire mine de ne rien avoir vu.

Je me posai la même question – jusqu'à ce que l'homme se trouve face à moi. Ce fut à cet instant que je remarquai le tee-shirt rouge sous sa veste, portant l'inscription « Université de minuit » en lettres blanches à demi effacées. Ce couple faisait partie des renforts de la GR.

Après m'avoir adressé un clin d'œil, l'homme s'immisça entre moi et McKetrick.

— Non mais franchement, monsieur, c'est le genre de comportement que vous attendez de votre femme, vous ? « Pour le meilleur et pour le pire » et tout le tintouin, ça ne signifie plus rien, alors ?

La femme s'avança pour planter un doigt menaçant dans la poitrine de son prétendu mari.

— Tu saisis vraiment tous les prétextes pour râler, hein, Bob ? J'en ai ras le bol. Vraiment. J'aurais dû écouter ma mère !

— D'accord, Sharon, parlons de ta mère ! Ta pauvre mère, seule et désespérée !

Une foule commença à s'amasser autour du couple, formant une barrière humaine qui m'éloigna davantage de McKetrick.

Deux gardes de la sécurité ne tardèrent pas à arriver, ajoutant deux humains – et deux armes – à la cohue.

Je profitai de l'occasion pour m'éclipser.

Lorsque j'eus trouvé le kiosque du *Town*, je me postai à côté, mais un quart d'heure puis une demi-heure s'écoulèrent sans que Célina se montre. Je maudis intérieurement McKetrick, certaine qu'il m'avait fait rater mon rendez-vous.

Alors que je me hissais pour la vingtième fois sur la pointe des pieds pour scruter les environs, une femme aux cheveux noirs passa en trombe à côté de moi, manquant de me faire tomber.

J'observai d'un œil distrait sa queue-de-cheval onduler tandis qu'elle s'éloignait, et ce ne fut qu'au moment où elle allait disparaître dans la foule que je sentis un picotement de magie dans l'air. Je ne l'avais pas reconnue, et ne l'aurais pas identifiée sans la puissante électricité qui flottait dans son sillage. Mon cœur s'emballa.

Avant qu'elle ait eu le temps de s'échapper, je lui agrippai le poignet.

22

LE DIABLE S'HABILLE EN ROBE BLEUE

Célina pivota lentement vers moi. Elle portait une robe bleu roi et des bottines, et avait les cheveux relevés en queue-de-cheval. Elle écarquilla les yeux, stupéfaite.

Bon, là, je ne comprenais plus rien. Pourquoi paraissait-elle surprise de me voir ?

Sans dégager son bras, elle s'approcha d'un pas.

— Si tu es futée, ma petite, lâche-moi, sinon tu risques de ne plus pouvoir te servir de ta main.

— Un ami commun m'a dit que tu voulais me rencontrer, l'informai-je.

Son expression changea presque instantanément. Elle étrécit les yeux, prit un air furieux et libéra un nuage menaçant de magie crépitante. Les humains continuaient à déambuler avec des en-cas ou des gobelets en plastique remplis de bière à la main, totalement inconscients de la proximité du réacteur magique qui était en train de dégager une quantité d'énergie capable d'illuminer le Loop.

— Ce petit merdeux, marmonna-t-elle avant de proférer une série de jurons de son cru.

Je supposai qu'elle parlait de Paulie, mais si elle ne s'attendait pas à me trouver là…

— Avec qui croyais-tu avoir rendez-vous ?

— Comme tu le sais pertinemment, et comme le PG te l'a rappelé, ma vie ne te regarde pas, lança-t-elle d'un air hautain. Tu n'as pas à te préoccuper de moi.

— Je me préoccupe de Chicago et de la Maison Cadogan.

— Tu appartiens à une Maison minable, et coucher avec ton Maître ne constitue pas vraiment un exploit, railla-t-elle d'un ton dédaigneux.

Je résistai à l'envie de procéder à un crêpage de chignon en règle, et me contentai de lui rendre son regard arrogant. Je ne sous-estimais pas Célina, son pouvoir ou le mal qu'elle était susceptible de me faire, mais j'étais fatiguée de la craindre. Si le PG avait l'intention de prétendre qu'elle ne constituait pas une menace, eh bien, j'allais faire de même.

— Ma vie ne te regarde pas non plus, ripostai-je. Je me fous que tu aies réussi à convaincre le PG que tu es une citoyenne modèle et que tu n'as rien à voir avec les problèmes que connaît cette ville. Je sais très bien que ce sont des conneries, et je n'ai pas peur de toi. Je ne crains pas non plus le PG, alors je te donne une chance de répondre à ma question. (J'enfonçai mes ongles dans la chair tendre de son bras.) C'est toi qui es à l'origine du trafic de V ?

En jetant un regard alentour, Célina parut se rendre compte que les gens commençaient à nous dévisager. La réaction qu'elle eut à cet instant dépassa tout ce que j'aurais pu imaginer, même en développant toute ma créativité.

— Peut-être, déclara-t-elle d'une voix suffisamment forte pour que tout le monde entende. Peut-être que j'ai contribué au trafic de V. Et alors ?

Je restai bouche bée. Célina venait d'annoncer à quelques milliers de personnes qu'elle était mêlée à cette histoire de drogue. Je ne m'y attendais pas, mais elle n'aurait jamais consenti à faire cette révélation si elle ne disposait pas d'une issue de secours. À quoi jouait-elle ?

Les humains autour de nous s'immobilisèrent, nous regardant désormais avec attention. Quelques-uns avaient sorti leurs téléphones pour filmer la scène.

— Quel est ton lien avec Paulie Cermak ? Je sais que tu l'as reçu à Navarre.

Elle éclata d'un rire sardonique.

— Paulie Cermak n'est qu'un vermisseau insignifiant. Il possède un entrepôt à Greektown où le V est stocké, et il a organisé le trafic depuis là-bas. C'est pour cette raison qu'aucune trace de drogue n'a été retrouvée chez lui. (Elle me jaugea du regard.) Ça m'intéresse de savoir comment tu l'as appris. C'est Morgan qui te l'a dit, non ? (Elle me détailla des yeux, de la tête aux pieds.) Tu lui as offert une compensation en échange de cette information ?

En plus du dégoût que m'inspirait cette suggestion, je ressentis un élan de sympathie envers Morgan. La folie de Célina n'excusait en rien son manque de fiabilité, mais l'expliquait en partie. S'il avait appris la fonction de Maître en suivant l'exemple de Célina, c'était probablement sans espoir.

— Et les raves ?

— Les raves étaient au centre de l'histoire, décréta-t-elle. La clé du système. Nous profitions de ces soirées pour mettre le V – et les humains – entre les mains des vampires.

Célina regarda autour d'elle et prit conscience qu'elle bénéficiait d'un auditoire attentif composé d'humains. Ils l'avaient reconnue, et se demandaient pourquoi, alors qu'elle était censée purger sa peine en Angleterre, elle se trouvait au beau milieu du festival à confesser les crimes qu'elle avait commis aux dépens des habitants de Chicago.

À sa place, je n'aurais pas fait la fière. Je me serais faufilée dans la cohue, tête baissée, et aurais tenté de m'échapper. Mais Célina n'était pas une vampire ordinaire. Ébahie par son audace, je l'observai haranguer la foule sans aucune trace de peur ou de regret dans le regard.

— Pendant trop longtemps, j'ai cru que les humains et les vampires pouvaient cohabiter. Qu'être un vampire signifiait réprimer certains besoins, travailler en bonne entente avec les humains, collaborer avec eux. (Elle se mit à décrire un cercle, offrant son sermon à l'assemblée.) J'avais tort. Les vampires doivent rester des vampires. De vrais vampires, fidèles à leur nature. Nous constituons un stade d'évolution supérieur aux humains. Le V nous rappelle qui nous sommes. Vous aussi, tous, pourriez accéder à notre force, à notre pouvoir. À notre immortalité !

— Vous avez tué des humains ! cria l'un des auditeurs. Vous méritez la mort !

Le sourire de Célina s'estompa. Elle avait retourné sa veste afin de tenter pour la deuxième fois de rentrer dans les bonnes grâces des humains, et avait de nouveau échoué. Elle ouvrit la bouche pour contrecarrer ces accusations, mais les mots que l'on entendit alors ne provenaient pas d'elle.

Quatre agents de police en uniforme surgirent à ses côtés. Trois d'entre eux pointèrent leur arme sur elle tandis que le quatrième lui saisissait les poignets. Il lui ramena les mains dans le dos avant de lui passer des menottes.

— Célina Desaulniers, vous avez le droit de garder le silence, déclara-t-il. Tout ce que vous direz pourra être utilisé contre vous devant un tribunal. Vous avez droit à un avocat. Si vous n'en avez pas les moyens, un avocat sera commis d'office. Avez-vous compris vos droits ?

Célina fit une tentative pour se débattre, et sa force obligea le policier qui la maintenait à fournir des efforts importants pour la contrôler. Au bout d'un moment, elle se figea et reprit une expression affable.

Ce qui n'augurait rien de bon.

— Elle va essayer d'utiliser son charme sur vous, avertis-je. Restez concentrés, et luttez. Elle ne peut rien vous imposer, elle va juste tenter de lever vos inhibitions. Demandez au Médiateur de vous rejoindre au poste, son équipe sera en mesure de vous aider.

Trois des policiers firent mine de ne pas m'entendre, mais le quatrième me manifesta sa gratitude d'un hochement de tête. Il leur était sans doute difficile d'accepter qu'une vampire fluette avec une queue-de-cheval leur fasse la leçon.

— Je n'ai pas besoin de les charmer, décréta Célina en me toisant de ses yeux bleus. Je serai libérée avant que tu aies eu le temps d'avertir ton amant que tu m'as trouvée ici. Oh, et profite bien de ta conversation avec Darius. Je suis certaine qu'il sera ravi d'apprendre ce que tu as fait.

Elle se laissa emmener, docile. Au bout de quelques instants, la foule qui s'était amassée se dispersa de nouveau, effaçant toute trace de la capture de Célina ou du discours d'embrigadement qu'elle avait prononcé.

Ce qui me permit de m'intéresser à la question cruciale : que venait-il de se passer, bon sang ?

Je restai immobile un moment, perplexe.

Quelque chose avait dû m'échapper. Ce dénouement paraissait bien trop simple, et me donnait l'impression d'une grotesque mise en scène. Célina ne s'attendait pas à me trouver là, et pourtant, elle n'avait pas hésité à avouer devant une multitude de témoins qu'elle avait aidé Paulie à distribuer la drogue et organiser les raves. Et ensuite, elle les avait exhortés à rejoindre la communauté des vampires.

Quel sens tout cela avait-il ?

Manifestement aucun. Même si je n'étais pas mécontente que Célina ne se promène plus en liberté dans la rue et se retrouve aux mains de la police, je ne parvenais pas à comprendre l'objectif qu'elle visait. Car elle n'agissait pas au hasard. Il me semblait impossible qu'une femme telle que Célina consente à confesser ses crimes sans en tirer un quelconque avantage. Ce devait être cela. Espérait-elle s'en sortir ? Se croyait-elle invulnérable parce qu'elle bénéficiait de la protection du PG ? Malheureusement, cette hypothèse ne paraissait pas totalement irréaliste.

Je ne savais pas à quoi elle jouait, mais j'étais persuadée que cette histoire n'était pas terminée. Les drames vampires ne connaissaient pas une fin aussi facile, d'habitude.

Je soupirai, puis sortis mon téléphone de ma poche, me préparant à faire un rapide compte-rendu à Ethan avant de me mettre à la recherche d'un taxi. Je ne suis pas sûre de ce qui m'incita à lever la tête, mais ce fut à ce moment-là que je le vis. Paulie était assis juste en face de moi à une petite table en plastique dans un kiosque où on servait de la bière. Deux gobelets vides étaient posés devant lui, et il en tenait un troisième, à demi plein. Il le souleva en me regardant, portant un toast en l'honneur de ma participation à la quelconque machination qu'il tramait.

Tout ceci n'avait donc constitué qu'une farce, du moins pour Paulie. Il avait piégé Célina, mais dans quel but ? Pour s'en débarrasser ? Avait-il voulu écarter sa partenaire, la femme qui attirait une attention indésirable sur toute cette affaire, afin de s'accaparer sa part du profit ?

Je m'apprêtais à m'élancer dans sa direction mais, avant que je puisse effectuer le moindre mouvement, je fus réduite à l'immobilité par le même flot humain qui m'avait séparée de McKetrick un peu plus tôt.

Une famille me barrait la route : la mère en tête, avec une poussette double dans laquelle dormaient deux enfants, puis le père, qui portait un tout-petit endormi et tirait un chariot rouge où était couché un quatrième bébé. Un véritable convoi.

Lorsque la caravane fut passée et que je relevai les yeux, Paulie avait disparu.

23

Démérites

J e ne savais pas exactement comment annoncer la nouvelle à Ethan. Comment dire à son patron que son ennemie, sans raison apparente, avait avoué ses actes diaboliques et s'était jetée de son plein gré dans les bras de la police de Chicago?

Il s'avéra que je n'eus pas besoin de le faire. Après m'être frayé un chemin parmi les manifestants et être entrée dans la Maison, je découvris la moitié des vampires rassemblés dans le salon, le regard rivé à l'écran plat qui était fixé au-dessus de la cheminée.

L'image montrait Tate devant une estrade, en costume gris charbon, les cheveux soigneusement coiffés, un sourire rassurant plaqué sur le visage.

« Nous avons appris aujourd'hui que Célina Desaulniers, que l'on pensait sous bonne garde au Royaume-Uni, se trouvait en fait à Chicago, où elle a continué à organiser le chaos qu'elle avait commencé à semer avant sa première capture. Nous avons également été informés qu'elle était responsable des récents accès de violence qu'a connus notre ville. Chicago peut à présent se sentir soulagée. La vie peut reprendre son cours, et les vampires pourront de nouveau être

considérés comme des citoyens à part entière, et non comme des ennemis. Soyez sans crainte, Mme Desaulniers restera en détention sous la responsabilité de la police de Chicago, dans un bâtiment que nous avons créé spécifiquement à l'intention des criminels surnaturels afin de les empêcher de nuire à la population. Je tiens tout particulièrement à remercier Merit, la Sentinelle de la Maison Cadogan. »

—Et merde! m'exclamai-je.

Une dizaine de vampires se tournèrent vers moi, prenant subitement conscience que je me trouvais derrière eux. Peut-être avaient-ils senti l'odeur de kebab et de Snickers frit qui imprégnait mes vêtements.

« Elle a largement contribué à localiser et appréhender Célina Desaulniers, poursuivit Tate. *Quelle que soit votre opinion au sujet des vampires, je vous demande, au nom de cette ville, de ne pas juger l'ensemble de cette communauté d'après les actes de quelques-uns de ses membres. »*

Mon bipeur se mit à vibrer. Je le décrochai et consultai l'écran, qui indiquait simplement « bureau ».

Je soupirai puis adressai un petit signe de la main aux personnes présentes dans la pièce.

—J'ai été ravie de vous connaître, leur assurai-je avant de tourner les talons.

Après avoir traversé le couloir en hâte, je trouvai la porte du bureau entrebâillée. Je poussai le battant et découvris Darius, Ethan et Malik assis à la table de réunion, Darius à la place principale, Malik et Ethan côté fenêtre.

Mon estomac, déjà noué, se contracta davantage à la vue de cette scène au symbolisme de mauvais augure.

—Entrez, Merit, et fermez la porte, ordonna Darius.

J'obéis, puis m'installai en face de Malik et Ethan, qui affichait une expression indéchiffrable. J'essayai d'oublier la tension qui me tordait le ventre, déterminée à ne pas céder à l'angoisse. Il était temps de parler.

—Monseigneur, puis-je me montrer franche?

J'entendis l'avertissement qu'Ethan m'envoya par télépathie, mais fis la sourde oreille. À un moment donné, il fallait arrêter de courber l'échine et affirmer ses opinions. Au point où j'en étais, je n'avais plus rien à perdre.

Darius me considéra quelques instants, puis dit:

—Allez-y.

—Le trafic de V s'étendait dans la ville. La drogue nuit aux vampires, aux humains, et à notre relation avec Chicago. Sans vouloir manquer de respect au PG, nous vivons ici, et pas sur un autre continent. Nous ne pouvions pas nous contenter de fermer les yeux. Les métamorphes et les humains nous ont déjà dans le collimateur. Si nous n'avions rien fait, la guerre que les sorciers ont prédite aurait éclaté. Je suis la Sentinelle de cette Maison, et j'ai agi dans l'intérêt de Cadogan, même si cet intérêt, selon vous, ne coïncide pas avec celui du PG.

Une fois que j'eus terminé, Darius se tourna vers Ethan.

—Les événements de ce soir ne donnent pas une image reluisante des Maisons d'Amérique et du Présidium de Greenwich. Nous ne devrions pas nous retrouver impliqués dans une altercation en plein milieu d'un festival populaire de l'une des plus grandes villes des États-Unis. (Il posa les yeux sur moi.) Nous n'avons pas besoin de ce genre de publicité ou de ces mélodrames. Par contre, il nous faut respecter l'autorité, la hiérarchie, ce que nous avons fait depuis des siècles en nous intégrant aux humains. Nous poursuivrons de cette manière.

(Son regard devint aussi froid que de la glace, tout comme le sang dans mes veines.) Merit, considérez que le PG vous blâme pour ce que vous avez fait. Votre dossier sera annoté en conséquence. J'espère que vous avez conscience de la gravité de cette mesure.

En fait, je n'en avais aucune idée, mais peu importait. J'avais l'impression que l'on venait de me gifler, que l'on bafouait tous les sacrifices auxquels j'avais consenti, toutes les décisions que j'avais prises depuis que j'avais été transformée en vampire.

J'essayai de tenir compte de l'avertissement muet que m'adressait Ethan, mais j'en avais assez que le PG se serve de moi comme bouc émissaire.

Je me levai et redressai les épaules.

—Est-ce que l'annotation que vous mettrez dans mon dossier reflétera le fait que j'ai réussi à retrouver Célina et qu'elle a avoué être à l'origine du trafic de V ? qu'elle a contribué à l'organisation des raves dans le but d'instaurer le nouvel ordre mondial qu'elle imaginait – et duquel le PG semble exclu, soit dit en passant ? Comptez-vous préciser que j'ai permis sa capture, épargnant ainsi bien des soucis ultérieurs au PG et à la ville ?

Darius ne broncha pas.

—Célina doit être considérée avec le respect qui est dû à tout membre du PG.

—Elle a mis entre les mains des vampires une drogue dangereuse susceptible de les mener à leur perte, de les faire emprisonner. C'est une criminelle, une meurtrière. Qu'elle soit membre du PG ou non n'y change rien, il fallait l'arrêter. J'étais une habitante de Chicago avant d'être vampire, et si j'ai l'occasion d'aider cette ville, d'agir pour son bien, je la saisis. Et je me fous de ce qu'en pense le PG.

Silence.

—Votre dossier sera annoté, et vos démérites y apparaîtront. Bien que je trouve votre audace intéressante (il se tourna vers Ethan), je vous recommande vivement de contrôler votre Maison et vos vampires.

Ethan resta de marbre, les yeux rivés sur Darius.

—Avec tout le respect que je vous dois, Monseigneur, je ne contrôle pas mes vampires, lança-t-il. Je les dirige. Merit a agi avec ma permission, et s'est montrée à la hauteur de ses responsabilités de vampire Cadogan et de Sentinelle. Elle a défendu son Maître, sa Maison et ses camarades avec générosité. Elle a protégé cette ville de la criminelle que le PG a jugé bon de laisser en liberté. Si ce qu'elle a fait ne vous plaît pas, alors annotez mon dossier, et non le sien. Je lui fais entièrement confiance. Elle n'a bravé mon autorité par aucun de ses actes. Je la considère digne de sa mission de Sentinelle, et je soutiens sa position envers le PG.

Lorsqu'il me regarda, ses yeux verts étincelaient comme deux émeraudes. Il venait de prendre mon parti, de défier son propre Maître pour moi, d'affirmer le respect qu'il me portait.

J'étais ébahie, époustouflée, émue aux larmes, et extrêmement nerveuse, à la fois à cause du sentiment qu'il avait exprimé et de ses implications politiques.

La réaction surprenante d'Ethan et la chaleur avec laquelle il m'avait soutenue n'ébranlèrent pas le moins du monde Darius, qui demeura inflexible. La Maison souffrirait les conséquences de cette histoire.

—Il me paraît urgent de prononcer la mise sous tutelle, déclara-t-il. Au vu des circonstances actuelles, la Maison Cadogan ne peut se passer de la supervision du PG. Je compte sur vous pour accueillir le curateur avec respect et lui autoriser l'accès à toutes les données nécessaires, comme si vous aviez affaire à moi. Me suis-je bien fait comprendre ?

— Oui, Monseigneur, répondit Ethan en serrant les dents.

— Dans ce cas, cette réunion est terminée. Charlie a appelé un taxi qui doit nous conduire à l'aéroport. (Il repoussa sa chaise, se leva et se dirigea vers la porte.) Ne vous donnez pas la peine de me raccompagner.

Le silence régna tandis qu'il traversait la pièce mais, à quelques mètres de la sortie, il s'arrêta et se retourna.

— D'une manière ou d'une autre, avec ou sans votre approbation, le curateur remettra cette Maison en ordre. Je vous suggère de vous faire à cette idée.

Il tourna ensuite les talons et quitta le bureau, fermant la porte derrière lui d'un geste sec.

Ethan posa les coudes sur ses genoux et se passa une main dans les cheveux.

— Nous avons fait ce qu'il fallait. Le PG prendra les mesures qu'il juge nécessaires.

— Ils se conduisent comme des enfants naïfs, intervint Malik, une expression farouche sur le visage. Je conçois que tu traites Darius avec déférence, Ethan, mais son attitude est complètement irrationnelle. Il devrait remercier Merit et Cadogan d'avoir écarté le danger. Et au lieu de ça, il envoie un curateur ? Il punit la Maison pour les crimes qu'a commis Célina ?

— Non, pour avoir rendu ses crimes publics, corrigea Ethan. Plus que les actions que nous avons entreprises, il nous reproche le tort que nous avons, selon lui, causé au PG. (Il poussa un soupir.) Si seulement tu lui avais planté un pieu dans le cœur quand l'occasion s'est présentée.

J'avais bien essayé, mais j'avais mal visé.

— Ce n'est pas terminé, les avertis-je. Célina a avoué beaucoup trop facilement, et Paulie court toujours. Je suis certaine qu'elle l'a déjà dénoncé à la police – elle aime avoir un bouc émissaire –, mais, d'une façon ou d'une autre, ce n'est pas fini.

— En ce qui nous concerne, si, répliqua Ethan. Nous avons fait tout ce que nous pouvions pour la ville concernant cette affaire. Tate est satisfait, nous avons atteint notre objectif.

L'épuisement et la déception que je lisais dans ses yeux me dissuadèrent de le contredire. Je n'avais pas envie d'alourdir encore son fardeau.

— Profitez du reste de la soirée pour vous reposer, déclara-t-il en se levant sans croiser notre regard. Allez dormir. Nous nous réunirons demain afin de réfléchir à la manière de gérer la mise sous tutelle.

À l'instar de Malik, je hochai docilement la tête et l'observai traverser la pièce, puis franchir le seuil.

Je m'étais contentée de faire mon travail, rien de moins, rien de plus. Pourquoi est-ce que je me sentais si mal, alors?

Dans le but de me changer les idées, je rejoignis Lindsey dans sa chambre pour une séance de lavage de cerveau devant la télévision. Cela me permit de passer le temps, mais n'apaisa ni les crampes qui me nouaient l'estomac ni la tension qui me comprimait la poitrine.

Deux heures plus tard, je me levai sans faire de bruit, me faufilai entre les vampires assis par terre et me dirigeai vers la porte.

—Tu vas où ? demanda Lindsey en inclinant la tête d'un air inquisiteur.

—Retrouver quelqu'un, répondis-je.

Je marchai d'un pas nerveux vers ses appartements, redoutant que, en me rendant chez lui alors que nous étions tous les deux émotionnellement épuisés, il m'incite à abaisser les barrières que je m'efforçais d'ériger entre nous. Et pire encore, je craignais que nous ne soyons plus jamais les mêmes après cette nuit, que la Maison demeure marquée à jamais par ces événements.

Je restai cinq bonnes minutes devant chez lui à serrer et desserrer le poing, hésitant à frapper.

Finalement, lorsque je n'y tins plus, je poussai une profonde expiration et me décidai à taper à la porte. Le son résonna dans le couloir, troublant le silence qui y régnait.

Ethan ouvrit.

—J'allais me coucher, annonça-t-il, l'air exténué. Tu avais besoin de quelque chose ?

Il me fallut quelques secondes pour rassembler mon courage avant de formuler la question que j'étais venue lui poser.

—Je peux rester avec toi ?

De toute évidence, ma demande le stupéfia.

—Rester avec moi ?

—Ce soir. Rien de physique. Juste…

Ethan glissa les mains dans ses poches.

—Juste ?

Je plongeai mes yeux dans les siens, laissant la peur, la frustration et la lassitude s'exprimer dans mon regard. J'étais trop fatiguée pour m'expliquer, pour me pencher sur les conséquences de cette requête, pour me battre à la fois contre le PG et contre lui.

J'avais besoin de compagnie, d'affection, d'être avec quelqu'un en qui j'aie confiance et qui me fasse confiance en retour.

Et j'avais besoin que ce soit Ethan qui m'offre tout cela.

— Entre, Merit.

Je franchis le seuil. Il ferma derrière moi puis éteignit les lumières. La lueur de la lampe de chevet qui filtrait par la porte de sa chambre constituait à présent l'unique source d'éclairage.

Sans prononcer un mot, il posa les mains sur mes bras et pressa ses lèvres sur mon front.

— Si «juste» est tout ce que tu peux m'accorder pour l'instant, alors je m'en contenterai.

Je fermai les yeux, l'enlaçai et donnai libre cours à mes larmes.

— Et s'il me considère désormais comme une ennemie? demandai-je. S'il décide que me bannir – ou laisser Célina m'éliminer – est la solution pour garder le contrôle sur les Maisons?

— Tu es une vampire Cadogan. Tu t'es dévouée corps et âme pour ta Maison, et mon rôle est de te protéger. Tu es ma Sentinelle, ma Novice. Aussi longtemps que je vivrai, je veillerai sur toi. Tant que cette Maison existe, tu y es chez toi.

— Et si Darius essaie de la détruire à cause de ce que j'ai fait?

Ethan poussa un soupir.

— Si c'est le cas, c'est que Darius est aveugle et que le PG n'est pas à la hauteur de la mission qu'il s'est assignée. Le Présidium est censé veiller sur les vampires et assurer leur pérennité.

Je reniflai et enfouis mon visage dans la douceur de sa chemise. Son eau de Cologne sentait le propre et le savon, comme des serviettes ou des draps fraîchement lavés. Ce parfum étrangement rassurant permit d'apaiser un peu mon angoisse.

Ethan s'écarta pour se diriger vers le bar situé à l'autre bout de la pièce. Il remplit deux verres à Cognac d'un liquide ambré contenu dans une carafe en cristal. Après avoir replacé le bouchon, il revint vers moi et me tendit l'un des verres. Je trempai mes lèvres dans l'alcool et ne pus retenir une grimace. La liqueur était sans doute d'excellente qualité, mais elle avait un goût d'essence et laissait la gorge en feu.

— Bois, m'encouragea Ethan. Tu vas voir, ça s'améliore à chaque gorgée.

Je secouai la tête et lui rendis le verre.

— Tu veux dire qu'on finit par apprécier quand on est complètement ivre ?

— C'est un peu ça.

Ethan vida son verre d'un trait avant de le poser à côté du mien sur la table la plus proche.

Il me prit la main, entrelaça ses doigts aux miens puis me conduisit vers sa chambre. Il ferma derrière nous les deux battants de bois précieux finement ouvragé, nous isolant des humains, des métamorphes, du PG et des vampires drogués.

Pour ce qui me sembla la première fois depuis des jours, je respirai.

Ethan ôta sa veste avant de la poser sur le dossier d'un fauteuil. Après avoir enlevé mes chaussures, je restai un moment debout sans bouger, soudain consciente que je n'avais pas pensé à emporter de vêtements tellement j'avais eu hâte de le retrouver.

— Tu veux un tee-shirt ? demanda-t-il.

J'esquissai un faible sourire.

— Ce serait gentil.

Ethan me rendit mon sourire puis, tout en déboutonnant sa chemise, traversa la pièce en direction d'une imposante commode. Il ouvrit un tiroir dans lequel il fouilla avant de sortir un tee-shirt imprimé qu'il me tendit. Je le dépliai, contemplai le motif et souris.

— Tu n'aurais pas dû.

Le slogan disait : « Sauvons notre nom ». Il s'agissait de l'un des tee-shirts qui avaient été fabriqués dans le cadre d'une campagne destinée à défendre la dénomination de Wrigley Field. Il me plaisait beaucoup.

Ethan gloussa, puis disparut dans sa penderie. Je me déshabillai pour enfiler ma chemise de nuit improvisée, qui m'arrivait quasiment à hauteur des genoux. Je me débarrassai ensuite des coussins d'ornement qui encombraient son lit monumental, me glissai entre les draps frais en coton et fermai les yeux.

Il s'écoula plusieurs minutes, ou peut-être plusieurs heures avant qu'il me rejoigne et éteigne les lumières. Déjà à demi endormie, je n'eus que vaguement conscience de son corps pressé contre le mien. Il enroula son bras autour de ma taille et m'attira contre lui.

— Détends-toi, ma Sentinelle, me susurra-t-il à l'oreille. Dors.

Il m'avait promis qu'il se montrerait patient, qu'il attendrait que je sois prête, qu'il ne m'embrasserait plus avant que je le lui demande.

Il tint ses engagements.

Je me réveillai au milieu de la journée. Les volets métalliques empêchaient les rayons du soleil de pénétrer dans la chambre. J'étais terriblement sensible à la proximité d'Ethan… et au désir qu'il éveillait en moi.

Nous nous étions éloignés dans notre sommeil, mais je me blottis de nouveau contre lui, espérant presque qu'il réagisse en me donnant un baiser. Toutefois, il se contenta de glisser un doigt dans mes cheveux d'un geste plus rassurant qu'érotique.

Cela ne me suffisait pas.

—Ethan, marmonnai-je.

En dépit du soleil qui brillait au-dehors, mon cœur se mit à battre la chamade. Mais j'avais beau en mourir d'envie, je fus incapable de franchir le pas. Je ne parvins pas à prendre l'initiative de l'embrasser. Une partie de mon hésitation était sans doute due à ma fatigue et à l'effet du jour qui me forçait à sombrer dans l'inconscience jusqu'au crépuscule. Le reste, toutefois, provenait de la peur paralysante que je ressentais. La peur qu'avec ce baiser je lui offre aussi mon cœur, au risque de le voir de nouveau brisé.

J'étais en proie à un véritable conflit intérieur, mes craintes contrebalancées par le désir puissant de le toucher, d'obtenir ce que je souhaitais, de l'embrasser passionnément, même si ce n'était pas la chose la plus intelligente à faire.

Comme s'il avait deviné le dilemme qui me déchirait, il me caressa les cheveux.

—Dors, Sentinelle. Le moment où tu seras prête viendra. En attendant, reste tranquille et repose-toi.

24

Cherchez la femme[*]

C'était le jour de la rentrée, au lycée. Une femme de vingt-huit ans n'avait sans doute rien à faire là, mais je marchais dans le couloir avec un cahier neuf et un stylo à la main, mal à l'aise. J'avais oublié de m'inscrire et, apparemment, en dépit de mes diplômes universitaires, je me retrouvais en classe de seconde.

Je m'assis à un bureau trop petit pour moi et essayai de déchiffrer les pattes de mouches qui recouvraient le tableau, des équations du second degré que je me sentais incapable de résoudre. Quand je regardai autour de moi, je m'aperçus que tous les autres élèves noircissaient avec application des feuillets agrafés. Il s'agissait d'un examen.

Un par un, ils posèrent les yeux sur moi et se mirent à taper du poing sur la table.

« Boum ». « Boum ». « Boum ».

— Ouvre la porte, m'ordonna une fille aux longs cheveux blonds.

— Pardon ?

— Je t'ai demandé d'ouvrir la…

_____

[*] En français dans le texte. (*NdT*)

427

Je me réveillai en sursaut et me redressai aussitôt, juste à temps pour voir Ethan sortir de la chambre. Je me frottai le visage avec les mains jusqu'à ce que je sois certaine de ne pas être perdue dans un lycée au milieu d'élèves bien plus jeunes que moi.

Je l'entendis ouvrir puis fermer la porte. J'essayai de lisser mes cheveux hirsutes qui, j'en étais sûre, me donnaient l'air d'un épouvantail, écartai d'un geste les couvertures et me rendis dans la pièce voisine, pieds nus.

—Qu'est-ce qui se passe?

Ethan me tendit le combiné d'un téléphone sans fil.

—C'est Jeff. Il veut te parler, et on dirait que c'est urgent.

Les sourcils froncés, je m'emparai du téléphone.

—Jeff? Qu'est-ce qu'il y a?

—Désolé de te déranger, mais j'ai réussi à dénicher de nouvelles informations au sujet de Paulie Cermak et de son passé criminel.

—Tu es au courant que Célina a été arrêtée, non?

—Oui, et aussi qu'un mandat d'arrêt contre Cermak a été délivré. Oh, au fait, j'ai entendu dire que celui d'Ethan a été déchiré, félicitations. Mais ce n'est pas pour ça que j'appelle.

—Qu'est-ce que tu as appris?

—J'ai trouvé l'original du rapport de police qui mentionne l'identité de la victime. En tout cas, son nom de famille et la première lettre de son prénom. Il s'agit d'un ou d'une P. Donaghey, de Chicago…

Je l'interrompis, perplexe.

—Jeff, ce nom me dit quelque chose. (Je fermai les yeux afin de fouiller dans mes souvenirs, mais ne parvins

428

pas à me rappeler où je l'avais entendu.) Tu peux faire une recherche sur Google ?

— Pas de problème, affirma-t-il aussitôt avant de pianoter sur son clavier. Oh, merde.

— Quoi ?

— P. Donaghey correspond à Porter Donaghey. Il s'était présenté contre Tate aux municipales, la première fois.

Je savais à présent pourquoi Paulie me semblait familier.

— Paulie Cermak a frappé l'adversaire de Seth Tate au visage.

Ethan ouvrit des yeux grands comme des soucoupes.

— Attends, ce n'est pas tout, poursuivit Jeff. J'ai devant moi des photos qui ont été prises pendant la campagne. On voit Tate sur le podium, et on distingue Paulie au fond, derrière lui.

— Envoie les images à Luc, à l'adresse qu'il t'a déjà donnée, lui intimai-je. (Une autre idée me vint à l'esprit.) Jeff, dans le document que tu as consulté, est-ce que le nom de celui qui a représenté Paulie apparaît ? L'avocat qui a exigé que le dossier soit scellé, je veux dire.

— Euh, attends, laisse-moi le temps de regarder.

Il resta muet quelques instants. Seuls me parvinrent quelques sifflements nerveux, puis :

— Oh putain !

J'avais quelqu'un de bien précis en tête.

— C'était Tate, n'est-ce pas ?

— C'était Tate, confirma Jeff. Cermak a donné un coup de poing à l'opposant de Tate, et Tate l'a blanchi. Ils se connaissent.

Le téléphone toujours pressé contre mon oreille, je me tournai vers Ethan.

— Je crois que cette histoire n'est pas terminée, Jeff. Si Paulie était impliqué dans le trafic de drogue et les raves avec la complicité de Célina, et que Paulie et Tate se connaissent, quel rôle le maire joue-t-il exactement dans cette affaire ?

— Quelle est ta théorie ? me demanda Ethan à voix basse.

— Tate est sous pression. Il doit rassurer les habitants de Chicago au sujet des vampires. Il décide alors de passer à l'action : il crée un problème, et le résout. Abracadabra, sa cote de popularité augmente de vingt pour cent.

— Oh, je dois absolument en parler à Chuck, déclara Jeff.

— Vous pouvez demander un mandat d'arrêt contre Tate ?

— Avec si peu de preuves ? Non. Rien de précis ne relie Tate à la drogue, aux raves ou à Célina. Le fait que Paulie et lui se connaissent ne suffit pas.

— Comment ça, ça ne suffit pas ? Que faut-il de plus ?

— C'est toi, la Sentinelle. Trouve quelque chose.

Je raccrochai et posai les yeux sur Ethan, consternée par ce que je venais d'apprendre.

— Je savais que ce n'était pas terminé, assura-t-il. J'étais du même avis que toi quand tu l'as dit hier, mais j'avais besoin de croire que nous pouvions nous accorder quelques heures de répit.

— Nous avons eu ces quelques heures de répit, fis-je remarquer avec un sourire. Dans le cas contraire, je ne me trouverais pas chez toi en tee-shirt, les cheveux tout ébouriffés.

—C'est vrai. Ta coiffure est indescriptible.

—Tu es drôle au réveil, Sullivan.

—Et toi, tu es adorable. Je suppose qu'il est temps d'aller t'attirer de nouveaux ennuis ?

—Mon dossier va déjà être annoté. Mieux vaut cumuler les blâmes plutôt qu'augmenter encore la pression que subit la Maison. (Je me hissai sur la pointe des pieds pour lui donner un baiser sur la joue.) Appelle Luc et Malik, qu'ils se tiennent prêts pour la suite des événements. Je retourne chez Paulie.

—Attends, ordonna-t-il.

Avant que j'aie pu lui demander ce qu'il voulait, il tira sur mon tee-shirt afin de m'attirer vers lui. Il m'embrassa avec fougue puis me repoussa si brusquement que faillis tomber.

—C'était quoi, ça ? m'exclamai-je d'une voix rauque.

Il m'adressa un clin d'œil.

—Le baiser que tu me devais. Maintenant, pars traquer ta proie, Sentinelle.

Vingt minutes plus tard, habillée et équipée de mon katana, je me dirigeais vers Garfield Park. Ethan, Luc et Malik, dans la salle des opérations, étaient prêts à m'envoyer des renforts, espérant toutefois impliquer la Maison le moins possible. Ils avaient également convié Jeff au cas où j'aurais besoin d'assistance informatique.

Malheureusement, je sus que quelque chose clochait dès que je m'engageai dans l'allée de Cermak. La porte du garage était ouverte et la Mustang ne s'y trouvait plus. La maison, plongée dans l'obscurité, paraissait avoir été désertée. Même les rideaux en dentelle bon marché qui ornaient les fenêtres avaient été enlevés.

Je me garai un peu plus loin, le long du trottoir.

—J'étais pourtant près du but, merde! grommelai-je en sortant mon téléphone afin d'avertir toute l'équipe. Il a filé, annonçai-je à Luc dès qu'il décrocha. La Mustang n'est plus là, et la maison est vide.

Ce fut à cet instant que ma chance tourna.

—Attends, dis-je avant d'éteindre le moteur.

Je me tassai sur mon siège, les yeux braqués sur le rétroviseur. La Mustang apparut dans le virage, puis s'arrêta. Paulie sortit du véhicule et se précipita vers le garage.

—Qu'est-ce qui se passe, Sentinelle? demanda Ethan.

—Il est revenu. Il court vers le garage. Peut-être qu'il a oublié quelque chose.

En effet, à peine dix secondes plus tard, Paulie reparut avec… un volant à la main.

—Il est allé chercher un volant, allez savoir pourquoi, rapportai-je à l'équipe.

Paulie n'imaginait sans doute pas se faire pincer à cause d'un accessoire de voiture. Le malheur des uns fait le bonheur des autres…

Au bout de quelques instants, la Mustang s'engagea de nouveau sur la route. J'attendis qu'elle m'ait dépassée pour démarrer le moteur, et entrepris de la suivre.

—Il est reparti, je le prends en filature, poursuivis-je. Il a plusieurs dizaines de mètres d'avance, espérons qu'il ne me repérera pas.

—Dans quelle direction va-t-il?

—Euh, vers l'est pour le moment. Il va peut-être au Loop?

—Il se pourrait qu'il ait l'intention d'aider Célina à s'évader? suggéra Malik.

—Si Tate et lui sont alliés, il n'a pas besoin de se donner cette peine. En tout cas, je vous tiens au courant.

Je raccrochai et posai le téléphone, puis me concentrai afin de suivre Paulie. Sa manière de conduire m'horripilait : il avait la chance de posséder une voiture puissante, mais se comportait comme s'il risquait à chaque instant de perdre son permis. Il prêtait attention à chaque panneau et avançait avec une lenteur incroyable. Bien entendu, avec le mandat d'arrêt qui avait été délivré contre lui, je comprenais qu'il fasse en sorte d'éviter d'avoir affaire à la police.

Il lui fallut vingt minutes pour arriver au Loop, mais il ne s'y arrêta pas. Il poursuivit vers le sud, ce qui me rendit nerveuse.

Je recontactai l'équipe.

—Envoyez des renforts, suggérai-je. Il se dirige vers Creeley Creek.

N'ayant aucune intention de trahir ma présence trop tôt, je dépassai le portail d'entrée de la résidence du maire et me garai quelques rues plus loin. Après avoir passé mon katana à la ceinture, je me faufilai sans bruit dans la propriété en sautant par-dessus la grille. J'étais persuadée qu'il devait y avoir des gardes, mais n'en vis aucun. Je contournai le bâtiment en jetant des regards furtifs par les longues fenêtres horizontales percées dans les murs, et enfin, je les aperçus. Tate était assis à son bureau, en face de Paulie, qui parlait avec animation.

Mais ils n'étaient pas seuls. Qui donc était perché sur le bureau du maire ?

Célina Desaulniers.

Je fermai les yeux, maudissant ma naïveté. Pourquoi Célina aurait-elle avoué en public avoir commis des actes affreux ? Parce que sa relation avec Tate l'assurait d'en sortir indemne.

Elle avait sans doute tout planifié. Séduire le maire, s'acoquiner avec un dealer, et fabriquer une drogue destinée à rappeler aux vampires leur nature de prédateurs, pour ensuite se délecter du spectacle qu'elle avait mis en scène : des vampires libérés de toute inhibition, invitant les humains à se joindre à la fête. Et cela en toute impunité.

Je n'aurais pas été surprise d'apprendre qu'elle avait soumis Tate grâce à son charme. D'accord, c'était un politicien, mais il m'avait semblé sincèrement se soucier de sa ville. Célina avait-elle tout manigancé en lui faisant miroiter un accroissement de sa cote de popularité ?

À cet instant, je la haïssais de tout mon cœur.

La colère l'emportant sur la peur, je revins sur mes pas jusqu'à une terrasse toute proche, la traversai aussi discrètement que possible et essayai d'ouvrir la porte qui s'y trouvait. Par chance, elle n'était pas verrouillée. Je suivis à pas de loup un couloir qui menait à la pièce dans laquelle je les avais vus, et entrai.

Ils se tournèrent tous vers moi.

Paulie fut le premier à réagir. Il recula, se rapprochant de l'un des coins de la salle pour s'éloigner de la vampire furieuse qui venait de faire irruption.

J'avançai d'un pas et fermai la porte derrière moi.

—Charmante réunion, commentai-je.

Tate sourit avec nonchalance.

—Ces jeunes vampires ne connaissent plus les bonnes manières. Vous n'avez même pas la patience d'attendre qu'on vous invite à entrer.

Son ton désinvolte m'inquiéta – et m'incita à me demander s'il subissait encore l'influence du charme de Célina. Je poussai la garde de mon sabre avec le pouce, dégainai et me rapprochai. Inutile de prétendre que j'étais venue pour une visite de courtoisie.

Je pointai mon katana sur Célina.

—C'est toi qui as tout manigancé.

Elle se mordilla un ongle.

—Je n'ai rien à me reprocher, comme le PG n'a cessé de te le répéter. Qu'est-ce que tu fais là, d'ailleurs ?

Elle roula des épaules, comme si elle était agacée.

Je plissai les yeux pour mieux l'observer dans l'éclairage tamisé.

—Lève la tête et regarde-moi, Célina.

De manière étonnante, elle m'obéit. Je pus enfin voir ses yeux : ses iris paraissaient immenses, et étaient presque totalement argentés. Elle ne tirait pas les ficelles ; elle avait été droguée.

Je m'étais trompée. Une fois de plus.

Je me tournai vers Tate.

—Vous la contrôlez grâce au V ?

—En partie seulement. J'étais certain que vous vous montreriez dès que vous auriez fait le lien entre M. Cermak et moi. Quand le rapport de police a été ouvert, j'ai reçu une alerte. J'ai pensé que ce serait intéressant de pimenter un peu le jeu. J'ai entendu dire que Mme Desaulniers était redoutable au combat, et j'ai décidé de tester les effets du V sur une femme déjà réputée pour son talent. La drogue améliore-t-elle ses performances ? Les altère-t-elle ? En tant qu'ancienne chercheuse, vous devez apprécier ma méthodologie.

—Vous êtes fou.

Il fronça les sourcils.

—Même pas, malheureusement.

Célina sauta à terre et longea le bureau en faisant glisser un doigt sur le plateau. Je conservai mon sabre pointé sur elle, tout en gardant un œil sur Tate.

—Vous m'avez dit que vous ne la contrôliez qu'en partie grâce au V. Avec quoi d'autre la maintenez-vous en votre pouvoir?

Il se contenta de me sourire, et, à ce moment, je sentis une vibration magique dans l'air. Il ne s'agissait pas du même genre de crépitement électrique que provoquaient Mallory ou Catcher, mais d'une émanation plus lourde, presque huileuse, qui imprégnait toute la pièce.

Je déglutis afin de réprimer une montée d'angoisse. Je commençais toutefois à comprendre.

—C'est vous qui avez introduit la magie dans la drogue.

—Bravo. Je me demandais si vous et vos acolytes aviez découvert ce détail. Disons que c'est une sorte de signature.

—Vous êtes quoi, exactement?

Je connaissais une partie de la réponse: il n'était pas humain. J'ignorais pourquoi je ne l'avais pas senti auparavant, mais, à présent, j'en étais certaine. La magie écrasante qu'il produisait n'avait rien à voir avec celle de Mallory ou de Catcher.

Il se pencha en avant et croisa les mains sur le bureau, l'air grave.

—Au risque de paraître incroyablement prétentieux, je suis ce qui pouvait arriver de mieux à cette ville.

L'ego de cet homme n'avait-il donc aucune limite?

—Vraiment? En créant le chaos? En droguant les vampires et mettant des vies humaines en péril? (Je désignai Célina.) En libérant une criminelle?

Tate se carra dans son fauteuil et leva les yeux au ciel.

— Ne prenez pas un ton si mélodramatique. Souvenez-vous que Célina a avoué être à l'origine du trafic de drogue. Un dénouement très commode. Il fallait bien que je la récompense un peu, du moins ici, dans l'intimité de ma maison.

Je supposai que c'était lui qui avait organisé mon rendez-vous avec Célina au festival et planifié sa confession. Elle était passée aux aveux car elle savait que Tate la libérerait. D'autre part, ses révélations servaient les intérêts du maire en lui permettant de « résoudre » l'affaire du V. Je jetai un coup d'œil à Célina. Elle s'était immobilisée à côté du bureau et paraissait ne pas prêter la moindre attention à la conversation. Elle se mit à tambouriner nerveusement sur le plateau avec ses doigts. Le V devait commencer à faire effet. Elle devenait de plus en plus agitée.

— Franchement, Merit, je suis surpris de constater que vous restez insensible à l'aubaine que constitue le V pour vos semblables, déclara Tate.

— On se sent vraiment vampire, psalmodia Célina d'un ton monocorde.

— Elle a raison, ajouta Tate. Le V lève les inhibitions. Vous allez peut-être me trouver cruel, mais j'étais persuadé que cela permettrait de débarrasser la communauté vampire de ses membres indésirables. Ceux qui consomment du V méritent la prison.

— Ainsi, vous essayez de piéger les vampires.

— Je dirais plutôt que j'applique une politique d'urbanisme ingénieuse. Il s'agit de contrôle démographique par la sélection des populations. Il me semble que vous résistez au charme. Cela vous rend-il différente ?

meilleure ? Vous n'avez pas les mêmes faiblesses que les autres. Vous êtes plus forte, vous avez une plus grande maîtrise de vous-même.

Je fis un mouvement de la pointe du katana en direction de Célina.

—Allez droit au but, Tate.

—Vous vous rendez compte de l'équipe que nous pourrions former ? Vous êtes l'icône des bons vampires. Vous volez au secours des humains au risque d'encourir les foudres du PG, d'être punie pour vos actions. Ils vous adorent. Vous aidez à assurer la sécurité et l'équilibre de cette ville. Et c'est ce dont nous avons besoin si nous voulons que les vampires et les humains coexistent.

—Je n'accepterai jamais de travailler avec vous. Vous croyez vraiment que vous allez vous en tirer, alors que vous avez manipulé les vampires et causé la mort de plusieurs humains, et mis en danger la vie de bien d'autres ?

Il me dévisagea d'un regard glacial.

—Ne soyez pas naïve.

—Je ne le suis pas. Ne justifiez pas vos crimes par je ne sais quelle excuse bidon du genre « c'est comme ça que le monde fonctionne ». Le monde ne fonctionne pas comme ça, mon grand-père en est la preuve. Vous n'êtes qu'un fou égocentrique.

Célina tambourina de plus en plus vite avec ses doigts, mais, quelle que soit la manière dont Tate la contrôlait, elle s'avérait efficace. Elle n'agirait pas tant qu'il ne lui en donnerait pas l'autorisation.

—Je peux la tuer, maintenant, s'il te plaît ? supplia-t-elle.

Tate leva la main afin de la réduire au silence.

—Attends un peu, ma chérie. Et votre père, il n'est pas fou, lui ?

Je secouai la tête, troublée par ce brusque changement de sujet.

— Mon père n'a rien à voir dans cette histoire.

Les yeux écarquillés de stupeur, Tate éclata d'un rire rauque et sans joie.

— Rien à voir ? Merit, votre père est impliqué dans tout ce qui vous est arrivé depuis que vous êtes devenue une vampire.

— Qu'est-ce que vous insinuez ?

Il me regarda comme s'il se trouvait face à une petite fille crédule.

— Pourquoi croyez-vous avoir été choisie pour être transformée en vampire, parmi les millions d'habitants de Chicago ?

— Mon père n'y est pour rien. Célina a essayé de me tuer. Ethan m'a sauvé la vie.

Alors même que je prononçais ces mots, mon estomac se tordit sous l'effet de l'appréhension. Confuse, je rabaissai mon sabre.

— Je sais, vous me l'avez déjà expliqué. Répéter les mensonges n'en fait pas une vérité, Merit. C'était une incroyable coïncidence qu'Ethan se soit justement trouvé sur le campus à ce moment-là, non ?

— Il s'agissait d'une coïncidence.

Tate fit claquer sa langue.

— Vous êtes plus intelligente que ça. Vous croyez franchement qu'il était là par hasard ? Vous ne pensez pas qu'il aurait été bénéfique pour votre père d'avoir un vampire dans la place – sa propre fille – une fois que les émeutes seraient terminées ? quand les humains se seraient faits à l'idée de cohabiter avec des créatures à crocs ?

Il esquissa un sourire cruel, puis les mots jaillirent de sa bouche comme du poison.

— Et si je vous disais qu'Ethan et votre père avaient conclu ce que nous pourrions appeler un marché ?

Le sang martela mes tempes, et je serrai si fort la poignée du katana que la jointure de mes doigts blanchit.

— Fermez-la.

— Oh, allons, ma chérie. Maintenant que j'ai commencé à vous dévoiler ce petit secret, vous ne voulez pas en connaître tous les détails ? Vous n'avez pas envie de savoir quelle somme lui a versé votre père ? Combien d'argent Ethan, son complice, a accepté pour vous rendre immortelle ?

Un voile noir s'abattit devant mes yeux tandis que les souvenirs me submergeaient. Ethan et Malik se trouvaient sur le campus de l'Université de Chicago à l'instant précis où j'avais été attaquée. Ethan connaissait mon père avant que je le lui présente, et il m'avait droguée afin de faciliter la transition biologique qui devait faire de moi une vampire.

J'avais cru qu'il avait agi ainsi parce qu'il se sentait coupable de m'avoir transformée sans mon consentement.

Sa culpabilité était-elle causée par le fait qu'il avait obéi à la volonté de mon père ?

Non. Cela ne pouvait pas être vrai.

Comme si mes pensées s'étaient matérialisées, Ethan fit soudain irruption dans la pièce, les yeux étincelants de fureur. Il était venu m'apporter son aide.

Tate n'avait pas disparu, mais je ne le voyais plus. Mon regard restait braqué sur Ethan. La peur puissante qui me rongeait était aveuglante, assourdissante. Mon sang rugissait dans mes veines.

Ethan s'approcha de moi et me sonda du regard, mais je ne trouvai pas les mots pour formuler la question qui me brûlait les lèvres.

—Ça va ? me demanda-t-il. Tes yeux sont argentés. (Il se tourna vers Tate, le suspectant sans doute d'avoir attisé ma faim.) Que lui avez-vous fait ?

Je serrai encore plus fort la poignée de mon katana, la corde s'enfonçant dans ma paume, et me forçai à parler.

—Tate m'a dit que tu avais rencontré mon père. Qu'il t'avait payé pour que tu fasses de moi une vampire.

J'avais envie qu'il me réponde que c'était faux, qu'il ne s'agissait que d'un mensonge de plus inventé par un politicien sur le point de perdre pied.

Mais sa réponse me brisa le cœur.

—Merit, je peux tout expliquer.

Les larmes se mirent à rouler sur mes joues tandis que je criais mon chagrin.

—Je te faisais confiance !

—Ce n'est pas ce que tu crois...

Avant qu'il ait pu terminer son excuse, il tourna brusquement les yeux sur le côté.

Célina s'avançait, un pieu acéré à la main.

—Il faut que je le fasse, gémit-elle. Finissons-en.

—Attends, Célina, l'avertit Tate. Ce n'est pas encore ton tour.

Elle ne se laissa pas dissuader.

—Elle m'a déjà assez gâché la vie comme ça, poursuivit-elle. Elle ne va pas ruiner ce moment, en plus.

Avant que je puisse la contredire, elle lança le pieu. Qui vola droit sur moi.

441

Sans une hésitation, avec la rapidité d'un vampire âgé de plusieurs siècles, Ethan s'élança devant moi afin de faire bouclier et d'empêcher l'arme de m'atteindre.

Le pieu le frappa en pleine poitrine.

Et lui transperça le cœur.

L'espace d'un instant, le temps s'arrêta, et Ethan me regarda, ses yeux verts emplis de douleur. La seconde d'après, il avait disparu, et le pieu retomba au sol dans un claquement. Là où se tenait Ethan, il n'y avait plus qu'un tas de cendres. C'était tout ce qui restait de lui.

Je n'eus pas l'occasion de réfléchir.

Célina, à présent totalement sous l'emprise du V, avait saisi un autre pieu. Je ramassai celui qui avait roulé à terre et le lançai, priant pour qu'il atteigne son but, cette fois.

J'avais visé juste.

Il alla se ficher dans son cœur et, après une seconde qui me parut interminable, elle disparut, elle aussi. De la même manière qu'Ethan, elle se réduisit à un tas de cendres. Mon instinct de conservation cédant le pas au choc, je baissai les yeux.

Je vis deux cônes de poussière sur le tapis.

Tout ce qui restait d'eux.

Elle était morte.

Et lui aussi.

Je pris soudain conscience de ce qui venait de se passer. Tandis que les autres se ruaient dans la pièce, je me couvris la bouche de la main, étouffant un hurlement, et tombai à genoux, sans forces.

Il était parti.

Malik, Catcher, mon grand-père et deux officiers en uniforme avaient surgi dans la salle. Luc les avait sans doute prévenus. Je regardai Tate. Il était toujours assis à son bureau, et, à part un léger crépitement magique dans l'air, rien n'indiquait qu'il ait été le moins du monde ébranlé par ce qui s'était déroulé dans sa maison.

Je ne lui permettrais pas de s'en tirer ainsi.

— C'est Tate qui a organisé le trafic de V, annonçai-je, prostrée au sol. Il a drogué Célina et l'a fait sortir de prison. Elle est morte. (Je baissai de nouveau les yeux vers les cendres.) Ethan s'est interposé pour me protéger, et elle l'a tué. Ensuite, je l'ai tuée, elle.

Le silence s'abattit sur la pièce.

— Merit est bouleversée, elle ne sait plus ce qu'elle dit. (Il désigna Paulie, qui se précipitait vers une fenêtre au fond du bureau.) Comme vous le soupçonniez déjà, il me semble, voilà votre coupable. Il vient d'avouer.

Paulie protesta violemment lorsque les policiers l'agrippèrent, l'empêchant de fuir.

— Espèce de fils de pute ! Tu crois que tu vas t'en tirer aussi facilement ? Tu penses pouvoir m'utiliser comme ça ?

Il échappa un instant à la poigne des officiers, et ceux-ci parvinrent de justesse à le maîtriser avant qu'il se jette à la gorge de Tate.

— C'est sa faute ! rugit-il, cloué au sol, levant juste assez la tête pour fusiller Tate du regard. Il a tout manigancé. C'est lui qui a tout organisé : il a trouvé une propriété municipale abandonnée pour servir d'entrepôt, il a chargé quelqu'un de fabriquer la drogue et a monté le circuit de distribution.

Tate poussa un soupir exaspéré.

— Arrêtez de vous ridiculiser, monsieur Cermak. (Il regarda mon grand-père, une expression compatissante sur le visage.) Il a sans doute goûté aux substances qu'il vend.

— Tu me prends pour un abruti ? s'exclama Cermak, les yeux exorbités. J'ai des cassettes, connard. J'ai enregistré toutes nos conversations parce que j'étais sûr que si ça tournait mal, tu n'hésiterais pas à me jeter en pâture aux loups.

Tate blêmit, et tous ceux qui se trouvaient dans la pièce se figèrent, indécis.

— Vous avez gardé ces enregistrements, monsieur Cermak ? demanda mon grand-père.

— J'en ai des dizaines, annonça-t-il avec fierté. Tous dans un coffre-fort. J'ai la clé autour du cou.

L'un des policiers plongea la main dans la chemise de Cermak, puis en tira une petite clé plate suspendue à une chaîne.

— Je l'ai, dit-il en la montrant.

Voilà les preuves dont nous avions besoin.

Tous les regards convergèrent vers Tate, qui triturait le col de sa chemise.

— Je suis sûr que nous allons faire la lumière sur cette histoire, hasarda-t-il.

Mon grand-père adressa un signe de tête à Catcher, et les deux hommes s'avancèrent vers le maire.

— Pourquoi ne pas poursuivre cette discussion au poste ?

Quatre officiers supplémentaires apparurent dans l'encadrement de la porte. Tate les invita à entrer avant de hocher la tête en direction de mon grand-père.

— Pourquoi pas ? répondit-il poliment.

Il regarda droit devant lui lorsqu'il quitta la pièce, escorté par un sorcier, le Médiateur et quatre policiers.

Les deux autres agents emmenèrent Paulie.

Le silence s'installa.

Quelques minutes à peine devaient s'être écoulées depuis que j'avais lancé le pieu, mais j'avais l'impression que cela remontait à des heures, ou même des jours. Il me semblait que je me trouvais hors du temps, qu'il filait alors que j'étais – enfin – immobile.

Je demeurai agenouillée sur le luxueux tapis, les mains sur les genoux, totalement démunie devant ce qui restait des deux vampires. J'avais plus ou moins conscience des vagues de chagrin et de haine qui déferlaient tour à tour en moi, mais aucune émotion ne parvenait à percer l'épaisse carapace que le choc avait formée, me permettant de ne pas m'effondrer.

—Merit, dit une voix forte et impérieuse.

La voix de Malik. Son ton morne, désespéré, m'incita à lever les yeux. Les siens étaient ternes, emplis de douleur et d'abattement.

—Il est parti, sanglotai-je, inconsolable. Il est parti.

Malik me soutint tandis que l'on collectait les cendres de mon ennemie et de mon amant dans des urnes noires qui furent scellées puis emportées.

—Merit, nous devons y aller, insista-t-il lorsque les autres furent partis. Tu ne peux plus rien faire ici.

Il me fallut un moment pour comprendre la raison de sa présence. Pourquoi il se tenait à mon côté, attendant de me raccompagner à la Maison.

Il avait été le Second d'Ethan.

Mais il ne l'était plus.

Parce qu'Ethan était mort.

La tristesse et la rage me tirèrent de mon hébétude. Je me serais écroulée si Malik ne m'avait entourée de son bras pour me soutenir.

— Ethan !

Je me débattis alors que les larmes ruisselaient sur mes joues, essayant de m'écarter de Malik.

— Lâche-moi ! hoquetai-je. Lâche-moi ! Lâche-moi !

Les gémissements et les plaintes émanant de ma gorge ressemblaient davantage aux cris d'un animal blessé qu'à ceux d'une femme. Je luttai pour échapper à son étreinte, la peau brûlante là où il m'agrippait fermement le bras.

— Lâche-moi !

— Merit, arrête, calme-toi, m'intima mon nouveau Maître.

Mais je n'entendais que la voix d'Ethan.

25

La résignation

Cette nuit-là, Cadogan célébra les funérailles publiques de son Maître : huit énormes *taiko*, des tambours japonais, furent alignés le long de l'allée, et les percussionnistes battirent en rythme un chant funèbre lorsque les cendres d'Ethan furent amenées dans la Maison.

J'assistai à la procession depuis l'entrée. En marque de respect, et afin d'escorter Ethan dans la mort, Scott et Morgan marchaient en tête, suivis par Malik qui, en transportant la dépouille de son prédécesseur dans un caveau sécurisé du sous-sol de Cadogan, accomplissait son premier acte officiel en qualité de nouveau Maître.

Une fois que l'urne eut été placée dans le tombeau et que celui-ci eut été refermé à clé, les joueurs de tambour changèrent de cadence, passant d'un rythme rageur et rapide à des pulsations lentes et mélancoliques, reflétant les émotions qui se succédaient en moi.

Le chagrin, pesant, m'accablait, mais j'étais également habitée par une colère et une peur tout aussi puissantes. Même si je pleurais la perte d'Ethan, je redoutais qu'il ait participé aux combines de mon père en me transformant en vampire contre de l'argent, par simple intérêt financier.

J'avais envie de le frapper, de lui hurler dessus, de sangloter, crier et lui rouer la poitrine de coups de poing, de lui demander de s'expliquer, de se justifier, de me démontrer son innocence.

Mais c'était impossible, car il était mort.

La vie – et le deuil – continuait, sans lui.

La Maison fut drapée de soie noire, comme une œuvre de Christo au cœur de Hyde Park, un monument dressé en l'honneur d'Ethan, symbole de la perte que nous déplorions tous.

Une cérémonie privée réservée aux vampires Cadogan eut également lieu sur la rive du lac Michigan.

Plusieurs cercles de pierres se trouvaient le long du sentier au bord du plan d'eau. On se rassembla à l'intérieur de l'un d'eux, tous vêtus de noir en signe de deuil. Je restai avec Lindsey, main dans la main, le regard perdu sur la surface lisse du lac. Luc se tenait à côté d'elle, les doigts entrelacés aux siens, le chagrin ayant apparemment eu raison des barrières qu'avait érigées Lindsey entre eux.

Un homme que je ne connaissais pas prononça un discours sur les joies de l'immortalité et la longue existence qu'Ethan avait eu la chance de mener. Quelle que soit sa durée, la vie paraissait toujours trop courte, surtout lorsque c'était quelqu'un d'autre qui décidait d'y mettre brutalement un terme.

Malik, vêtu d'une mante noire, porta des fleurs d'amarante rouge sang jusqu'à la berge. Il les jeta à l'eau avant de se tourner vers nous.

—Dans *Le Paradis perdu*, Milton dit que l'amarante s'est épanouie sur l'arbre de vie. Quand l'homme a commis le péché originel, ces fleurs ont été transférées au paradis, où elles croissent encore. Ethan a dirigé cette Maison avec sagesse et amour. Espérons qu'à présent il demeure là où l'amarante ne fane jamais.

Après avoir prononcé ces paroles, il retourna auprès de sa femme, qui serra sa main dans la sienne.

Lindsey sanglota et me lâcha pour se blottir contre Luc. Il ferma les yeux, soulagé, et l'entoura de ses bras.

Je restai seule, contente de les voir ensemble. L'amour fleurit comme l'amarante, naissant au moment même où des êtres s'éteignent.

Une semaine s'écoula. La Maison et ses vampires portaient toujours le deuil de leur Maître, mais la vie continuait.

Malik s'installa dans la pièce qu'occupait Ethan. Il ne toucha pas à la décoration, mais s'assit à son bureau. Malgré les murmures désapprobateurs que j'entendais dans les couloirs, je ne lui en voulais pas. Après tout, il fallait bien gérer Cadogan, du moins en attendant l'arrivée du curateur.

De Capitaine, Luc fut promu au rang de Second. Il semblait plus à l'aise en chef des gardes qu'en cadre ou vice-président, mais il accepta sa nouvelle situation avec dignité.

Le premier adjoint au maire prit la place du play-boy déchu accusé d'avoir organisé le trafic de drogue et trempé dans l'affaire des raves avec Célina.

La Maison Navarre était elle aussi en deuil. La mort de Célina, ancienne Maîtresse et fondatrice de la Maison, fut célébrée avec solennité.

Je ne reçus aucun blâme du PG pour avoir causé sa perte, mais je supposai que le curateur aurait une petite idée sur la question.

Les drames semblaient se succéder sans fin.

Durant toute cette période, je restai cloîtrée dans ma chambre. La Maison était plongée dans le silence. Je n'entendis pas le moindre rire de toute la semaine. Nous formions une famille, et notre père nous avait quittés. On ne pouvait nier la compétence de Malik, mais c'était Ethan qui avait transformé la plupart d'entre nous. Nous étions biologiquement liés à lui, connectés. Sa mort nous anéantissait.

Je passai mes nuits noyée dans un océan d'émotions contradictoires. Je n'avais plus goût à rien. Le sang, l'amitié, la politique, la stratégie, les affaires de la Maison me laissaient indifférente. Plus rien ne m'importait, à part mes propres sentiments et souvenirs.

Les journées étaient encore pires.

Lorsque le soleil se levait, mon esprit n'attendait que de sombrer dans le néant, et tout mon corps réclamait le repos. Mais je n'arrivais pas à faire abstraction des pensées qui tournaient en boucle dans ma tête. Je ne pouvais pas arrêter de penser à lui, et ne le voulais pas, car je portais son deuil. Les moments que nous avions vécus ensemble me revenaient en mémoire : la première fois que je l'avais vu au rez-de-chaussée de la Maison Cadogan ; la première fois qu'il m'avait battue en duel ; l'expression de son visage lorsque j'avais bu son sang ; la fureur qui s'était lue dans son regard quand il avait été à deux doigts de frapper un métamorphe pour avoir osé me manquer de respect.

Toutes ces images se déroulaient dans mon esprit comme un film. Un film que, même épuisée, il m'était impossible d'interrompre.

Je ne me sentais pas capable de regarder Malik en face. J'ignorais ce qu'il savait exactement lorsqu'il avait accompagné Ethan sur le campus cette nuit-là, mais il avait au moins dû s'interroger sur les circonstances étranges de ma transformation. Je lui reconnaissais le droit de gérer la Maison comme il l'entendait, mais n'étais pas prête à lui jurer loyauté. Pas tant que je n'aurais pas plus d'informations. J'avais besoin de m'assurer qu'il ne s'était pas associé à l'équipe qui m'avait vendue au plus offrant. Ma rage m'apporta un certain réconfort en me faisant oublier une partie de mon chagrin.

Mallory ne voulait pas me laisser seule et dormit toute la semaine sur un matelas posé au sol dans ma chambre. Je n'avais guère plus conscience de sa présence que du reste. Le huitième jour, elle en eut assez.

Lorsque le soleil disparut derrière l'horizon, elle alluma la lumière et arracha la couverture du lit.

Je me redressai, clignant des yeux, éblouie par la lampe.

— Qu'est-ce que tu fous ? m'exclamai-je.

— Tu as fait le zombie toute la semaine, ça suffit. Il est temps de reprendre le cours de ta vie.

Je me rallongeai et me tournai vers le mur.

— Je ne suis pas prête.

Le matelas se creusa lorsqu'elle s'assit à côté de moi, et elle posa la main sur mon épaule.

— Si, tu es prête. Tu as mal et tu es en colère, mais tu es prête. D'après Lindsey, il manque un garde depuis que Luc est devenu Second. Tu devrais être en bas en train de les aider.

—Je ne suis pas prête, protestai-je sans tenir compte de ses arguments. Et je ne suis pas en colère.

Elle poussa un soupir incrédule.

—Ah bon ? Eh bien, c'est dommage. Tu devrais être furax qu'Ethan ait comploté avec ton père.

—Tu n'en sais rien.

J'avais répondu machinalement. Je me sentais trop hébétée et fatiguée pour prêter attention à ce qu'elle disait.

—Et toi, tu le sais ? Tu étais humaine, Merit. Et tu as dû renoncer à ta vie pour quoi ? pour qu'un vampire puisse remplir son coffre avec quelques billets supplémentaires ? (Je levai la tête quand elle sauta du lit en faisant de grands gestes des bras.) Tu crois qu'il n'aimait pas l'argent ?

—Arrête.

—Non. C'est toi qui dois arrêter de pleurer le type qui t'a pris ton humanité. Il était de mèche avec ton père. Ton père, Merit. Il s'est entendu avec lui pour te tuer et te transformer en vampire.

La colère commença à monter en moi, m'échauffant le sang. Je savais ce qu'elle essayait de faire – me ramener à la vie –, mais cela ne rendait pas ses propos plus agréables.

—C'est faux.

—Si tu en étais convaincue, tu serais dehors, et pas en train de comater dans cette piaule qui sent le renfermé. Si tu le croyais vraiment innocent, tu porterais son deuil normalement, avec les autres vampires Cadogan, au lieu de rester cloîtrée ici parce que tu as peur de connaître la vérité, peur d'apprendre que ton père a payé Ethan pour faire de toi une vampire.

Je me figeai.

—Je n'ai pas envie de savoir… parce que ça pourrait être vrai.

—Je sais, ma chérie. Mais tu ne peux pas continuer comme ça. Ce n'est pas une vie. Ethan serait furieux de te voir prostrée dans ta chambre, angoissée à l'idée qu'il puisse être coupable alors que tu n'es sûre de rien.

Je soupirai et grattai une tache de peinture sur le mur.

—Qu'est-ce que je dois faire, alors ?

Mallory s'assit de nouveau à côté de moi.

—Va rendre visite à ton père, et pose-lui la question.

Les larmes se mirent à rouler sur mes joues.

—Et si c'est vrai ?

Elle haussa les épaules.

—Au moins, tu seras fixée.

Comme le soleil venait de se coucher, j'appelai avant de partir afin de m'assurer que mon père se trouvait chez lui… puis je sautai dans ma voiture et conduisis comme si le diable était à mes trousses.

Sans prendre la peine de frapper, je franchis le seuil comme une fusée avec la même énergie que celle que j'avais consacrée à me lamenter durant une semaine. Je réussis même à arriver avant Pennebaker, le majordome, devant la porte coulissante du bureau de mon père.

—Il est occupé, annonça Pennebaker en me toisant d'un air austère du haut de sa silhouette squelettique quand je posai la main sur la poignée.

Je me retournai vers lui.

—Il me recevra, lui affirmai-je avant de pousser la porte.

Ma mère était installée dans un fauteuil club en cuir, et mon père était assis à son bureau. Ils levèrent les yeux lorsque j'entrai.

—Merit, ma chérie, tout va bien ?

— Ça va, maman. Je n'en ai que pour une minute.

Elle glissa un regard vers mon père et, après que celui-ci eut évalué l'intensité de ma colère, il hocha la tête.

— Si tu allais nous faire du thé, Meredith ?

Ma mère opina puis s'approcha de moi, posa une main sur mon bras et m'embrassa sur la joue.

— Nous sommes désolés de ce qui est arrivé à Ethan, ma chérie.

Je lui montrai autant de gratitude que possible. À cet instant, je n'en avais pas beaucoup à offrir.

Quand la porte coulissante fut de nouveau fermée, mon père porta les yeux sur moi.

— Tu as réussi à faire arrêter le maire.

Il avait parlé d'un ton irrité. Il avait soutenu Tate pendant des années, et, à présent, il devait construire une nouvelle relation avec son successeur, ce qui n'arrangeait pas ses affaires, bien entendu.

Je m'avançai vers son bureau.

— Le maire s'est fait arrêter parce qu'il le méritait, précisai-je. Je me suis contentée de lever le masque sur ses activités. (Mon père grogna, visiblement peu satisfait par mon explication.) De toute manière, ce n'est pas pour ça que je suis venue.

— Qu'est-ce qui t'amène, alors ?

Je déglutis afin de dominer mon angoisse, puis finis par le regarder droit dans les yeux.

— Tate m'a dit que tu avais offert de l'argent à Ethan pour qu'il fasse de moi une vampire, et qu'il avait accepté.

Mon père se pétrifia. Une vague de peur me submergea, et je dus m'agripper au dossier du fauteuil qui se trouvait devant moi pour rester debout.

—Alors, c'est vrai ? lançai-je d'une voix rauque. Tu l'as payé pour qu'il me transforme en vampire ?

Il s'humecta les lèvres.

—Je lui ai proposé de l'argent, en effet.

Je m'effondrai et tombai à genoux, écrasée par le chagrin.

Mon père n'esquissa pas le moindre geste pour me réconforter et poursuivit :

—Il a refusé. Il n'a pas voulu le faire.

Je fermai les yeux. Des larmes de soulagement roulèrent sur mes joues, et je fis une prière silencieuse.

—Nous ne nous entendons pas très bien, toi et moi. Je n'ai pas toujours pris les bonnes décisions en ce qui te concerne. Je ne te demande pas de me pardonner. J'attendais beaucoup de toi, et de tes frères et sœurs... (Il se racla la gorge.) À la mort de ta sœur, j'ai été anéanti, Merit. Terrassé par le chagrin. J'ai fait pour toi tout ce que je n'avais pas pu faire pour elle. (Il dirigea les yeux vers moi, les yeux dont j'avais hérité.) Je n'ai pas pu sauver Caroline, alors je t'ai donné son nom, et j'ai essayé de te sauver.

Je comprenais la douleur qu'il avait dû ressentir en perdant sa fille, mais ne voyais pas pourquoi il s'était pris pour Dieu.

—Tu as essayé de me sauver en me transformant en vampire sans mon consentement ? en payant quelqu'un pour m'agresser ?

—Je n'ai payé personne, corrigea-t-il, comme si l'intention ne suffisait pas à faire naître le moindre sentiment de culpabilité chez lui. Et tout ce que je voulais, c'était t'offrir l'immortalité.

— Tu m'as forcée à devenir immortelle. Tu affirmes n'avoir payé personne, mais un vampire à la solde de Célina m'a attaquée. Pourquoi moi ?

Il détourna le regard.

Soudain, je compris.

— Quand Ethan a refusé, tu es allé voir Célina. Tu lui as proposé de l'argent pour faire de moi une vampire.

Elle avait sans doute parlé de son marché avec Ethan, ce qui expliquait sa présence sur le campus.

Ethan avait veillé sur moi. Il m'avait sauvé la vie… à deux reprises. La douleur me transperça de nouveau le cœur.

Mon père baissa le regard vers moi.

— Je n'ai pas donné d'argent à Célina. Plus tard, j'ai compris qu'elle avait eu vent de ce que j'avais proposé à Ethan. Elle était… mécontente que je ne lui aie pas fait la même offre.

Mon sang se glaça dans mes veines.

— Célina a envoyé ses sbires pour me tuer, et elle a provoqué la mort d'autres filles qui me ressemblaient.

Les pièces du puzzle se mirent en place. Célina s'était sentie humiliée par un humain, et elle avait reporté son ressentiment sur sa fille – et des femmes qui avaient la même apparence qu'elle. Je secouai la tête, accablée. Tant de vies gâchées par l'arrogance d'un seul homme.

— J'ai agi pour le bien de ma famille, affirma mon père, comme s'il lisait dans mes pensées.

J'hésitais entre la colère et la pitié. Si sa conception de l'amour se réduisait à cela…

— Je connais la valeur de l'amour inconditionnel, fondé sur le partage et pas sur le contrôle. Ce dont tu parles n'a rien à voir avec l'amour.

Je tournai les talons et me dirigeai vers la porte.

— Je n'ai pas terminé, déclara-t-il d'une voix faible et sans conviction.

Je lui jetai un dernier regard.

— Pour ce soir, si.

L'avenir nous dirait s'il avait d'autres fautes à se faire pardonner.

Le soleil brillait, m'indiquant qu'il s'agissait d'un rêve. J'étais allongée dans l'herbe fraîche et épaisse, en jean et débardeur, sous un ciel d'un bleu limpide, caressée par les doux rayons. Je fermai les yeux et m'étirai, me délectant de cette agréable chaleur. Cela faisait des mois que je n'avais pas vu la lumière du jour, et la sensation du soleil qui me réchauffait la peau et le corps m'apportait autant de plaisir qu'un orgasme.

— C'est vraiment si délicieux que ça ? demanda une voix enjouée derrière moi.

Tournant la tête sur le côté, je découvris un regard vert rieur.

— Bonjour, Sentinelle.

Même si je savais qu'il ne s'agissait que d'un rêve, les larmes me montèrent aux yeux lorsque je le vis devant moi.

— Salut, Sullivan.

Ethan se redressa légèrement et appuya la tête sur son bras. Il portait son habituel costume noir, et je pris un moment pour admirer sa silhouette élancée. Quand je finis par reposer le regard sur son visage, je souris.

— Est-ce que je rêve ? demandai-je.

— Étant donné que le soleil ne nous a pas carbonisés, je suppose que oui.

Je repoussai une mèche blonde qui lui retombait sur le front.

— On se sent seuls, sans toi.

Son sourire s'estompa.

— Vraiment ?

— La Maison semble vide.

— Ah bon. (Il acquiesça puis s'allongea de nouveau, un bras derrière la tête.) Et je ne te manque pas du tout, j'imagine ?

— Pas trop, répondis-je doucement.

Je le laissai me prendre la main et entrelacer ses doigts aux miens.

— Eh bien, je crois que si j'étais vivant, je serais vexé.

— Moi, je crois que si tu étais vivant, tu surmonterais cet affront, Sullivan.

Le son de son rire me réjouit. Je fermai de nouveau les yeux tandis que nous nous prélassions dans l'herbe sous les rayons du soleil de l'après-midi, main dans la main.

J'avais encore les yeux fermés lorsqu'il cria mon nom :

— Merit !

Je me réveillai en sursaut au moment où un coup de tonnerre retentit. La pluie tambourinait contre les vitres. Je sautai du lit et allumai la lumière, certaine que la voix que j'avais entendue – la voix d'Ethan – provenait de ma propre chambre.

Cela m'avait paru tellement réel. Ethan m'avait paru tellement réel.

Mais j'étais seule.

Le soleil s'était couché, et il avait disparu. Je me laissai retomber sur le matelas, mon cœur cognant dans ma poitrine, et gardai le regard braqué sur le plafond, de nouveau écrasée par la douleur de sa mort.

Cependant, cette douleur valait encore mieux que la sensation de vide et d'angoisse que j'avais ressentie auparavant. Il n'était plus là, mais je savais désormais qu'il était toujours l'homme en lequel j'avais appris à croire. Je conservais le souvenir des instants que nous avions partagés, et si les rêves constituaient le seul moyen de le retrouver, je m'en contenterais.

Après m'être lavé le visage et avoir relevé mes cheveux en queue-de-cheval, j'enfilai une tenue propre et descendis au rez-de-chaussée. Comme c'était le cas depuis deux semaines, le silence régnait dans la Maison. L'ambiance était lugubre, les vampires portant encore le deuil de leur seigneur.

Pour la première fois depuis sa mort, je traversai Cadogan comme une guerrière, et non comme un zombie. J'avançai avec détermination et, même si mon cœur pleurait toujours Ethan, au moins, à présent, je pouvais laisser libre cours à mon chagrin sans que la colère ou la haine entachent mes émotions.

La porte du bureau était fermée.

Le bureau de Malik, désormais.

Décidée à faire face à mon nouveau Maître, je levai la main et frappai.

Il était temps que je me remette au travail.

EN AVANT-PREMIÈRE

Découvrez la suite des aventures des
VAMPIRES DE CHICAGO
(version non corrigée)

Bientôt disponible chez Milady

Traduit de l'anglais (États-Unis) par Sophie Barthélémy

1

Défier la gravité

Un vent vif soufflait en cette fraîche nuit d'automne. Un croissant de lune se prélassait dans le ciel, si bas qu'on avait l'impression de pouvoir le toucher.

Ou peut-être m'apparaissait-il ainsi parce que j'étais perchée au huitième étage de la bibliothèque Harold Washington, sur l'étroite grille métallique qui couronnait le bâtiment. Au-dessus de moi, l'une des chouettes en aluminium emblématiques de l'édifice – l'un des plus beaux éléments architecturaux de la ville ou l'un des pires, selon les avis – semblait m'observer, suivant les mouvements de l'intruse qui avait osé pénétrer sur son territoire.

Au cours des deux mois qui venaient de s'écouler, je m'étais rarement aventurée hors de ma Maison de Hyde Park si ce n'était pas pour manger – je vivais à Chicago, après tout – ou rendre visite à ma meilleure amie Mallory. Lorsque je jetai un coup d'œil en contrebas, je commençai à regretter ma décision de sortir ce soir-là.

La bibliothèque ne valait certes pas un gratte-ciel, mais une chute de cette hauteur-là serait sans conteste fatale pour un humain.

Ma gorge se serra et chacun des muscles de mon corps m'intima de me rouler en boule et de m'agripper fermement au bord de la grille.

— Ce n'est pas aussi haut que ça le paraît, Merit.

Je considérai le vampire qui se tenait à ma droite. Jonah, celui qui m'avait convaincue de venir, gloussa et écarta une mèche de cheveux auburn de son visage aux traits délicatement ciselés.

— C'est bien assez haut, répliquai-je. Et ce n'est pas tout à fait ce que je m'étais imaginé quand tu m'as proposé de prendre l'air.

— Peut-être, mais tu dois reconnaître que le panorama vaut le coup d'œil.

Crispant les doigts sur les aspérités du mur derrière moi, je contemplai le décor qui s'étendait sous mes yeux. Jonah disait vrai : la vue sur le centre de Chicago – ses bâtiments de verre, d'acier et de pierre taillée – était imprenable.

Mais tout de même…

— J'aurais très bien pu regarder par la fenêtre, lui fis-je remarquer.

— Et où est le défi là-dedans ? demanda-t-il avant d'adoucir la voix. Tu es une vampire. La gravité ne t'affecte pas de la même façon que les humains.

Il avait raison. Les lois de la gravité étaient moins sévères avec nous, ce qui nous permettait de combattre avec brio, et aussi, d'après ce que j'avais entendu dire, de faire des chutes vertigineuses sans en mourir. Mais je ne brûlais pas d'envie de tester cette théorie. L'idée de me briser les os ne m'enchantait pas particulièrement.

— Je t'assure que si tu suis mes instructions, tu ne te blesseras pas, affirma-t-il.

Facile à dire pour lui. Jonah avait des dizaines d'années d'expérience vampirique de plus que moi ; il avait moins de raisons d'être nerveux. Pour ma part, l'immortalité ne m'avait jamais paru aussi fragile.

Je repoussai les mèches brunes qui voletaient devant mes yeux et risquai un nouveau coup d'œil. State Street s'étendait loin en dessous de nous, quasiment déserte à cette heure de la nuit. Au moins, je n'écraserais personne si cette aventure devait mal tourner.

— Tu dois apprendre à tomber, décréta Jonah.

— Je sais, répondis-je. J'ai appris le maniement du katana avec Catcher. Savoir tomber était très important pour lui.

Catcher était mon ancien entraîneur et sortait avec ma meilleure amie Mallory, avait qui il habitait actuellement. Il travaillait aussi pour mon grand-père.

— Alors tu sais que l'immortalité n'exclut pas la prudence, ajouta-t-il en me tendant la main.

Mon cœur bondit dans ma poitrine, cette fois davantage à cause du geste de Jonah qu'en raison de l'altitude.

J'avais vécu repliée sur moi-même au cours des deux derniers mois, étouffant mes sentiments par la même occasion. Mon travail de Sentinelle de Cadogan s'était limité à effectuer des rondes à l'intérieur de la propriété. Je devais l'admettre : j'avais peur. Mon courage de jeune Novice s'était en grande partie évaporé lorsque mon Maître, Ethan Sullivan, le vampire qui m'avait transformée, m'avait nommée Sentinelle et avait été mon partenaire, avait eu le cœur transpercé par un pieu lancé par mon ennemie jurée… à qui je m'étais empressée de rendre la pareille.

En tant qu'ancienne doctorante en littérature anglaise, j'étais capable d'apprécier la cruelle poésie de ces événements.

Jonah, Capitaine de la Garde de la Maison Grey, constituait mon contact au sein de la Garde Rouge. Cette organisation secrète avait pour mission de surveiller les Maisons d'Amérique et le Présidium de Greenwich, conseil régissant les vampires et basé en Europe.

On m'avait proposé d'intégrer la GR. Si j'avais accepté, Jonah aurait été mon partenaire. J'avais décliné l'offre, mais Jonah avait eu la générosité de m'aider à affronter des problèmes qu'Ethan était incapable de gérer en raison des inclinations politiques du Présidium.

Jonah s'était fait une joie de remplacer Ethan – tant sur le plan professionnel que sur le reste. Les messages que nous avions échangés au cours des semaines précédentes – ainsi que la lueur d'espoir qui brillait dans ses yeux ce soir-là – indiquaient qu'il n'était pas préoccupé que par la résolution d'affaires surnaturelles.

Je ne pouvais nier le fait que je trouvais Jonah très séduisant. Et charmant. Et brillant, dans un étrange style excentrique. Franchement, il aurait pu jouer le jeune premier dans une comédie romantique. Mais je ne me sentais pas prête à envisager une relation sentimentale, et ne le serais sans doute pas avant un certain temps. Mon cœur n'était pas à prendre – la mort d'Ethan l'avait brisé.

Jonah dut lire l'hésitation dans mon regard. Il esquissa un sourire, retira sa main et désigna le rebord.

—Tu te souviens de ce que je t'ai dit ? Sauter équivaut à faire un pas en avant.

Ça, il l'avait déjà dit. Deux ou trois fois. Pourtant, je n'y croyais pas une seconde.

—Un très grand pas, alors.

—C'est vrai, concéda-t-il. Mais seul le premier pas est désagréable. Évoluer dans les airs constitue une expérience inoubliable.

—C'est encore mieux qu'évoluer en sécurité au sol ?

—Bien mieux. On a la sensation de voler. Sauf qu'au lieu d'aller vers le haut, on va vers le bas. Saisis ta chance de jouer au super héros.

—On m'appelle déjà « la Justicière à la queue-de-cheval », grommelai-je en rejetant ma couette en arrière.

Le *Chicago Sun-Times* m'avait dénommée ainsi quand j'avais porté secours à une métamorphe lors de l'attaque d'un bar. Comme je nouais souvent mes cheveux – à l'exception de ma frange – pour éviter une coupe malencontreuse au katana, ce surnom était resté.

—On t'a déjà dit que tu te montres particulièrement sarcastique quand tu as peur ?

—Plusieurs fois, oui, admis-je. Désolée. C'est juste que… je suis terrorisée. Ni mon corps ni mon esprit ne semblent d'accord avec l'idée de sauter du haut d'un immeuble.

—Tout ira bien. C'est justement parce que tu as peur que tu dois le faire.

Ou que je dois prendre mes jambes à mon cou et rentrer à Hyde Park.

—Fais-moi confiance, insista-t-il. En plus, tu dois apprendre à maîtriser cette technique. Malik et Kelley ont besoin de toi.

Kelley, ancienne garde Cadogan, occupait à présent le poste de Capitaine. Étant donné que les effectifs étaient désormais réduits à trois gardes à plein temps – y compris Kelley – et une Sentinelle, cette promotion n'avait rien de phénoménal.

Malik, qui avait été Second d'Ethan, était devenu Maître au décès de notre seigneur. Suite à la cérémonie d'investiture, la Maison lui avait été confiée.

La mort d'Ethan avait provoqué une impressionnante partie de chaises musicales chez les vampires.

Malik avait retrouvé son nom de famille et se faisait appeler Malik Washington, conformément à la règle stipulant que les Maîtres des douze Maisons du pays étaient les seuls vampires autorisés à utiliser leur patronyme. Malheureusement, en même temps que ce privilège, Malik avait hérité des drames politiques liés à Cadogan, et ceux-ci n'avaient fait qu'empirer depuis la disparition d'Ethan. Malik avait beau travailler sans relâche, il devait consacrer une grande partie de son temps à l'homme qui nous empoisonnait à présent l'existence : Franklin Theodore Cabot, le curateur qui avait été nommé pour s'occuper de la Maison Cadogan.

Quand Darius West, le chef du PG, avait décrété qu'il n'aimait pas la façon dont était administrée la Maison, il avait décidé d'envoyer « Frank » à Chicago afin de mener une inspection. Les membres du PG avaient exprimé des doutes quant à l'efficacité d'Ethan à la tête de Cadogan – un total mensonge. Ils n'avaient pas tardé à charger le curateur de fouiller nos chambres, nos livres et nos dossiers. Je me demandais quel genre d'informations Frank recherchait au juste. Et pourquoi le PG s'intéressait-il autant à une Maison située de l'autre côté de l'Atlantique ?

J'ignorais la réponse, mais j'étais sûre d'une chose, en revanche : Frank n'avait rien de l'invité modèle. Il se montrait odieux, despotique, et ne jurait que par le respect de règles dont je ne connaissais même pas l'existence. Bien sûr, je commençais à me familiariser avec tous ces préceptes. Frank avait tapissé un mur entier du rez-de-chaussée avec les nouveaux règlements et les sanctions encourues si ces derniers n'étaient pas respectés. D'après lui, ces mesures s'imposaient, car la Maison avait jusque-là cruellement manqué de discipline.

Bizarrement, j'avais détesté Frank dès le départ, et pas uniquement parce que c'était un bourgeois diplômé d'une école de commerce élitiste qui adorait utiliser des termes tels que « synergie » et « idées novatrices ». Ces mots avaient émaillé son discours d'arrivée, au cours duquel il nous avait laissé entendre de manière assez peu subtile que le PG garderait la tutelle permanente de la Maison – ou que celle-ci disparaîtrait – si jamais l'évaluation ne leur apportait pas satisfaction.

J'avais eu la chance de naître dans un milieu social aisé, et d'autres vampires Cadogan étaient issus de familles fortunées. Mais ce qui m'irritait au plus haut point chez Frank, c'était son arrogance. Ce type portait des chaussures bateau, bon sang. Non mais il se croyait où, franchement ? En fait, en dépit du rôle que lui avait attribué le PG, il n'était rien de plus qu'un Novice – riche, certes – venant d'une Maison de la côte Est. Une Maison qui avait été fondée par l'un de ses ancêtres, d'accord, mais qui avait depuis longtemps été confiée à un autre Maître.

Pire encore, Frank s'adressait à nous comme s'il appartenait à notre Maison, comme si sa fortune et ses relations constituaient un passeport lui donnant un statut parmi nous. Le fait qu'il joue au vampire Cadogan paraissait d'autant plus ridicule que son principal objectif consistait à répertorier nos écarts de conduite par rapport à la ligne du parti. C'était un élément extérieur introduit dans nos rangs pour nous labelliser « non conformes » et conclure que nous ne cadrions pas dans le décor.

Soucieux de préserver la Maison et respectueux de la hiérarchie, Malik lui avait laissé les rênes. Supposant qu'il était inutile de livrer bataille contre Frank, il avait préféré réserver son énergie pour d'autres conflits politiques.

Bref, Frank hantait à présent Hyde Park. Et moi, je me trouvais au Loop avec celui qui avait remplacé mon partenaire et était déterminé à m'apprendre comment sauter d'un immeuble sans tuer personne... et sans remettre en question mon immortalité.

Je jetai un nouveau regard en contrebas, ce qui eut pour effet de me nouer l'estomac. J'étais déchirée entre l'envie furieuse de me défiler et le désir de me précipiter dans le vide.

Ce fut alors qu'il prononça les mots qu'il fallait pour m'inciter à prendre une décision.

— L'aube va finir par arriver, Merit.

La légende concernant l'effet des rayons du soleil sur les vampires est fondée : si je me trouvais encore au sommet de cet immeuble quand le jour se lèverait, je serais vite réduite à un tas de cendres.

— Tu as deux options, reprit Jonah. Soit tu me fais confiance et tu tentes l'expérience, soit tu retournes sur le toit et tu rentres à Cadogan sans savoir de quoi tu aurais été capable. (Il me tendit la main.) Fais-moi confiance. Et pense à garder les genoux bien souples à l'atterrissage.

La certitude qu'exprimait son regard finit par me convaincre. Il ne doutait manifestement pas de ma capacité à réussir. Par le passé, j'avais lu de la suspicion dans ses yeux. Jonah ne m'avait pas particulièrement appréciée la première fois que nous nous étions rencontrés. Les circonstances nous avaient rapprochés et, en dépit des doutes qu'il avait pu nourrir à mon égard, il semblait à présent éprouver de l'estime pour moi.

Le moment était venu de m'en montrer digne.

Je tendis à mon tour la main et m'agrippai à ses doigts comme si ma vie en dépendait.

— Les genoux bien souples, répétai-je.

— Tout ce que tu as à faire, c'est un pas en avant, affirma-t-il.

Je tournai le regard vers lui, prête à lui dire «OK», mais je n'eus même pas le temps d'ouvrir la bouche qu'il m'adressait un clin d'œil et avançait d'un pas, m'entraînant à sa suite. Sans que j'aie eu l'occasion d'émettre la moindre protestation, nous étions dans les airs.

Les premiers instants furent tout bonnement terrifiants. J'eus l'impression que le sol – et la sécurité qu'il me procurait – se dérobait sous moi. En même temps, mon estomac sembla se retourner et un désagréable frisson me parcourut le corps. Mon cœur remonta dans ma gorge, ce qui eut au moins l'avantage de m'empêcher de hurler.

Ensuite, ça devint génial.

L'inconfortable sensation de chute – très inconfortable, j'insiste – ne dura pas. J'avais à présent moins l'impression de tomber que de dévaler un escalier aux marches plus espacées que la normale. Cela ne devait pas faire plus de trois ou quatre secondes que je me trouvais dans les airs, mais le temps semblait avoir ralenti sa course. La ville défilait à vitesse réduite sous mes yeux. Je pliai les genoux quand j'atteignis le sol, une main sur le trottoir. L'impact ne me parut pas plus violent que si j'avais effectué un saut banal.

Ma transformation en vampire avait été plutôt chaotique, et mes capacités s'étaient révélées assez progressivement pour que je sois surprise chaque fois que je réussissais un exploit du premier coup. L'expérience que je venais de vivre m'aurait tuée un an auparavant, pourtant je me sentais revigorée. Sauter du huitième étage sans fracture ni hématome ? Voilà une performance à marquer dans les annales.

— Tu es douée, me complimenta Jonah.

Je le regardai à travers ma frange.

— C'était fantastique !

— Je te l'avais dit.

Je me redressai et rajustai ma veste en cuir.

— C'est vrai. Mais la prochaine fois que tu me pousses du haut d'un immeuble, tu me le paieras.

Il m'adressa un sourire taquin qui me troubla plus que je ne l'aurais voulu.

— D'accord, marché conclu.

— Comment ça, « marché conclu » ? Tu ne pourrais pas simplement accepter de ne plus me jeter dans le [...]e ?

— Ce ne serait pas drôle, se contenta-t-il de répliquer [...]t de tourner les talons.

Je le laissai s'éloigner de quelques pas puis le suivis, gardant à l'esprit le coup d'œil malicieux qu'il m'avait réservé.

Et dire que j'avais pensé que sauter du toit était éprouvant pour les nerfs...

BRAGELONNE – MILADY, C'EST AUSSI LE CLUB :

Pour recevoir le magazine *Neverland* annonçant les parutions de Bragelonne & Milady et participer à des concours et des rencontres exclusives avec les auteurs et les illustrateurs, rien de plus facile !

Faites-nous parvenir votre nom et vos coordonnées complètes (adresse postale indispensable), ainsi que votre date de naissance, à l'adresse suivante :

Bragelonne
60-62, rue d'Hauteville
75010 Paris

club@bragelonne.fr

Venez aussi visiter nos sites Internet :
www.bragelonne.fr
www.milady.fr
graphics.milady.fr

Vous y trouverez toutes les nouveautés, les couvertures, les biographies des auteurs et des illustrateurs, et même des textes inédits, des interviews, un forum, des blogs et bien d'autres surprises !

Achevé d'imprimer en novembre 2011
N° d'impression L 74862
Dépôt légal, décembre 2011
Imprimé en France
81120650-1